Amor Sin Medida

CHRISTINA DODD

AMOR SIN MEDIDA

Titania Editores

ARGENTINA - CHILE - COLOMBIA - ESPAÑA
ESTADOS UNIDOS - MÉXICO - PERÚ - URUGUAY - VENEZUELA

Título original: *Priceless*
Editor original: Avon, An Imprint of HarperCollins*Publishers*, New York
Traducción: Isabel Murillo Fort

1.ª edición Septiembre 2013

ISBN: 978-84-92916-46-7
E-ISBN: 978-84-9944-628-8
Depósito legal: B –17445-2013

Fotocomposición: Jorge Campos Nieto
Impreso por: Romanyà Valls, S.A. — Verdaguer, 1 — 08786 Capellades (Barcelona)

Impreso en España — *Printed in Spain*

Para Shannon.
Gracias por ayudarme a urdir mis relatos,
por sentirte orgullosa de mí,
por quererme tanto como yo te quiero.
Te gustará este libro
en cuanto mamá decida
que eres lo bastante mayor como para poder leerlo.

Y un especial *merci beaucoup* para Susan.

Capítulo 1

Londres, Inglaterra, 1720

*B*ronwyn, nos descubrirán.

—Tú vigila. —Bronwyn Edana siguió peleándose con la cerradura—. Ya casi lo tengo.

Olivia se secó las lágrimas de miedo que le humedecían las mejillas y continuó vigilando el oscuro pasillo de aquella posada llamada The Brimming Cup—. No deberíamos hacer esto. Si nos descubre el posadero...

—Escucha el gemido. —Al otro lado de la puerta se oía un lloriqueo. Bronwyn bajó la voz—. Esa persona está enferma o herida, o algo por el estilo. ¿Quieres abandonar a un ser humano en ese estado agónico?

—No... —contestó Olivia, pero no sonó muy segura.

—Por supuesto que no.

—Pero mamá y papá nos han dejado al cargo del posadero mientras están en Londres, y ha dicho el posadero que...

Bronwyn siguió manipulando la cerradura con el largo clavo de hierro y logró por fin activar el mecanismo del interior.

—¡Ya lo tengo! —dijo, jactándose de su hazaña, pero acto seguido refunfuñó cuando el clavo se deslizó y cayó al suelo. Enderezándose, le replicó a su hermana—: El posadero ha ignorado los gritos pidiendo ayuda de esta dama. Dijo que el caballero que había alquilado la habitación era un hombre respetable y que había pagado un precio elevado. Lo único que le importa es el dinero y procurar que nos quedemos encerradas en la habitación como buenas damiselas.

—¿Y si mamá y papá descubren lo que hemos hecho?

—Dirán que hemos hecho lo correcto.

Olivia miró fijamente a su impetuosa hermana.

—De acuerdo. Habrían dicho que lo ignoráramos. —Se secó el sudor de la mano con la falda del atuendo de amazona e intentó aplacar el temblor de los dedos—. De no haberse empeñado mamá y papá en ir a visitar al prestamista, no estaríamos en esta asquerosa posada. En cuanto reciban por parte de lord Rawson la dote que me corresponde, volverán a ir desahogados y no tendremos que alojarnos en lugares tan horrorosos como este.

—Oh, Bronwyn. —Olivia suspiró—. En cuanto reciban tu dote, te casarás y ya no nos acompañarás a lugares tan horrorosos como este.

Un impulso de desafío rebelde estabilizó por fin la mano de Bronwyn.

—De modo que mamá y papá tendrán que soportar las consecuencias de nuestra aventura… si lo descubren.

—Estoy asustada —reconoció Olivia.

El amor que Bronwyn sentía por su hermana de dieciocho años entibió su exasperación. Siempre había cuidado de Olivia, desde el día en que, con cuatro años de edad, sus padres le mostraron aquel precioso bebé. Pero Olivia era la personificación del conformismo.

Y Bronwyn no tenía tiempo para conformismos en aquel momento.

—Puedes volver a tu habitación si te apetece. Puedo hacerlo sin tu ayuda —dijo Bronwyn, herida.

—¡No! —Olivia inspiró hondo, nerviosa—. No, jamás te dejaría, lo sabes. Pero…

Con una prontitud que la delataba, dijo entonces Bronwyn:

—De acuerdo. Si esto es tan grave como parece, te necesitaré. —Apoyó todo el peso de su cuerpo sobre el clavo de metal y se escuchó el clic del pestillo—. ¡Ya lo tengo!

Puso la mano en el pomo y se preparó para entrar.

—Yo vigilaré la puerta —susurró Olivia.

Bronwyn se detuvo un momento para sonreírle con cariño.

—Sé que lo harás. Confío en ti. —Entró en la habitación y se acercó a la cama. Los sollozos la guiaron hacia allí, pero no estaba preparada para enfrentarse a la imagen de aquella mujer joven y magullada que descubrió envuelta entre las sábanas. La determinación de Bronwyn vaciló por un instante y se esforzó por superar la debilidad que amenazaba con menoscabarla. Se acercó a la mujer—. Permítame que la ayude.

Un ojo de la mujer trató de abrirse y centrar la imagen; el otro permanecía cerrado debido a la hinchazón. Abriendo su magullada boca, dijo por fin:

—*D'eau.*

Bronwyn se quedó mirándola.

—¿Qué?

—*D'eau* —musitó de nuevo.

La mujer hablaba francés. Bronwyn recurrió a sus escasos conocimientos de aquel idioma para traducir.

—Agua. —En la estantería había una jarra, un vaso y un cuenco. Llamó a Olivia para que llenara el vaso y su hermana entró a regañadientes en la habitación—. Tendrás que darle de beber mientras yo la aguanto —le ordenó Bronwyn.

—Oh, Bronwyn, ojalá hubiéramos ido directamente a casa de lord Rawson. Estoy muy asustada —dijo Olivia, sollozando casi, y Bronwyn le dio una palmadita en la espalda.

—Valor. —Le pasó el vaso—. Te necesito.

Bronwyn se sentó en la cama. Y al deslizar la mano por detrás de la cabeza de la mujer, esta gimió lastimeramente, como si cualquier movimiento, incluso respirar, le provocase dolor. A Bronwyn se le llenaron los ojos de lágrimas, pero cuando levantó la vista vio que Olivia había hecho lo que le había pedido. Acercó el vaso a la boca de la mujer.

La mujer bebió con ganas, entre sollozo y sollozo, hasta que por fin paró.

—*Merci* —dijo, mirando a Olivia—. Eres un ángel.

—Lo es —reconoció Bronwyn, relajándose. Aunque el idioma materno de la mujer era el francés, hablaba bien el inglés—. Es un ángel que ha venido en su rescate. Y ahora irá a buscar a un médico para que la vea.

—*¡Non!* —Una frágil mano apresó el brazo de Bronwyn y lo soltó enseguida—. No se lo digan a nadie. Me matará… si lo hacen.

Bronwyn miró por encima del hombro, esperando toparse con una figura amenazadora.

—¿Su marido?

—¡*Non!* No soy tan estúpida.

La vehemente negación minó todas sus fuerzas.

Y tal y como Bronwyn sabía que sucedería, la enfermera nata que su hermana llevaba dentro se puso en acción. Olivia humedeció una toalla y retiró el pelo que caía sobre la frente de la mujer.

—¿Cómo se llama? —le preguntó OIivia.

—Me llamo Henriette. —Abrió los ojos, y los cerró a continuación—. ¿Se ha apoderado también de usted?

—No, nadie se ha apoderado de mí.

—*Bon*. Una mujer tan guapa… no debería caer en manos tan brutales. —Se retorció como consecuencia de un espasmo—. Huya. No permita que se apodere de usted.

—No permitiré que nadie se apodere de ella. —Bronwyn cogió la frágil mano que asomaba por encima de la colcha—. Es mi hermana.

—¿Hermana? —Henriette las observó—. No se parecen en nada.

—Pero tenemos una determinación parecida —insistió Bronwyn—. La ayudaremos a escapar.

—Demasiado tarde. Enciendan velas… por mi alma, se lo suplico.

—Por supuesto —concedió Olivia.

—Ese hombre malvado me ha asesinado. Prométanme que encenderán… —Henriette inspiró hondo para contener el dolor— velas para guiarme. —Su mano se debatió con impotencia en el aire—. Prométanmelo.

Olivia sonrió, dulce como el ángel que había mencionado Henriette.

—Prometido.

Satisfecha, Henriette cerró los ojos.

—*Allez*. Váyanse. Volverá enseguida.

Bronwyn negó con la cabeza.

—Nadie va a sacarme de aquí, y buscaré ayuda para…

—Me acusarán a mí, porque soy francesa. Dirán que lo hice yo, pero no fue así.

—No entiendo nada —dijo Bronwyn.

—Él asesina y me culpan a mí.

—¿Qué? ¿Quién?

—No sé a quién. Él dice que a su criado… lo mata con un título.

—¿Con un título? ¿Un palo, querrá quizás decir?

—*Non.* —Movió la cabeza sobre la almohada de un lado a otro, un esfuerzo agotador—. Un título —insistió Henriette.

Aquellas incoherencias no tenían sentido alguno para Bronwyn.

—Imagino que hay formas mejores de hacerlo.

—*Non...*

Henriette tosió y apareció un hilillo de sangre en la comisura de la boca.

Olivia corrió con un paño para secarle la boca.

—No hable —le instó.

Henriette hizo caso omiso.

—Cuando se dio cuenta de que lo había oído, me cogió. Me golpeó hasta matarme.

Bronwyn la tranquilizó acariciándola.

—No podemos dejarla aquí.

—¿No podríamos contárselo al posadero? —preguntó Olivia—. Si supiese lo malherida que está esta mujer...

Bronwyn explotó como si hasta entonces hubiese estado conteniendo su exasperación.

—Esto es Londres, ha dicho, y que si tuviese que extender la mano en son de amistad a todos los necesitados, acabarían cortándosela. Ha dicho que cosa y que me olvide de los gemidos.

—Es terrible. —Olivia se tapó la cara con la mano—. ¿Qué hacemos? No somos más que dos niñas. Ni siquiera estamos casadas.

—Yo estoy comprometida. ¿No me convierte eso en una persona fiable? —Bronwyn cogió por los hombros a su hermana menor y la sacudió ligeramente—. Existe una manera. Tengo un plan.

—Uno de tus planes —se quejó Olivia.

Pero Bronwyn le hizo caso omiso y le preguntó a Henriette:

—¿Hay algún lugar dónde poder llevarla?

El rostro de Henriette expresó una inmensa añoranza.

—De poder hacerlo, *le bon Dieu* las bendeciría.

—Dígame dónde iría —insistió Bronwyn.

—Al salón de madame Rachelle. ¿Sabe dónde...?

—Lo averiguaré. Olivia, baja a ver al lacayo y dile que queremos un carruaje para mamá.

—¿Voy sola?

—¿Prefieres quedarte tú con mademoiselle Henriette y que vaya yo?

Olivia miró de reojo la inflamada cara de Henriette y luego miró la puerta.

—Me quedo.

Sorprendida por aquella inusual muestra de valentía, Bronwyn le preguntó:

—¿Y qué pasará si vuelve a aparecer ese hombre?

—Pondré una silla delante de la puerta. No me gusta hablar con desconocidos. No puedo pedir un carruaje. Henriette me necesita y sé cuidar enfermos mejor que tú.

Bronwyn levantó la barbilla.

—Hasta el momento también lo he hecho bien.

—Has sido muy valiente, pero estas blanca como unas enaguas recién blanqueadas. —Olivia le dio un empujoncito a Bronwyn—. Date prisa.

Bronwyn sonrió a su caritativa hermana.

—Cuando vuelva, llamaré tres veces a la puerta para que sepas que soy yo y me abras.

Cruzó corriendo la puerta, bajó con gran estruendo la oscura escalera y se detuvo en seco al llegar a los pies de la misma. Era hija de un conde y como tal debía comportarse. Recompuso su cara peluca castaña y se pellizcó sus bronceadas mejillas para darles color. Con una indolencia excesiva, atravesó la taberna en dirección a la puerta de entrada. Asomó la cabeza y divisó a un joven, a buen seguro dispuesto a buscarle un medio de transporte a cambio de un penique de propina. Desde el umbral, gritó:

—¡Usted! Necesito un carruaje para mi madre. Quiere desplazarse a Londres como es debido. Mi madre está impedida por la gota y… —respiró hondo— necesita un carruaje.

El chico respondió en cuanto vio el destello de la moneda.

—De acuerdo, milady, enseguida busco un carruaje.

Bronwyn se dispuso a entrar de nuevo.

—No deje que se marche. Manténgalo aquí. —Dio media vuelta y corrió hacia la habitación, llamó tres veces a la puerta y esperó a que Olivia retirara la silla—. Corre —dijo cuando Olivia abrió—. Ya tengo el carruaje.

Le dio la impresión de que Olivia había estado llorando.

—Henriette no puede bajar. Está sangrando mucho.

La voz ronca de Henriette interrumpió la conversación.

—No me dejen morir aquí, *je vous en prie*. Llévenme con Rachelle, quiero morir en paz.

—Dios mío. —La enorme mancha de sangre en las sábanas obligó a Bronwyn a agarrarse a la puerta. Henriette se estaba desangrando como consecuencia de alguna lesión interna. Olivia se acercó en busca de consuelo y Bronwyn la estrechó entre sus brazos. Aquello era mucho peor que cualquier cosa que hubieran imaginado, mucho peor que cualquier cosa que hubieran presenciado en el transcurso de su resguardada vida. Pero el cariño de hermanas les dio fuerza y Bronwyn le murmuró a Olivia—. Ahora no podemos darnos por vencidas. Ayúdame a envolverla con la sábana.

Bronwyn retiró de un tirón la sábana encimera y la deslizaron por debajo de Henriette. La ayudaron a sentarse y la envolvieron con su capa. Mientras le cubrían la cara con un velo, Bronwyn cayó en la cuenta de que entre Olivia y ella tendrían que bajarla hasta la calle. Bronwyn se alegró de que hubieran decidido viajar con sus cómodos trajes de amazona y por primera vez en su vida dio gracias a Dios por la altura y la fuerza de Olivia.

Pasaron los brazos de Henriette por encima de sus respectivos hombros, la rodearon por la cintura y se pusieron en marcha. Henriette avanzó depositando todo el peso del cuerpo sobre un pie y arrastrando el otro. Al llegar a la escalera, Bronwyn dijo:

—Vigila tanto tu falda como la de ella, Olivia. Tendrá que dejar que la bajemos nosotras. Pon buena cara, Olivia. Vamos de paseo.

Henriette se relajó y Olivia mostró todos los dientes en una sonrisa fingida. Bronwyn siguió su ejemplo. Cuando el posadero de The Brimming Cup las saludó, se giró con el corazón encogido.

—Estupendo, señoritas, veo que han encontrado la forma de entretenerse en ausencia de sus padres. Mejor que meter las narices en los asuntos de los demás. —El calvo posadero estaba ansioso por compensar la rudeza de antes. Sin duda, su padre no le había pagado aún por la estancia y no quería tener que sufrir las consecuencias de las quejas de las hijas. Al ver la dama velada, preguntó—: ¿Su abuela? No me había dado cuenta de que también las acompañaba.

15

—Sí, claro —explicó Bronwyn—, ha llegado también esta tarde mientras usted... se ocupaba del equipaje. Viaja con nosotros.

—Perfecto. Andaba yo preocupado con la idea de que sus padres se hubieran marchado a callejear por Londres sin dejar debidamente acompañadas a dos mujeres tan bellas. —Le hablaba a Bronwyn, pero su mirada se quedó posada en Olivia—. Un deber excesivo para un posadero.

La tensa figura bajo las manos de Bronwyn se relajó infinitésimamente. Bronwyn suspiró con melancolía y abrió los ojos para adoptar una expresión que imaginaba parecería de inocencia.

—Mamá y papá saben que con la abuela siempre estamos seguras. Desea visitar algunos de sus lugares preferidos en el centro de Londres.

El posadero les sujetó la puerta y pasaron las tres ocupando toda su anchura.

—Es una ciudad magnífica. Disfrutarán del paseo.

El carruaje estaba aguardándolas y el chico les abrió la puerta. El posadero salió dispuesto a ayudarles a subir a Henriette, pero Bronwyn le espetó:

—¡No la toque! —El posadero retrocedió, ofendido y, sin más ayuda, subieron a Henriette y la instalaron en el asiento—. A la abuela no le gustan los desconocidos.

—¿Abuela? —dijo el chico, rascándose la cabeza—. Creí haber entendido que era su madre.

La curiosidad afiló las facciones alargadas del posadero.

—No, su madre es una dama más joven.

El chico insistió en un tono acusador.

—Pero ha dicho que era para su madre.

—Sí... bueno...

Desde el interior del carruaje, una voz débil y chirriante dijo:

—Su madre es tan frívola que he sido yo la que ha criado a las niñas. Me llaman «madre».

Recordándose lo que estaba en juego, recordándose que la aristócrata era ella y el posadero su servidor, dijo entonces Bronwyn:

—Vamos, buen hombre, ponga en marcha estos caballos.

Su tono imperioso vaciló cuando el lunar embellecedor que lucía sobre el labio cayó al suelo. Cuando el chico cerró la puerta, vio de reojo que contenía una sonrisa.

Cuando llegaron a la espléndida mansión de Curzon Street, Bronwyn llamó a la puerta y se agitó con nerviosismo. ¿Qué explicación daría a quién abriese?

La puerta se abrió enseguida y una joven con los dedos manchados de tinta miró distraídamente a Bronwyn y le preguntó:

—¿Viene a ver a Rachelle?

El acento francés, tan similar al de Henriette, impresionó a Bronwyn, que respondió con premura:

—Vengo con una amiga de madame Rachelle. Se llama Henriette...

La puerta se abrió por completo.

—¿Henriette? —La mujer se giró y gritó—. ¡Henriette ha vuelto!

La frase se repitió en el interior y de pronto rodearon el carruaje tres mujeres, ninguna de ellas mayor de veinticinco años.

—Con cuidado —ordenó Olivia en una excepcional muestra de autoridad—. Le duele todo.

Las mujeres se sorprendieron y Olivia las apartó con delicadeza.

—¿Está preparada, Henriette?

En cuanto escucharon un murmullo afirmativo, Olivia y Bronwyn la ayudaron a subir la escalera. La mujer se había quedado completamente sin fuerzas. La transportaron hasta la entrada.

—Hay que acostarla —dijo Bronwyn—. ¿Dónde podemos dejarla?

—En el sofá del salón —dijo una voz, dando órdenes desde los pies de la escalera interior.

Concentrada en mantener el equilibrio, Bronwyn apenas prestó atención a la propietaria de aquella autoritaria voz francesa. Henriette echó la cabeza hacia atrás en cuanto la depositaron y musitó:

—Rachelle.

Una mujer de más edad, cubierta con tocado de viuda, se arrodilló junto al sofá y retiró el velo de Henriette. Las jóvenes sofocaron un grito al ver el estado en que se encontraba Henriette y Bronwyn sintió náuseas al contemplar una vez más aquella brutalidad.

Rachelle no apartó ni por un momento los ojos de Henriette.

—¿Puedes ayudarme, Daphne?

Se aproximó una de las jóvenes, examinó con rapidez y habilidad a Henriette y acarició la rígida figura de Rachelle.

—Haría cualquier cosa por ti, Rachelle, lo sabes. Pero aquí no puedo hacer nada. —Jugueteando nerviosa con los flecos del chal que le cubría los hombros, murmuró—: Si deseas que la examine alguien más, no me sentiré ofendida.

—No. —Rachelle acercó la mano al pulso del cuello de Henriette—. Se está muriendo.

Olivia cogió la mano de Bronwyn y se la apretó. La única que no estaba acobardada era Rachelle.

—¿Quién te ha hecho esto, *ma mignonne*?

Henriette movió los labios, pero no consiguió articular palabra. Bronwyn llenó una copa con jerez de una botella que había en la mesa y se lo ofreció a Rachelle. Sin levantar la vista, esta acercó la copa a los labios de Henriette, pero Henriette no podía ni beber. Rachelle sumergió el dedo en el líquido y se lo pasó por los labios.

—Pensaba que habías huido con tu joven lord. ¿No fue así?

Henriette negó con la cabeza.

—Eso nos dijo que haría. ¿Está al corriente de esto?

Otra negativa y después de aquello, Henriette se quedó inconsciente.

Rachelle se incorporó y se volvió hacia las hermanas.

—¿Cómo la han encontrado?

Bronwyn se humedeció los labios.

—Estaba encerrada en una habitación contigua a la nuestra. Forzamos la puerta y…

Rachelle se abalanzó hacia ella y Bronwyn se encontró de repente apretujada contra su huesudo pecho.

—Debería haber reconocido su valentía enseguida. —Abarcó a Olivia en su abrazo—. Y su valentía es mayor si cabe, puesto que estaba petrificada. Vayan con mis amigas. Les ofrecerán un refresco.

Siguiendo las indicaciones de las mujeres más jóvenes, Bronwyn y Olivia abandonaron el salón. Bronwyn miró hacia atrás y vio que Rachelle, desolada, acunaba a Henriette entre sus brazos. La imagen del dolor de Rachelle le abrasaba los pensamientos.

Rachelle cogió de la mano a Bronwyn y Olivia para conducirlas hacia el salón.

—Asumo todas mis responsabilidades, pero Henriette era mi hija. Rebelde, cabezota, pero mi hija, de todos modos. Y con dieciséis años, ¿quién no se mete en problemas? Apenas la he cogido entre mis brazos y se ha ido.

Entrelazó sus finas y venosas manos para impedir que le temblaran. Dejó caer la cabeza como si le pesara mucho y a Bronwyn se le encogió el corazón.

Bronwyn habló, tartamudeando.

—Lo siento. Nos gustaría poder haber sido de más ayuda.

—Han ayudado. La han traído a mi casa.

—Madame Rachelle —dijo Olivia—. Debo decirle que le prometí a Henriette que rezaría por ella. Es un voto sagrado. ¿Sabe dónde está la iglesia católica más cercana?

—Tus oraciones también serán escuchadas si rezas en una iglesia anglicana —sugirió Bronwyn.

Olivia lanzó una mirada de reproche a su hermana.

—Le prometí que encendería velas por su alma, y quiero hacerlo en las circunstancias correctas.

Bronwyn se quedó asombrada ante la excepcional determinación de su hermana.

—Por supuesto. Nos detendremos de camino de vuelta a la posada. Si madame Rachelle desea indicárnoslo.

Rachelle miró pensativa a Olivia.

—Es usted encantadora. En Inglaterra no es fácil encontrar un lugar donde rendir culto a mi fe, razón por la cual tengo una capilla en casa.

Cogió una campanilla de plata y la hizo sonar. Apareció enseguida una de las mujeres y le pidió a Olivia que la acompañara.

Rachelle extrajo un pañuelo del bolsillo de la falda y dio unos simples golpecitos a su nariz colorada.

—Pensará que no tengo corazón, ¿verdad?

—No —respondió vacilante Bronwyn—. No, yo...

—¿Se tomaría su madre con esta calma la muerte de usted o de su hermana?

Su acento era más marcado que el de Henriette; tenía un carácter forjado al fuego.

—No... No, estaría desolada. Tremendamente desolada.

—Huí de Francia para evitar precisamente la pesadilla que ahora se ha llevado a mi hija. Tengo la sensación de haber convivido a diario con este tipo de dolor, y el dolor me ha endurecido. —Rachelle unió las manos y se inclinó sobre ellas, como para aliviar un espasmo—. Pero a veces esta angustia me taladra. Me vengaré. Encontraré al bruto que la ha asesinado.

—Si se me ocurre otra cosa que dijera Henriette, cualquier otra pista, me pondré en contacto con usted. Bronwyn saludó con una reverencia.

—Sé que lo hará. —Madame Rachelle enderezó la espalda y estudió a Bronwyn. Indicándole con un gesto la peluca, le dijo—. ¿Puedo?

Y antes de que a Bronwyn le diera tiempo a responder, le afanó el elaborado postizo.

Bronwyn se llevó las manos a la cabeza y protestó.

—Madame Rachelle…

—Rachelle. —La dama levantó un dedo para regañarla—. Soy Rachelle para los amigos.

Bronwyn permaneció en silencio mientras caían las cintas que le sujetaban el pelo. Le resultaba imposible llamar por su nombre a una mujer de la edad de su madre. Sería una falta de respeto.

Ansiosos por escapar de su encierro, los rizos saltaron entre sus dedos.

—Mi pelo es ingobernable sin peluca. Me lo cortaría, pero mi padre…

—¿Cortar esto? —Rachelle le apartó las manos a Bronwyn y cogió un mechón—. ¿Cortar esto? Es tan claro que es casi plateado. Es *clair de lune*… luz de luna.

—No, no puedo. Mi padre no quiere ni oír hablar del tema.

—Yo tampoco habría permitido a Henriette que se lo cortase, y me pasaba horas peinándolo… —Dos lágrimas, dos joyas diminutas, brillaron en los grandes ojos de Rachelle y resbalaron por sus descoloridas mejillas. Se cubrió la boca con la mano para contener los sollozos. Los huesos de los pómulos sobresalieron por debajo de la carne y le otorgaban un aspecto frágil. Cuando volvió a hablar, le temblaba la voz—. ¿Conozco a su padre?

—Es lord Rafferty Edana, conde de Gaynor.

—No, no creo que haya asistido nunca a alguna de nuestras veladas. —Rachelle se sirvió del pañuelo para capturar la última lágrima—. ¿Gaynor? ¿Dónde está eso?

—En la salvaje costa del norte de Irlanda, donde juegan las focas y gritan las gaviotas.

—Se crió usted allí —observó Rachelle—. He captado en su voz un débil acento.

—Mi padre insistió en que nos criáramos en su finca natal. Todas permanecimos allí hasta los diez años de edad y entonces vinimos a Inglaterra. —Bronwyn suspiró—. Mi madre insistió también en que todas nos hiciéramos mujeres en *su* finca natal.

—¿Todas?

—Somos ocho hermanas: Linnet, Holly, Lucille, Editt, Duessa, Wallis, Olivia y yo.

—Espere. Espere. —Rachelle levantó un dedo—. ¿No querrá usted decirme que es usted una de las conocidas como las sirenas irlandesas? ¿Su hermana es Linnet, la condesa de Brookbridge?

Bronwyn asintió.

—¿Edith, la marquesa de Kenicelster? ¿Duessa, la duquesa de Innsford?

—La duquesa Duessa. —Bronwyn sonrió—. Fue la primera que cazó un duque. Wallis solo cazó un barón, pero su fortuna compensa su falta de relevancia. Yo soy la siguiente a la que toca casar, después está Olivia.

—¿Cuándo se casa, pues?

—Mi padre se negó a considerar cualquiera de mis anteriores pretendientes. Carecían de título o de fortuna.

—¿Y ahora?

—Estoy prometida al vizconde Rawson.

Rachel dejó en el sofá la odiosa peluca.

—¿Adam Keane?

Entonces Bronwyn le preguntó:

—¿Le conoce? ¿Es jovial? ¿Atento?

—¿Jovial? ¿Atento? ¡Non! Jovial no es precisamente un calificativo adecuado para Adam Keane. Es *sombrío* y... encerrado en sí mismo, y demasiado inteligente. No, definitivamente no... —Rachelle se interrumpió y su mirada se agudizó—. ¿Le conoce ya?

El intrincado motivo de la tapicería del sofá llamó la atención de Bronwyn. Con el dedo, empezó a recorrer tallos y flores.

—Él me ha visto sin que yo lo viera. ¿No le parece muy dulce?

—Adam Keane nunca es dulce —dijo Rachelle sin alterarse—. Es un hombre amargado. ¿Espera usted que sea como otra de sus hermanas?

—Supongo.

—¿Qué hará cuando lo conozca?

Con un destello de humor, replicó Bronwyn:

—Mis padres estarán presentes. No podrá matarme allí mismo.

Rachelle mantuvo la seriedad.

—El sarcasmo de ese hombre puede resultar intimidante.

—Mi padre dice que soy lo bastante agradable como para que me considere —dijo Bronwyn a la defensiva.

Rachelle se levantó y le ahuecó el cabello hasta que sus largas trenzas se esparcieron por encima de los hombros.

—Madre mía, eres *magnifique*...

Bronwyn resopló.

—... aunque según el estilo típico inglés, tu aspecto no es el adecuado.

—Mamá hace lo que puede.

—Su madre se parecerá a sus hermanas, imagino.

—Mis hermanas no le llegan ni a la suela del zapato. —El cariño y el orgullo que Bronwyn sentía por su madre superó su turbación—. Alta, elegante, con estilo, con una melena negra como la de Olivia, aunque la suya tiene una veta blanca en la sien. Su piel es pálida e inmaculada. Con mis hermanas guarda un fuerte parecido.

—Usted, querida, parece una niña cambiada, pero es de todos modos *frappant*. Llamativa.

—Mi padre me llama «Pixie» porque soy bajita y cuando me da el sol me bronceo enseguida. ¿Lo ve?

Bronwyn se señaló la nariz.

—Un encantador contraste con sus ondas naturales y sus asombrosos ojos. —Rachelle le hizo girar la cabeza—. ¿De qué color son?

—Marrones, a falta de una palabra mejor. Dice mi padre que son bonitos.

—Creo que su padre me gusta.

Las flores y los motivos de la tapicería atrajeron de nuevo la atención de Bronwyn.

—Como a la mayoría de las mujeres. Es un conquistador irlandés.

—Tal vez invite a sus padres a que vengan a una de nuestras veladas. Sería fascinante charlar con la madre y el padre de tales pilares de la sociedad.

—¿Mi madre? ¿Quiere que venga mi madre?

—¿No lo haría?

—No lo sé. Jamás pensé que... —Bronwyn tragó saliva—. Madame Rachelle...

—Solo Rachelle, *s'il vous plait*.

—Me preguntaba... ¿qué tipo de lugar es este? He oído decir que, a veces... —Bronwyn frunció la falda de su traje, creando pequeñas pirámides—. La verdad es que nadie me cuenta nada, pero corren rumores de lugares donde solo los hombres...

Rachelle acudió a su rescate y le dio unos golpecitos cariñosos en la mano.

—Son muchos los ingleses que piensan como usted. Esto es un salón. Mis amigas, las chicas que viven conmigo, son *jeune filles de bonne famille*.

—¿Nobles?

—*Oui*, nobles que pasan por tiempos difíciles. Una de ellas estudia el firmamento y busca las respuestas de la vida en el movimiento de las estrellas. Otra canta con una voz pura y bella. Daphne, ya la ha visto, estudia el cuerpo humano y desearía convertirse en *docteur*.

—¿Lo hace usted... por amistad?

—Qué desconfiada —la recriminó Rachelle—. Tengo dinero. ¿Cómo si no podría ayudar a las chicas? En Francia, las *salonières* pagan una pensión a aquellas que lo valen. En Francia, los salones son una institución, un lugar donde hombres y mujeres de la élite intelectual, social y artística pueden conversar libremente.

Aturdida por la sensación de alivio, Bronwyn suspiró.

—En este caso, la reputación de los Edana sigue siendo intachable.

—Tal vez no. Soy viuda de un noble francés, una mujer casta. Pero siempre están *les saintes nitouche* que dan por sentado que cualquier relación platónica entre un hombre y una mujer está destinada al fracaso. Podría haber chismorreos si se descubriese que ha estado usted aquí. —Rachelle rió al percibir el cambio en la expresión de Bronwyn—. Las devolveré a su posada en un carruaje cubierto.

Recordando su deber, Bronwyn se levantó.

—Me temo que tendríamos que ir regresando. Mis padres no saben dónde estamos.

—No es mi intención criticarlos, pero no deberían haber dejado solas a sus valiosos tesoros en un lugar como aquel.

Y recordando su valioso tesoro recientemente usurpado, las comisuras de los ojos castaños de Rachelle se llenaron de lágrimas.

—Mis padres se rigen según sus propias leyes —le aseguró Bronwyn—, pero ninguna de mis hermanas ha sido jamás objeto de violencia.

Rachelle la cogió por el brazo y la acompañó hacia el pasillo.

—Tal vez sus hermanas no tengan la naturaleza bondadosa e impetuosa que tiene usted.

—Si se refiere a que no muestran tendencia a dejarse llevar por impulsos desenfrenados, me temo que es cierto.

Entraron en una minúscula capilla situada en la parte posterior de la casa, perfumada por el aroma que despedían las flores y las velas. Todas las mujeres de la casa de Rachelle estaban allí arrodilladas, con Olivia entre ellas.

Por muy acostumbrada que estuviese Bronwyn a la belleza de su hermana, se quedó embelesada con la pureza de su perfil. La serenidad de Olivia era sublime, su devoción amedrentadora. Bronwyn se acercó a ella y le tocó el brazo.

—Vamos —dijo en voz baja—. Es hora de irnos.

—Por supuesto —replicó Olivia—. Pero ¿no querrías antes encender una vela para Henriette?

El recuerdo de los tiempos de Bronwyn en Irlanda seguía presente. Allí había aprendido los principios básicos de la religión católica. Su madre, con los pies firmemente enraizados en la tradición inglesa, se habría horrorizado, pero la sabiduría infantil había refrenado a sus hijas de comentárselo. Bronwyn utilizó el pañuelo que llevaba sobre los hombros para cubrirse la cabeza. Bajo la mirada de aprobación de su hermana, rezó una oración por el alma de Henriette. Se levantó y dijo:

—Vámonos, Olivia.

Después de lanzar una última y prolongada mirada al altar, Olivia obedeció.

—Les he llamado un carruaje —dijo Rachelle al ver que se acercaban a la puerta.

Olivia señaló su cabeza, luego la de Bronwyn. Esta se llevó la mano al pelo de inmediato.

—¡Mi peluca! Me la olvidaba. —Cambiando de dirección, regresó al salón y rescató el postizo que había quedado junto a la chimenea.

—¿Se lo pondrá? —preguntó Rachelle.

Mirando con mala cara la peluca castaña, dijo:

—No, iré así.

—Como guste. *Encore, merci beaucoup.*

Aquella mujer acababa de perder una hija e «Igualmente» no parecía la mejor réplica. Bronwyn lo dijo, de todos modos, como muestra de su admiración y a modo de homenaje.

Con la mano ya en el pomo de la puerta, Bronwyn miró de nuevo el salón. Podía imaginarse perfectamente la estancia llena a rebosar de gigantes políticos y literarios, escuchar cálidas voces femeninas hablando de política, de literatura, de música. Percibía casi el calor de los debates. El anhelo se apoderó de ella.

Notó una mano en el brazo y se giró de repente. Rachelle estaba a su lado.

—Siempre que lo desee puede venir a verme. Estoy en deuda con usted por haber rescatado de forma tan valiente a mi hija, y además... me gusta, Bronwyn Edana.

—Gracias por el ofrecimiento, madame...

—Llámeme Rachel.

—Gracias por su amable ofrecimiento —respiró hondo—... Rachelle, pero no haré nunca eso que acaba de sugerirme.

—Nunca diga «nunca». Recuérdelo. —Rachelle se fundió con la penumbra de la casa—. Recuérdelo si algún día se encuentra en situación de necesidad.

Capítulo 2

*L*o siento, papá. Ha sido todo culpa mía.

—Sé que todo ha sido culpa tuya, Bronwyn. En ningún momento se me ha ocurrido pensar lo contrario. —Lord Rafferty Edana, conde de Gaynor, deambulaba de un lado a otro de la habitación de Brimming Cup Inn—. Tus travesuras acabarán siendo algún día tu perdición. No sé de dónde has sacado esa debilidad.

Bronwyn levantó la vista por debajo de la peluca que su madre estaba colocándole.

—¿De ti?

Lady Nora tiró con fuerza de un mechón suelto de pelo.

—No seas impertinente, señorita.

Bronwyn se decantó por la prudencia.

—No, mamá.

Lord Gaynor hundió las manos en los bolsillos de su chaleco bordado y se balanceó sobre los talones.

—No me creo que de repente decidieras que te apetecía explorar Londres por tu cuenta. ¿Qué locura te ha arrastrado hasta esos extremos?

—Estaba aburrida.

Impaciente, desestimó aquella excusa.

—Esa ya la has probado. Escuchemos la verdad.

Bronwyn sabía que nunca podría engañar a su padre. La conocía por dentro y por fuera. Por mucho que su madre se empeñara en negarlo, ella era exactamente igual que aquel hombre audaz al que llamaba su padre. No tenía ni su aspecto ni su encanto, pero en lo referente a tomar decisiones en décimas de segundo, el atrevimiento del padre había encontrado un igual en su hija. Lo miró con descaro y dijo:

—Hemos ido a visitar un salón.

—Es la tontería más grande que he oído en mi vida —rugió su padre. Un estallido de risas nerviosas distrajo su atención y vio que era Olivia—. Olivia, mi pequeña —canturreó, su acento irlandés tan marcado que incluso se podía cortar—, cuéntale la verdad a tu viejo padre. ¿Dónde te ha llevado a la fuerza Bronwyn?

Olivia tragó saliva. Miró a Bronwyn, que levantó las cejas. Olivia entrelazó los dedos sobre su regazo y volcó su atención en lord Gaynor.

—Ya te lo ha dicho Bronwyn, papá. Hemos ido a visitar un salón.

—¿Un salón? —Giró en un círculo alrededor de la temblorosa Olivia—. ¿Y qué habéis hecho allí, hija mía?

—Hemos… hemos tomado el té y hablado con la señora que lo gestiona… —Miró a Bronwyn y se relajó ante la aprobación de su hermana—. Sí, eso es lo que hemos hecho.

—¿Y cómo se llama esa señora? —preguntó el padre, todo encanto y dulzura.

—Madame Rachelle —respondió al instante Bronwyn, y su padre se giró en redondo hacia ella, airado.

—No te lo preguntaba a ti, muchacha. Tú estate por tus asuntos.

—Simplemente intentaba ayudar —protestó Bronwyn, su inocencia tan falsa como la de su padre.

—Ya conozco tus ayudas. —Volvió a girarse, refunfuñando—. Ayudas…

Siempre ansiosa por evitar las disputas, Olivia lo confirmó.

—Se llama madame Rachelle y nos ofreció galletas.

—¿Tomasteis el té, no es eso? ¿Y comisteis galletas?

—Sí, papá, también galletas.

—En ese caso, no os apetecerá la cena que os hemos guardado. —Movió la cabeza al ver la expresión confusa de sus hijas—. Ya la he pagado.

Viendo que la posibilidad de cenar se esfumaba, Bronwyn cortó por lo sano.

—¿Significa eso que ya has conseguido el dinero del prestamista, papá?

—Cuidado con lo que dices, chica —respondió él—. Las cuestiones de dinero no son de la incumbencia de mis hijas.

—Como si eso fuera cierto —replicó Bronwyn.

Lord Gaynor se llevó las manos a las caderas.

—No hace siquiera dos meses, muchacha, invertí en un negocio que nos llevará al éxito.

—¿Te han dado los prestamistas dinero suficiente para invertir?

—Los prestamistas nos dieron lo suficiente para mantenernos hasta que las monedas empiecen a rebosar por mis copiosos bolsillos. —Viendo la expresión de escepticismo de Bronwyn, lord Gaynor recordó que nunca hablaba de temas financieros con sus mujeres, pero no pudo resistirse a la urgencia de fanfarronear—. No me pierdas de vista, muchacha. —Y dirigiéndose a lady Nora, dijo—: Nos vamos de inmediato a casa de lord Keane. ¿Has terminado ya con la peluca de Bronwyn, querida?

Como un barco navegando a plena vela, lady Nora rodeó a Bronwyn para correr a su lado.

—Lista. —Examinando a Bronwyn con ojo crítico, dijo—: Yo he hecho lo que he podido. La pequeña Bronwyn tendrá que poner el resto. Chicas, arreglaos, os esperamos abajo.

En cuanto cerraron la puerta, Bronwyn empezó a quejarse.

—Cómo me gustaría que mamá dejase de referirse a mí como la «pequeña Bronwyn».

—Supongo que han conseguido el dinero.

—Pues claro que sí. —Bronwyn se pasó la mano por el estómago, que no paraba de rugir—. ¿Qué prestamista rechazaría ahora a papá, con la perspectiva de tener a lord Rawson como yerno?

—Tengo hambre —refunfuñó Olivia.

—Pues yo no.

Olivia echó chispas por los ojos.

—Tú también tienes.

—Cuando tienes hambre siempre te pones malhumorada —dijo Bronwyn. Y antes de que Olivia pudiera replicar, dijo—: Me pregunto si lord Rawson habrá preparado un banquete.

Distraída, sugirió Olivia:

—¿Panecillos y mermeladas, y aquellas manzanitas envueltas en hojaldre con canela?

Las hermanas se miraron.

—Lávate tú primero —ordenó Bronwyn—. Y date prisa.

Cuando salieron de la habitación, la voz del posadero resonó por la escalera.

—Sí, milord, me dijeron que salían con su abuela. No puedo evitar que su concepto de rectitud no cuadre con el mío.

—Ándese con cuidado con lo que dice, hombre —dijo el padre, disgustado con el insulto hacia la integridad de sus hijas.

Bronwyn y Olivia intercambiaron miradas y bajaron envueltas en un crujido de seda. El posadero, colorado e indignado, estaba diciendo entonces:

—Incluso le dijeron a mi lacayo que saldrían con su madre, pero la dama con la que bajaron no era mayor. Apenas podía caminar.

En el instante en que las cejas de lord Gaynor alcanzaban una altura infinita, Olivia deslizó la mano por debajo del brazo de su padre y Bronwyn lo cogió por el otro.

—Papá, tenemos que irnos.

Intentó desprenderse de ellas.

—Este despreciable posadero…

—Si no nos damos prisa, no llegaremos a Boudasea Manor hasta el anochecer —insistió Olivia.

—Tengo que oír lo que…

—Ya sé que está cerca, en Kensington, pero no estaremos a salvo de los salteadores de caminos a menos que marchemos ya.

Lord Gaynor las miró furioso.

—Os veo muy ansiosas por marchar, ¿no es así, señoritas?

Olivia le tiró del brazo.

—Los caballos están ya en la calle, papá, y seguro que mamá ya se ha instalado en el carruaje.

Cediendo, echó a andar hacia la puerta.

—Tarde o temprano conoceré la verdad sobre este asunto, queridas muchachitas.

Las hermanas lo arrastraron hacia fuera antes de que pudiera seguir hablando.

—Ya te hemos contado la verdad, papá —insistió Bronwyn.

—Nos gustaría ir a caballo, papá, como tú. ¿Podemos?

Olivia se colgó de su brazo en un gesto adorable.

—Sabéis perfectamente que nunca puedo negaros nada, picaruelas.

El traqueteo de la carroza acalló las voces y entró entonces el lacayo, guardándose en el bolsillo la importante propina que acababa de recibir de manos de lord Gaynor.

—Un hombre generoso —informó al posadero—, pero un tonto con sus hijas.

—No he podido evitar observar la escena con sumo interés. —Un ayuda de cámara dio un paso al frente. Llevaba la peluca recogida con una cinta y perfectamente empolvada con polvo gris; unos grandes ojos marrones parecían hundirse en su rostro cetrino. Su voz melodiosa tenía acento italiano—. Esas chicas llevan a lord Gaynor envuelto en encaje de color rosa.

Insatisfecho por la obligación de tener que alojar a un criado de aspecto extranjero, pero incapaz de expresarse con la vehemencia que le habría gustado, el posadero se contentó con sorber por las narices con desdén. Y le dio la razón a regañadientes.

—Así es, Genie.

—Gianni —le corrigió el ayuda de cámara.

—¿Qué?

—Gianni. —El ayuda de cámara sonrió con un gesto reprobatorio—. Me llamo Gianni.

—Da lo mismo. —El posadero levantó la voz como si estuviera dirigiéndose a toda la taberna—. Si fueran mis hijas, estarían curándose el trasero después de la azotaina, no montando alegremente en dirección a una mansión elegante.

Gianni hizo caso omiso a la observación del posadero.

—Estaban en la habitación contigua a la de mi señor, ¿verdad?

—Sí, y ese par de mujeres no pararon de quejarse. Sobre la... dama de tu señor...

El posadero se calló ante la mirada de besugo del criado.

Con la impaciencia típica de la juventud, interrumpió entonces el lacayo.

—Primero dicen que la mujer velada es su madre, luego que es su abuela. Pero ¿sabéis qué pienso? Pienso que ni siquiera era pariente de esas chicas. Su padre no sabía nada de nada.

—¿No creerás que...?

El posadero miró boquiabierto y consternado a Gianni, que se limitó a realizar un regio gesto de asentimiento.

—Debo ir a preparar a mi señor. Marcharemos de inmediato.

Subió la escalera con porfiada dignidad y llamó a la puerta del fondo del pasillo.

Abriendo finalmente con llave, el ayuda de cámara informó con ansiedad:

—Tal y como sospechaba, señor, las chicas de la habitación contigua ayudaron a Henriette a escapar mientras estábamos fuera.

—Maldita sea. —El hombre llamado Judson estaba sentado frente al espejo, examinando con escaso placer un rostro picado por la viruela—. Ya puedes ponerme la peluca.

Gianni se acercó corriendo a su señor. Después de disponer un paño para cubrirle los hombros a Judson, retiró de su base una gigantesca peluca con bucles. La colocó sobre la calva cabeza de su señor y la roció con polvos.

—¿Quiénes son esas chicas? —preguntó Judson.

—Dos jóvenes damas de categoría, aunque solo he captado el nombre de la mayor.

Judson sacó un pañuelo y se limpió el exceso de polvo de la cara.

—¿Y?

—Bronwyn Edana.

Judson se volvió hacia Gianni como lo haría un tigre sobre su presa y susurró:

—¿De las famosas hermanas Edana?

—Sí, señor.

—Mal asunto. —Judson cogió un pincel suave sumergido previamente en color, se acercó al espejo y pintó unas cejas allí donde no las había—. Esas Edana están integradas en la alta sociedad y no se las puede eliminar fácilmente. Imagino que será parecida al resto de sus hermanas.

—En absoluto. Es muy poco atractiva.

—Ah. —Judson estudió los resultados. La peluca le cubría la calva, la pintura le otorgaba cejas. Pero no había nada capaz de reemplazar las pestañas, o de devolverle todo lo que había perdido por culpa de la viruela—. ¿Crees que la gente se da cuenta de que no tengo vello en el cuerpo? —dijo con preocupación.

Con un ensayado sonido de incredulidad, Gianni lo negó.

—A las mujeres no les gustan los hombres cubiertos de pelo, como los animales. Ya sabe cómo le lisonjean las damas. Cómo le piden consejo para sus cosméticos y sus pelucas, cómo elogian su exquisito sentido del color...

Apaciguada su vanidad, preguntó entonces Judson:

—¿Adónde iba la criatura?

—A Boudasea Manor.

—Esa es la nueva casa de lord Rawson.

—Sí, señor.

Para el evidente deleite del ayuda de cámara, Judson esbozó una sonrisa ladeada.

—Cuéntame, Gianni, ¿qué sabes?

Respondió el criado con otra media sonrisa.

—Ya sabe lo mucho que aborrezco repetir rumores...

—Por supuesto.

—Pero se dice que la chica se casará con el noble Adam Keane.

Judson echó la cabeza hacia atrás y estalló en carcajadas.

—¿Adam Keane? —Siguió riendo—. ¿El vizconde de Rawson? ¿Ese marinero amargado? Oh, eso es genial.

Complacido con el regocijo de su señor, Gianni se echó también a reír.

—Sí, señor.

—Me crié con él, ¿sabes? Y entonces ya le odiaba. —Judson miró fijamente el espejo, pero estaba viendo el pasado—. Un hombre miserable. Tan seguro de sí mismo. Tan *atractivo*.

—No más que usted, señor —le aseguró Gianni.

—Oh, sí —dijo entre dientes y con malévola envidia—. Incluso antes de mi viruela, él hacía girar cabezas y yo no.

Gianni se restregó las manos al ver la insatisfacción de su señor.

—Pero esto es delicioso. Una desposada fea. Qué aflicción le causará. —Carroll Judson se empolvó los dedos—. En este caso, no tendré que preocuparme por ella. Nunca la dejará salir de su finca, ni le hablará, se limitará a darle hijos. Larguémonos de aquí. —Se retiró la bolsita de cuero que colgaba de su cintura y la abrió con cuidado. Gianni se volvió de espaldas mientras su señor removía las monedas, a la espera, como siempre, de la generosidad de que Judson solía hacer gala—. Ten. —Judson le lanzó una moneda a Gianni y miró con desdén la ensangrentada cama—. Dale esto al posadero y dile que le toca limpiar.

—Es tan bella como cuentan los rumores.

Adam Keane mantuvo quieto el caballo posando una fuerte mano en la brida.

Northrup tragó saliva.

—¿Señor?

El sol poniente iluminaba las amazonas y Adam observaba a través de un catalejo cómo avanzaban por el otro extremo del verde césped de su propiedad.

—Mira ese cabello negro, esa piel tan pálida. Mira la elegancia de su porte sobre la monta. Sin duda alguna será igual que las demás sirenas irlandesas: no excesivamente brillante, buena criadora, buena gestora. Esa mujer es digna de ser la madre de mis hijos.

Northrup tiró de su corbatín y dijo:

—Señor, creo que hay un error.

—Cierto, aparenta menos de los veintidós años que tiene. —Adam se pasó el pulgar por la barbilla, oscurecida ya por la sombra de la barba—. Si el contrato de matrimonio no me garantizara que tiene la edad adecuada, jamás lo habría pensado. No serán los Edana tan tontos como para engañarme, ¿no?

—No, no —dijo enseguida Northrup, horrorizado—. Conocí a lady Bronwyn en la corte, y le aseguro que su familia no pretende engañarle.

—Eres un buen hombre. Sabía que podía confiar en ti. —Adam asintió brevemente—. Por mucho que sea una irlandesa, no tendré ningún problema en acostarme con ella.

—Señor, creo que está mirando a la hermana de lady Bronwyn.

En cuanto hubo soltado su mensaje, Northrup suspiró aliviado. Cuando Adam guardó el catalejo y se quedó mirándolo, el secretario jadeó ante tanta frialdad. Había olvidado lo gélidos que podían llegar a ser aquellos ojos grises.

—¿Puedes repetir eso?

La gramática de Adam era tan correcta como la de Northrup, pero en aquella frase Northrup acababa de captar el inconfundible compás de un marinero. Aquel detalle traicionaba más la inquietud de Adam que la tensión de su boca. La respuesta que le dio sonó un tono más agudo de lo habitual.

—He dicho, que está mirando a la hermana de lady Bronwyn.

—Te he oído.

Northrup tosió para aclararse la garganta y bajó entonces la voz.

—Sí, señor. Lady Bronwyn es la mujer que cabalga al lado de la... chica que acaba de describir.

Adam miró de nuevo la comitiva que se acercaba.

—Esa es la criada.

—No, señor. Esa es lady Bronwyn. Recordad que os comenté sus peculiaridades cuando regresé de mi viaje a Ámsterdam.

Adam tensó la mano que sujetaba las riendas y el caballo se agitó.

—Ahora lo recuerdo. A partir de ahora tendré que escuchar con más atención a mi estimado secretario, ¿no te parece?

Aquella sonrisa dejó helado a Northrup. Lord Rawson rara vez aprovechaba su posición de superioridad, reflexionó Northrup, pero cuando lo hacía, él siempre se sentía infelizmente consciente de su privilegiada crianza.

—Parece un *spaniel King Charles*, llena de Cintas y rizos. —Adam guardó el catalejo en el estuche de cuero. Guió el caballo hacia el sinuoso camino cubierto con gravilla y sugirió—: ¿Vamos a saludar a mi prometida?

¿Qué tipo de simbolismo impulsó a los dos caballeros a observar desde el altozano la llegada de los invitados? Con su silueta recortada contra la luz del sol poniente, los jinetes y la capilla, parcialmente terminada, ofrecían una visión que dejó helada a Bronwyn. Uno de aquellos hombres era su prometido. Uno de ellos tendría derecho a controlar su conducta, su atuendo, su cuerpo.

Olivia adivinó las caóticas emociones de Bronwyn y le ofreció su conmiseración aunque su hermana no le pidiera auxilio.

—No será tan terrible. Muchos hombres se muestran cariñosos con sus esposas. Mira papá. Adora a mamá.

—Sí, y mira al rey Jorge —le espetó Bronwyn—. Dicen que se ha divorciado de su mujer, que la tiene encerrada bajo llave en un castillo alemán y que ignora sus súplicas de clemencia. Lleva veinte años sin poder ver a sus hijos.

—Se divorció de ella porque le fue infiel.

—El crimen de él fue mayor. Dicen que levanta cualquier falda que se le ponga delante y que hizo asesinar al amante de su esposa. —Bronwyn reflexionó sombríamente acerca de su destino—. Te digo una cosa, hermana. Ojalá papá no hubiera insistido en que nos casáramos de mayor a menor. Lord Rawson te preferiría a ti, seguro.

—¡No digas eso! —exclamó Olivia—. Yo no le quiero.

Sorprendida, Bronwyn se quedó mirando a su hermana.

—¿Sabes alguna cosa que yo no sepa?

—¡No! —Olivia se llevó una mano al pecho y respiró hondo para tranquilizarse—. No. Solo… que no me apetece casarme aún.

—No tendrías por qué hacerlo —le garantizó Bronwyn—. El acuerdo matrimonial ofrecido por lord Rawson permitirá a papá y mamá vivir entre algodones durante unos cuantos años. ¿Quién sabe? A lo mejor papá invierte esta vez en algo que merezca la pena y gana una fortuna.

—A lo mejor. —El tono desesperanzado de Olivia hablaba suficiente—. Mira, ya se acercan. ¿Cuál de los dos crees que será?

Bronwyn lo supo con una única mirada. Era el más atractivo. Era el que tenía un rostro con facciones esculpidas que era la personificación de la belleza masculina. Era el de la elegante sonrisa socarrona. Una sola mirada, y ya no lo miró más. Mientras su padre, con el tono de voz campechano que solía emplear en aquellas ocasiones, saludaba a Adam, ella mantuvo la mirada fija en el cuello de la camisa de él.

La conversación la desbordó, y cuando él le tomó la mano no pudo seguir ignorándolo por más tiempo.

—Lady Bronwyn. Es usted un soplo de aire fresco en mi ordinaria vida.

El estómago le dio un vuelco. No era un cumplido, por mucho que él lo hubiera pronunciado de manera que sonara tan suave y encantador como un soneto. Lo miró entonces, y su remota desaprobación la dejó sin aliento. Sus gélidos ojos descansaban majestuosamente en ella. Sus labios estaban fruncidos hasta formar una débil línea y sus orificios nasales temblaban con desdén.

Canturreando como una campanilla, dijo entonces su madre:

—Gracias, su señoría. Bronwyn, ¡saluda a su señoría! Al fin y al cabo, tenéis por delante muchos años de dicha marital. Debes empezar correctamente.

—Lord Rawson, soy muy consciente del honor que me concede

con su... —las palabras se le atascaron en la garganta— oferta. Estoy segura de que nunca lo olvidaré.

La última frase sonó algo sarcástica. Bronwyn suavizó la expresión hasta convertirla en la de una plácida ovejita... un logro importante, puesto que él seguía dándole la mano. Se moría de ganas de colocarse correctamente la peluca, de asegurar el lunar de terciopelo en la mejilla. Se conformó con humedecerse los labios. Él la observó, con el detalle y la atención de un futuro marido. Y en realidad lo era, se recordó.

Lord Rawson la obsequió con una gélida sonrisa.

—Todo estaba aguardando su llegada. La casa resplandece de extremo a extremo. El personal de la casa está reunido en la puerta, esperando a conocerla.

Bronwyn lo miró fijamente, sorprendida al recordar que lo peor estaba aún por llegar. Giró la muñeca con la esperanza de apartar la mano, pero él le negó incluso una retirada tan mínima como aquella.

Dijo él entonces:

—Mi madre no puede contener más su impaciencia.

Bronwyn notó que empezaba a sudarle la mano.

—Es una dama de lo más obstinado, acostumbrada a salirse con la suya. Estoy ansioso por escuchar su veredicto sobre la prometida que voy a presentarle. —Le levantó la mano, estampó un beso en el dorso, la giró y la examinó. El brillo de sus ojos reflejaba su victoria, y la soltó por fin—. Acompáñeme a ver la casa.

Escondida entre gigantescos árboles que la aderezaban a la perfección, en Boudasea Manor abundaba el mármol y las altísimas columnas. El mayordomo, y luego el ama de llaves y diversos criados, se encargaron de destacar las mejoras llevadas a cabo últimamente. Con agua corriente en la cocina y una cloaca privada que iba a parar directamente al río, la mansión era un milagro de los tiempos modernos. La habitación que Bronwyn compartiría con Olivia contenía todo lo que una joven podría desear. La habitación contigua a la de Adam, a la que se trasladaría muy pronto, combinaba buen gusto con confort. La calidad era evidente en cualquier objeto; la calidad, según comentó Adam, era su principal preocupación.

Y lo que quería decir con ello, según entendía Bronwyn, era que ella no estaba a la altura de su definición de calidad.

De camino a la cena, deseó poder filtrarse por el suelo y sumergirse en una de aquellas tuberías de agua corriente. Se había imaginado cosas horribles, pero sus pesadillas habían quedado reducidas al ridículo aquella tarde... y eso que lo peor estaba aún por llegar. Adam tenía un invitado. Que se preparase para una cena cómoda, le había dicho, pero sabía muy bien lo que hacía aquel «invitado» en la casa. Era un amigo, y su misión era inspeccionar la mercancía recién adquirida.

Como si fuese un zumbido, oía a su madre dándole consejos mientras avanzaba hacia su perdición por múltiples pasadizos repletos de espejos.

—No te muestres desmañada. No levantes la vista y ten una conducta recatada. No interrumpas la conversación de los hombres, sobre todo si estás segura de que andan equivocados.

Bronwyn le lanzó una mirada a su madre, pero lady Nora ni siquiera se dio cuenta.

—Recuerda lo que te he enseñado. Los hombres prefieren a las mujeres inútiles y decorativas.

Le alisó la seda de la falda con unos rápidos tirones. Los generosos *paniers* dejaban entrever por los lados el fulgurante granate de la ropa interior. El vestido resaltaba su peinado, un ingenioso arreglo con su propio cabello rizado y oscuro, y el tono cremoso de su piel. Extrajo de su voluminosa bolsita el estuche de los parches y eligió uno de terciopelo negro en forma de corazón que colocó justo encima del labio superior. A continuación, perfeccionó su seductora sonrisa.

No merecía la pena compararse con su madre, pensó Bronwyn, aunque rodeadas de tantos espejos... Abrumada por aquella profusión de encajes y cintas, el formal vestido blanco no mejoraba el aspecto de su piel bronceada. El *décolletage* a la última moda tenía que realzar la curvatura de su seno, aunque poco tenía que enseñar, y lo que había estaba además reforzado con un relleno de tela. Su peluca castaña se elevaba en lo alto de su cabeza y un rizo remataba el peinado cayéndole por encima del hombro. En una mujer menuda como ella, la sensación resultaba aplastante, y los tacones altos complicaban más si cabe la situación.

No tenía ni idea sobre cómo se lo hacían las mujeres para caminar con aquello. Se detuvo y meneó el pie, pero sacudirse de encima aquel calambre resultaba imposible. Suspiró, y lady Nora desvió la atención de su fascinante reflejo para devolverla a su hija.

Guardó el estuche de los parches y dijo:

—Lord Rawson está impresionado contigo.

Bronwyn tiró de la seda de su abanico blanco.

—Estaba tieso como un palo, mamá.

—Qué va, hija. —Lady Nora acarició con un dedo la mejilla de Bronwyn y sonrió—. Es capaz de ser mucho peor. No quería decírtelo, por miedo a que te preocupases, pero ese hombre tiene un carácter desagradable y es famoso por descargarlo en público. Imagínate mi alivio cuando lo he visto tan cortés.

¿Tan obtusa podía llegar a ser lady Nora? Una simple mirada a aquel rostro tan encantador convenció a Bronwyn de que sí. Lady Nora podía llegar a serlo. Una espléndida mariposa que nunca había tenido que mirar más allá de lo evidente y que había entendido como elogios los insultos que de un modo tan artístico había expresado Adam. Bronwyn ignoró la punzada de envidia que esa ignorancia le provocaba.

—¿Por qué no le contó papá a lord Rawson que yo era distinta a todas vosotras?

Lady Nora encogió sus pálidos hombros, un gesto que estaba harta de practicar.

—¿Y qué cambiaría con ello? Necesitábamos el dinero, y la suya fue la mejor oferta que obtuvimos por ti.

—No me sorprendería que se echase atrás —dijo Bronwyn.

Lady Nora se llevó el dorso de la mano a la frente y exclamó:

—¡No seas tonta, hija! Estás ya *prometida*. No puede echarse atrás. Sería un insulto para ti y, lo que es más grave, un insulto para nuestra familia. Si lord Rawson hiciese una locura así, tu padre tendría razones para denunciarlo. —Negó con la cabeza—. No, no se echará atrás.

—Está tremendamente decepcionado.

Algo en la expresión de Bronwyn debió de tocar la fibra sensible de lady Nora, puesto que dijo, en tono petulante:

—Oh, de verdad, se convertirá en tu marido. Ya buscará el placer en otras partes. Tu función es darle dos herederos sanos.

—Uno para que herede y el otro de repuesto —recitó ella.

—Exactamente. Y luego ya te buscarás un amante. Por lo demás, tu futuro esposo rebosa salud. Hay esa inquietante cojera, claro está, pero tiene unos hombros que no le caben en la chaqueta. Y... ya sabes —Lady Nora rió con disimulo tapándose con el abanico—, los caballeros de Londres deben de envidiarle esos muslos y esas pantorrillas. *Sus* medias no están precisamente rellenas de algodón.

—Mamá, hablas como si estuvieses vendiéndome un caballo. ¿Ya le has mirado bien la dentadura?

Lady Nora cerró el abanico de un golpe.

—Quiero que te des cuenta de las ventajas que aporta este enlace.

Estimulada por el frío análisis de su prometido, Bronwyn formuló la pregunta que siempre había querido formular.

—¿Por qué no me parezco a todas vosotras, mamá? ¿Soy el producto de algún amante?

—¿Amante? —Lady Nora se detuvo en seco y miró a su hija—. ¿Cómo puedes preguntar eso, cuando todo Londres cuchichea sobre la devoción que siento por tu padre?

—¿Soy, quizás, el producto de alguna desgraciada unión de papá?

Dos manchas tiñeron de carmesí las mejillas de lady Nora.

—En absoluto —dijo, aunque no negó las andanzas de lord Gaynor—. Eres la viva imagen de la tía abuela de tu padre. Esa melena salvaje, la altura, esa piel terriblemente bronceada.

—No la recuerdo —dijo Bronwyn, dubitativa.

—Por supuesto que no la recuerdas. Murió antes de que tú nacieras. Una solterona amojamada que decía siempre lo que pensaba sin tener en cuenta ni posición ni parentesco.

A Bronwyn le gustó la tía abuela de su padre solo de oír aquello.

—¿Y tú llegaste a conocerla?

Lady Nora se llevó un pañuelo perfumado a la nariz y aspiró con delicadeza.

—Cielos, sí. Tu padre le tenía mucho cariño. Recuerdo aquellos ojos enormes mirando fijamente y su pelo blanco achicharrado siempre alborotado. La recuerdo polemizando sobre aquel círculo de piedras que hay en Irlanda, diciendo que lo había creado un mago.

Siguió andando por el pasillo, agitando el pañuelo.

Bronwyn, correteando detrás de su madre, dijo:

—Me pregunto si leería los manuscritos gaélicos de los monasterios.

—Probablemente.

Lady Nora suspiró con indiferencia.

—Me parece una persona sensata.

—No digas eso. —Las temblorosas plumas de lady Nora revelaban que estaba nerviosa—. No te pareces en nada a esa solterona ridícula.

—A mí no me parece ridícula. Simplemente instruida y excéntrica.

—¡Instruida y excéntrica! ¿Hay algo más ridículo en una mujer? —Los interminables espejos reflejaban la expresión de lady Nora. La hija que el destino le había enviado la dejaba perpleja—. Siempre has sido una tribulación para mí: formulando preguntas extrañas, leyendo libros, suplicándole a esa institutriz tan horrorosamente intelectual que te enseñara latín en lugar de francés. El francés es un idioma civilizado, y te negaste a aprenderlo. Nunca te entendí. No eres como mis demás hijas, pero he hecho todo lo que he podido.

Viendo el desasosiego de su madre, Bronwyn se mostró sumisa una vez más.

—Sí, mamá. No se puede pedir más.

Lady Nora se volvió hacia Bronwyn y le retocó el vestido.

—Te he vestido con tus mejores galas. No es culpa mía que tu aspecto no se avenga con lo que se lleva en estos tiempos.

—No, mamá.

—Deja de toquetear el abanico. Con esa mala costumbre tuya no haces más que destrozar abanicos.

Bronwyn detuvo el movimiento nervioso de sus dedos y dijo:

—Sí, mamá.

Los impresionantes ojos violetas de lady Nora se cruzaron por primera vez con los de Bronwyn.

—Siempre te he querido. No lo dudes nunca.

¿Cómo podía Bronwyn poner en entredicho el fervor de su madre?

—Ya sé que me quieres, mamá.

Lady Nora acercó la mejilla a la suya en un breve gesto de cariño.

—¡Así! Todo arreglado. —Se retiró para retocar con mano experta la peluca de Bronwyn—. No quiero que estés dolida. El matrimonio es esto. Lord Rawson podrá incorporarse de nuevo a la sociedad respetable, tú consigues el marido que tanto necesitas y tu padre y yo obtenemos dinero a cambio. —Lady Nora cogió a Bronwyn del brazo con más fuerza de la necesaria y le dio un brusco tirón—. No puedes pedir más.

—No, mamá.

Con una sonrisa y un gorjeo, lady Nora hizo su entrada en el salón.

—Aquí estamos. ¿Les hemos hecho esperar mucho?

Lord Gaynor, Adam y el amigo de Adam dieron repentinamente por terminada su conversación; Olivia se levantó de su asiento junto a la ventana.

Adam saludó con una reverencia, su mirada clavada en Bronwyn.

—Para regalar mis ojos con tanta belleza, habría podido esperar el doble.

El brusco codazo que lady Nora le propinó en las costillas, impulsó a Bronwyn a sonreír con afectación y esconder la cara detrás del abanico.

—Me adula, lord Rawson.

Él no hizo nada por negarlo. Ella sacó la lengua en cuanto la seda del abanico pudo esconderla y, pestañeando, le preguntó:

—¿Quién es este caballero?

Lord Rawson parpadeó, como si el gesto de ella le hubiera molestado, y le presentó a Robert Walpole.

—Miembro de la Cámara de los Comunes —concluyó Adam mientras el caballero, corpulento y de camino a los cincuenta, la miraba sin rodeos.

Bronwyn llevaba prácticamente el día entero sintiéndose como una mercancía. Apretando los dientes, preguntó:

—¿Y es eso importante?

La mirada de Walpole saltó del escote a la cara de Bronwyn. Demasiado ofendida como para ocultar su resentimiento, ella le devolvió la mirada hasta que él estalló en carcajadas.

—En absoluto, querida. No es nada al lado de la conversación de una dama brillante. —Y ofreciéndole el brazo, le dijo—: La acompañaré al comedor.

Adam intervino antes de que ella aceptase.

—Es mi prometida, Robert. La acompañaré yo al comedor. —Percatándose de que quizá sus palabras no habían sonado con la necesaria elegancia, añadió sutilmente—: Al fin y al cabo, es mi privilegio.

De modo que, según el rápido diagnóstico de Bronwyn, no quería que su amigo Robert supiese de su decepción. Hizo una mueca. Muy interesante. Pero su breve euforia se esfumó en cuanto él siguió hablando.

—Lady Bronwyn no conoce todavía a mi madre.

La mirada de Bronwyn coincidió por un instante con la de Robert Walpole y la expresión de él se tornó de cómico horror. Dejó caer el brazo que acababa de ofrecerle y se apartó de ella, como si estuviese contaminada.

—Bien, sí, naturalmente. No le he visto el pelo a su… querida madre desde mi llegada. Adelante, adelante. —Hizo gestos como queriendo ahuyentarla—. Conocer a la madre de Adam es una experiencia que debería… experimentar.

¿Qué sería lo que había hecho palidecer y retirarse al estadista? ¿Tan terrible era la madre de Adam? Bronwyn deseaba suplicar clemencia, pero era imposible. Sujetando su bastón en un elegante ángulo, Adam esperó que se acercara hasta él. Y así lo hizo, sin soltar el abanico. Inmersos en un silencio sepulcral, cruzaron el pasillo de los espejos en dirección a una pequeña puerta.

El salón al que daba acceso la puerta estaba decorado en tonos carmesí y equipado con delicado mobiliario. Gruesos cortinajes cubrían las ventanas de la estancia iluminada con velas. Su titileo dibujó la figura de una mujer sentada en un canapé: una mujer inmensa, vestida con una prenda holgada. Su mentón constituía el paso intermedio entre el pecho y la cara, sin dejar entrever el cuello. Su minúscula boquita de piñón esbozó una sonrisa. Y sus mejillas ocuparon hectáreas de territorio. La nariz era un borrón indefinido, pero sus ojos…

«Enigmáticos», pensó Bronwyn, mirando sorprendida a la inmóvil dama. Y cuando sus miradas se cruzaron, lo vio: eran *tremendamente tristes*.

Adam se acercó a la mujer y la besó en la mejilla.

—Mab, te presento a la dama que ha accedido a ser mi esposa. Te presento a Bronwyn.

La mujer extendió una mano rechoncha que Bronwyn cogió con cautela.

—Encantada de conocerte, hija. Soy lady Mab, ya que mi oprobioso hijo no te lo ha dicho.

—Lady Mab, vizcondesa viuda de Rawson —insistió Adam.

—Un título para impresionar a los insolentes. —Sin mover la cabeza, Mab volcó de nuevo su atención en Bronwyn—. ¿Eres insolente?

Bronwyn se quedó muda. Con algunos privilegiados se mostraba terriblemente insolente, pero no podía reconocerlo.

Cansada de esperar respuesta, dijo entonces Mab:

—Creo que has encontrado la chica que deseabas, Adam.

—Sí, Mab.

Bajo la superficie acechaban mensajes sobreentendidos, pero Bronwyn estaba tan aturdida que era incapaz de descifrarlos.

—¿Vendrás a cenar, Mab? —preguntó Adam.

—Por nada me perdería la primera cena con mi futura nuera.

Mab se levantó trabajosamente.

—Te advierto de antemano de que ha venido Robert Walpole —dijo Adam.

Una sonrisa de anticipación iluminó las facciones de Mab.

—Tal vez tendrías que advertírselo a él, no a mí.

Capítulo 3

*B*ronwyn, esa es mi chica. —Lord Gaynor recostó la espalda en la silla, después de apartar el plato de la cena y coger la copa de vino—. Tiene el atrevimiento y la inteligencia de los Edana. Las otras chicas han salido a mi esposa —levantó la copa para brindar—, pero Bronwyn es toda mía.

Lady Nora tensó la sonrisa para que siguiera luciendo agradable.

—¡Bromeas sin lugar a dudas, querido! No estarás intentando decir que Bronwyn es inteligente. Si es una chica que con lo que más disfruta es con un bello bordado y un paseo a medio galope a lomos de un caballo manso. —Dio unos golpecitos en la mano de Bronwyn—. ¿No es así, querida?

Lord Gaynor resopló, dispuesto a rebatirla. Pero tras interceptar una venenosa mirada de su esposa, amainó y tosió un poco antes de tomar de nuevo la palabra.

—Muy buena cena, Rawson.

—Gracias. — Adam se preguntaba cuándo tocaría a su fin aquella interminable cena. Estaba harto de lord Gaynor, de que no cesara de cantar las excelencias de su simple hija, y harto de las miradas de lástima de Mab. Quería hablar del tema importante de la velada y no podía hacerlo mientras las damas estuvieran presentes. Su madre, la anfitriona oficial, se mostraba reacia a retirarse de la mesa para que los hombres pudieran disfrutar de su brandy y sus puros. En un arrebato de inspiración, dijo—: Ya que mi futura esposa se sienta en la mesa con nosotros, tal vez podría acompañar a las damas al salón para conversar. —Miró triunfante a Mab—. ¿Le importaría, *Bridget*?

La insípida chica que según el contrato se convertiría en su esposa jamás pestañeaba. Se levantó con una amable sonrisa.

—¿Nos vamos, señoras? Los caballeros desean discutir asuntos de importancia inadecuados para oídos femeninos. ¿Nos veremos luego, *Abel*?

Casi le pasa por alto, por la facilidad con que lo había dejado caer, y cuando reaccionó solo estuvo a tiempo de ver la parte posterior de la falda de las mujeres abandonando el comedor. Ignorando la pulla y considerándola solo un desliz, miró de reojo a su madre y se preparó para iniciar la batalla verbal. Pero, para su sorpresa, su madre se levantó.

—Como mi nuera desee. Les dejo, caballeros. —Antes de abandonar la estancia, se giró—. Ha sido un placer volver a verle, Robert. Vuelva pronto.

El sirviente cerró la puerta y Robert Walpole se aflojó el pañuelo que le comprimía el cuello.

—Te lo digo de verdad, Adam, tu madre me aterra.

—Y ella lo sabe —le confirmó este.

—Es tan grande y tan... —Walpole hizo un gesto con la mano— grande.

Adam sonrió con cariño.

—La mayoría de la gente considera que mi madre tiene buen corazón, que es amable en exceso.

—Es amable con todo el mundo menos conmigo.

—Creo, Robert, que le desagradas por ser tan fanfarrón y libertino.

—¿A quién podría yo ofender? —Walpole se retocó la peluca—. Además, las mujeres tienen que ser femeninas. Tontas, vanas... deben buscar la atención del hombre. No mirarlo con esos ojos grises llenos de sabiduría hasta hacerlo sentirse incómodo, ni adivinar sus fantasías para luego expresarlas con su afilada lengua.

—Es lo que hace ella, ¿verdad? —Adam sonrió a su amigo con malévola satisfacción—. ¿Por qué crees que le encanta que vengas a cenar?

—¿Canibalismo? —replicó con sarcasmo Walpole.

Adam se relajó.

—¿Has perdido una libra de carne?

Walpole se desabrochó el chaleco y se pasó la mano por encima de la camisa de lino que cubría su panza.

—Luego le pediré a mi amante que lo verifique.

—¿No a su esposa? —preguntó con interés lord Gaynor.

—Esta noche no. Esta noche no toca mi esposa. —El rostro se le iluminó con una mirada lasciva—. Y mañana tampoco.

—No habrás tenido cinco hijos con Catherine ignorándola de esta manera —apuntó Adam.

—Lo que tengo entre las piernas basta para satisfacer a todas las damas —fanfarroneó Walpole—, además de dar negocio a las prostitutas de todo Londres.

Adam cogió la licorera.

—Necesitaré un trago para bajar esto.

Las carcajadas de Walpole resonaron en el comedor.

—Nunca tuviste estómago para ir de putas, ¿verdad, Adam?

—El marinero se harta de ir de putas cuando arriba a puerto.

Adam le pasó una copa a Walpole.

—Reconócelo, tuviste una educación liberal —dijo bromeando Walpole.

—¿Educación? Sí, quizás. Aprendí a hacer el amor en cuatro idiomas.

Adam le sirvió a lord Gaynor y luego se sirvió a él. A continuación, dejó la copa en la mesa y contempló el licor ambarino.

Lord Gaynor levantó la copa y también observó el licor.

—Tiene casi el mismo color que los ojos de mi Bronwyn.

—Mmm… no —dijo Adam distraídamente—. Los suyos tienen un matiz rojizo. Un tono más parecido al jerez.

—Es lo que siempre he dicho.

Lord Gaynor bebió un trago para ratificarlo.

Walpole empujó la silla hacia atrás.

—¿Qué tal van tus inversiones, Adam?

—Como siempre.

—Ganando una fortuna, entonces.

Con un suspiro, Walpole puso los pies sobre la mesa.

—He logrado escapar del frenesí comprador que ha atacado a la población de Londres.

—Bienaventurados los tontos, que dilapidan el dinero del modo más ridículo —coincidió Walpole.

—¿Te has enterado de la última? —Adam bebió un poco de brandy—. Un hombre que anda vendiendo acciones de una empresa que quiere inventar el movimiento continuo.

Lord Gaynor los miraba con los ojos abiertos de par en par.

Walpole empujó los platos que tenía delante con la punta de la bota.

—Pues yo tengo una mejor. Un tipo que vendía acciones de una empresa que piensa importar burros de España.

—Como si no hubiera ya bastantes en Change Alley.

Adam hizo una señal al criado y este corrió a retirar la molesta vajilla.

Lord Gaynor rió con nerviosismo.

—Y luego está también el plan de extraer aceite del rábano.

—¿Qué?

Adam se aflojó la cinta que le recogía su pelo oscuro en la nuca y agitó la cabeza.

—¿Aceite para lámparas? —sugirió lord Gaynor, y Walpole rió con su ingenio.

—Buen chiste. Lo asombroso del caso es que hay burros —levantó la copa en dirección a Adam— que compran títulos de esas empresas.

—Mi favorita —dijo Adam— es la historia del promotor que anunció que vendía títulos de una empresa con la promesa de obtener grandes beneficios, y nadie sabe de qué se trata.

—¿Y? —preguntó Walpole con interés.

—Y a mediodía había recibido ya mil suscripciones de dos libras.

—¿Y? —insistió Walpole.

—Que por la tarde desapareció —informó Adam, sus ojos brillantes de la risa.

Risa contagiosa, puesto que Walpole empezó a reírse también con ganas y lord Gaynor sonrió socarronamente.

Walpole hizo una mueca de indignación.

—Intenté decírselo a esa gente. ¿Verdad que intenté decírselo?

—Intentaste decírselo, Robert. Diste un elegante discurso en la Casa de los Comunes sobre la falacia de dar por sentado que la Compañía de los Mares del Sur saldaría la deuda nacional. —Adam sonrió con falsa compasión—. Es una pena que todos los miembros del Parlamento se ausentaran mientras tú hablabas.

—Malditos parlamentarios. Soy un terrateniente ordinario, demasiado estúpido para ver lo que tengo justo delante de mis narices.

Walpole se tocó con un dedo la protuberancia de su cara.

Adam dejó la copa.

—¿Cómo combatir esos sobornos? Los directivos de la Compañía de los Mares del Sur reparten tanto dinero que todos los políticos meten mano en la acuñación.

—¿La Compañía de los Mares del Sur? —preguntó lord Gaynor con interés—. Tenía entendido que es una compañía legal, autorizada por el Parlamento y el rey.

—Así es. Pero con tantas compañías pequeñas enredándolo todo, chupando de las inversiones de la Compañía de los Mares del Sur, George Hanover empieza a alarmarse.

La familiaridad de trato empleada por Walpole se combinaba con el desdén hacia el monarca alemán que había aceptado el trono inglés.

Lord Gaynor estaba perplejo.

—¿El rey? ¿Y qué interés tiene el rey por la Compañía de los Mares del Sur?

—Inversiones, señor. Inversiones. —Adam estiró la pierna y se rascó el muslo—. ¿Cómo cree que la Compañía de los Mares del Sur obtuvo si no permiso para lanzarse con tanto abandono sobre el crédulo público? John Blunt, el creador de tan nefasto plan, regaló al rey una impresionante cartera de valores. El once de junio, el Parlamento declarará ilegales los títulos emitidos por cualquier empresa, excepto por aquellas autorizadas por... el Parlamento. El rey ha tenido mucho que ver con el decreto, puede estar bien seguro.

Lord Gaynor dejó de golpe la copa en la mesa, derramando licor sobre la pulida superficie.

—Se han hecho verdaderas fortunas con el proyecto de la Compañía de los Mares del Sur.

—Por supuesto, *yo* he ganado una fortuna con la Compañía de los Mares del Sur. —Adam apuntaló la pierna en la otomana que su criado acababa de acercarle—. Los directivos de la compañía han hecho gala de un talento notable para manipular el mercado. Pero recuerde lo que le digo, lord Gaynor, es una inversión a corto plazo. La compañía no da tantos beneficios como para soportar una especulación tan salvaje. El proyecto estallará en poco tiempo y ahogará hasta a la última rata que haya invertido en él.

—Si ha invertido usted en la Compañía de los Mares del Sur, le recomiendo que escuche bien lo que dice su yerno —aconsejó Walpole—. Este hombre le tiene muy bien tomado el pulso al mercado de valores de Londres. Nadie lo conoce mejor que Adam.

Con la mirada perdida en la lontananza, lord Gaynor asintió.

Satisfecho, Walpole preguntó:

—¿Cuánto tiempo de vida le das a la Compañía antes de que se hunda, Adam?

—Estoy observándola.

—Adam… —Walpole se echó a reír—. Siempre un hombre cauto. Yo digo que hasta noviembre.

Adam negó con la cabeza.

—¿Más tiempo?

—No.

—Oh, vamos. Blunt la mantendrá íntegra hasta que llegue el frío, como mínimo.

—Si tú lo dices, Robert. —Adam se levantó y esbozó una mueca de dolor—. ¿Vamos con las señoras?

Sabiendo que no obtendría otro compromiso por parte de Adam, Walpole se levantó y le dio unas palmaditas en el hombro a lord Gaynor.

—Vamos, hombre. Debemos ir con las damas. ¿Te molesta la pierna, Adam?

—Un poco.

Adam se estiró para coger su bastón de caña de Malaca.

—Eso es lo que sucede por recibir el impacto de una bala de cañón española.

—No fue tan dramático —replicó Adam—. Solo fueron fragmentos de la cubierta.

—Malditos españoles.

—En absoluto. —Después de guiarlos hasta la puerta del salón, se hizo a un lado para dejarlos pasar primero—. La riqueza del cargamento de aquel barco español fue la gallina de mis huevos de oro.

Walpole le dio unas palmaditas en la espalda al pasar por su lado.

—Sí, y llevas estrujando a la pobre gallina desde entonces. La oigo cacarear desde mi casa de campo.

—Norfolk es tan aburrido que un poco de cacareo… —Adam se interrumpió al observar a las tranquilas ocupantes de la sala de estar—. ¿Dónde está mi madre?

Walpole levantó las manos en un gesto de perplejidad.

—¿Dios mío, dónde está Bronwyn?

No es que aquella tonta le importara en absoluto, pero su refinada madre desaprobaba el frío método que había seguido para elegir esposa. La había visto despojar a Walpole de toda su dignidad y arrojo, y temía que si hacía lo mismo con Bronwyn, fuera aquel un mal principio de su matrimonio.

Olivia levantó la vista, asustada, y lady Nora preguntó:

—¿Por qué?

Ignorándolas a ambas, Adam giró en redondo, olvidando por completo el fastidioso dolor del muslo, y se encaminó directamente hacia el estudio de Mab. Lo que vio al entrar, lo detuvo en seco.

Las dos mujeres estaban sentadas a la luz de las velas, cosiendo. Bajito y con dulzura, sus voces conversaban armónicamente. La boca de Mab no mostraba signos de impaciencia. Ni tampoco la mano de Bronwyn temblaba de miedo.

Le resultaba increíble, y entrecerró los ojos contemplando aquella escena doméstica.

Su madre fue la primera en verlo.

—¡Abel! Pasa a visitarnos.

Receloso, sospechando una posible trampa, entró cojeando en la estancia y tomó asiento en un extremo del canapé que ocupaba Bronwyn.

—Es Adam —dijo, corrigiéndola amablemente.

—Así es. —Su madre rió entre dientes como la traidora que era—. Así es. Estábamos trabajando en la ropa para el chico Boulton. Sus padres fallecieron de tifus el año pasado, por si no lo recuerdas, y lo he dispuesto todo para que empiece a trabajar de aprendiz en la cerería.

—¿Ya tiene edad suficiente? —preguntó Adam, sus manos posadas en la empuñadura de ámbar de su bastón.

—Tiene diez años, y la gente que lo ha acogido es bondadosa. —Dio una puntada con precisión—. Me aseguré de ello. ¿Necesitas alguna cosa?

—No… echaba de menos a Bronwyn en el salón y temía que pudiera haberse perdido por los pasillos.

—En absoluto —dijo esta—. Mab me ha invitado a visitarla y he tenido el honor de acceder.

—¿La llama Mab? —preguntó Adam con incredulidad.

Bronwyn se quedó mirándolo y miró acto seguido a su anfitriona.

—¿No es lo correcto?

Adam entrecerró los ojos.

—Por supuesto, pero solo si ella permite...

—Así me llaman mis parientes más queridos: «Mab» —le interrumpió su madre—. Y como mi nuera, eres bienvenida a hacerlo. —La reprimenda superó la indignación que Adam sentía—. Por eso te he pedido que me llames por mi nombre de pila.

Otorgó trascendencia a la frase, espaciando cada palabra, para que él captase el significado. Por alguna razón desconocida, Mab había decidido extender su protección a su prometida. Ya investigaría más adelante sus motivos, puesto que por el momento tenía que concentrarse en sus invitados. Se levantó y saludó con una reverencia.

—Si tan confortables se encuentran, las dejo para seguir con mis asuntos.

Mab agitó la mano para despedirle.

—Una idea muy sensata, hijo. Al fin y al cabo, pronto crearás una familia. Necesitarás un buen equilibrio financiero.

Adam miró de reojo a la chica que se convertiría en su esposa y se estremeció. Y no elogió precisamente su vanidad que ella lo mirara también horrorizada.

Bronwyn continuó mirando la puerta después de que Adam se marchara.

Adam tenía los ojos de su madre. Pero mientras que los ojos de la madre transmitían bienestar y confort, los ojos de aquel hombre eran cualquier cosa menos reconfortantes. Eran inquietantes, sí, e intensos... tremendamente grises y con unas pestañas largas y curvadas que subrayaban la perezosa caída de sus párpados.

—No te gusta —observó la madre.

—Ni una pizca —respondió ella distraídamente, y volvió entonces su horrorizada mirada hacia Mab.

Mab continuaba imperturbable. Estaba sentada en un inmenso sillón diseñado especialmente para acomodar su contorno y cosía un par de calzones de niño. Tenía un aspecto plácido, apacible, el de una reina enorme y amigable instalada en su casa. Las manos eran lo único que traicionaba la mentira. Manejaban la aguja con tal rapidez que Bronwyn ni siquiera podía seguirla con la vista.

Deseando poder tragarse sus palabras, dijo tartamudeando:

—Quería decir que lord Adam es sumamente desconocido para mí y que soy incapaz de decir si me gusta o no. Es un hombre bondadoso, seguro.

Mab la atravesó con la mirada.

—¿Bondadoso? Es el tipo de hombre capaz de hacer sentir a una mujer estúpida y fea.

Bronwyn se quedó boquiabierta y pensó: «De perdidos, al río».

—Y poco deseada —dijo, empleando un tono desafiante.

—Y poco deseada, por supuesto. Pero si te mantienes callada, la casa en condiciones, y no te entrometes, pronto aprenderá a tolerarte.

Bronwyn cogió de nuevo la camisa que Mab le había dado para coser, asintió y clavó la aguja en el tejido.

—Es lo máximo que puedo esperar del matrimonio.

Reinó entonces el silencio, aunque era consciente de que había perturbado a aquella señora enorme de cara tan dulce.

—¿En tan bajo concepto te tienes?

—No es por mí. Pero sé que los hombres quieren belleza, ingenio, saber desenvolverse con el arpa. Y nada más.

Mab suspiró.

—Pareces un loro, repitiendo las lecciones que te han enseñado.

—Mab... —Resultaba curioso lo cómoda que se sentía pronunciando ese nombre—. Su hijo realizó una oferta por mí porque pensaba que yo era igual que mis hermanas.

—¿Y cómo son ellas?

—Bellas y cabeza huecas. —Bronwyn se pinchó el pulgar—. El casamiento con una Edana garantiza a cualquier hombre tener una esposa que lo encumbrará hasta lo más alto de la escala social. Mis hermanas son, sin la menor duda, las mejores anfitrionas de Londres. Ser invitado a sus fiestas es un privilegio al que muchos aspiran.

—¿Darás también fiestas de ese estilo?

—Sin duda.

—¿Y se peleará la gente por tus invitaciones, como lo hace por las de tus hermanas?

—Más me vale que así sea, pues de lo contrario lord Rawson se llevará otra decepción —dijo encogiéndose de hombros, y pensando en sus uñas, destrozó su manicura.

—¿En qué otro sentido crees que Adam está decepcionado?

—No soy ingeniosa. No toco el arpa. —Bronwyn recorrió su cuerpo con la mano—. Y no soy bonita.

—Ah. —Mab bajó la cabeza para esconder su expresión en la costura—. Entiendo que la belleza de tus hermanas ha ayudado a que su vida sea perfecta.

—Bueno, no. —Bronwyn se alejó mentalmente de la estancia. Aquel sondeo constante por parte de Mab le hizo rememorar un sueño que había tenido de pequeña. El sueño de un hombre que se reiría con ella, hablaría con ella, la amaría por lo que era. Pero la imagen de Adam, ceñudo, sarcástico, se entrometió en su imaginación y le provocó un suspiro—. De hecho, sus maridos tienen mantenidas, y algunas de mis hermanas tienen también amantes.

Satisfecha, Mab dijo:

—La belleza no les ha servido para mantener al marido a su lado. Pero existe otra manera.

Cuando Adam volvió al salón, descubrió que Walpole ya se marchaba.

—¿Tienes que irte, Robert? Esto va a ser mortalmente aburrido sin ti.

—Me encantaría ayudarte —la sonrisa de Walpole negaba que estuviese en realidad preocupado—, pero tengo que irme. Esa actriz que es mi furcia ha ganado una pequeña fortuna en Change Alley y ha decidido retirarse. Insiste en que esta noche es su función de despedida. No pretenderás que me la pierda, ¿verdad?

Adam lo acompañó a la puerta.

—¿Cómo se llamaba, que no lo recuerdo?

—Señorita Ash —dijo Walpole.

—La señorita Ash es tan exhibicionista, que volverá a los escenarios por muy rica que sea.

—Oh, no se trata de su función de despedida en los *escenarios* —le corrigió Walpole.

Adam lo asimiló.

—En ese caso, no puedes llegar tarde. ¿Cómo realizaría su función sin ti?

—Eso es justo lo que pensaba. Aunque quería hablar un momento contigo. —Walpole miró a su alrededor—. ¿Cuándo podemos vernos a solas?

Adam lo guió hacia su despacho y Walpole cerró la puerta a sus espaldas.

Adam lo miró levantando una ceja.

—Si piensas contarme un secreto de estado, no quiero saberlo.

—El único secreto de estado que conozco es que el príncipe de Gales odia a su padre —dijo con despreocupación Walpole.

Adam resopló.

—No es ningún secreto.

—Pero es cuestión de estado. —Walpole deambuló por la estancia mientras Adam se apoyaba en el borde de su escritorio—. Es todo este asunto de la Compañía de los Mares del Sur —le espetó Walpole—. Algo va mal.

—Por supuesto —coincidió Adam—, pero pensaba que ya habíamos tocado el tema.

—Hay algo más. —Walpole, normalmente un hombre tranquilo, tamborileó los dedos sobre la repisa de mármol de la sofisticada chimenea—. Mis espías me informan de nefastos rumores. No puedo confirmarlos, pero no me gustan.

—¿Cómo...?

—Estamos ante algo más que una simple estafa. Sus directivos son demasiado listos, para su desgracia y creo que tienen planes para el gobierno.

—¿El gobierno?

—Sabes bien que fui el primer lord del Tesoro y canciller de Hacienda.

Walpole mencionó el título de carrerilla y Adam sonrió.

—Un canciller muy capaz, por cierto.

Walpole apoyó la espalda en la repisa y se encogió de hombros sin modestia alguna.

—Diría que sí. Aunque ahora no soy más que un humilde miembro del Parlamento.

—No creo que sea un humilde cargo —observó Adam—. Por mucho que pretendas ser un simple terrateniente, debes de ser el hombre más lascivo que he conocido en mi vida...

Walpole esbozó una sonrisa de oreja a oreja, en absoluto ofendido.

—… pero no hay tipo más competente que tú cuando se trata de guiar al gobierno. Algún día, si Dios quiere, conducirás este país hacia la gloria que se merece.

Rascándose la barba incipiente que cubría su barbilla, Walpole dijo:

—No pienso llevarte la contraria. Con que Inglaterra disponga de un periodo de paz prolongado, se convertirá en la nación más grande que el mundo haya conocido. Te confesaré la verdad, Adam: tengo intenciones de dirigirla. —Su sagaz mirada se cruzó con la de su amigo—. Y nada me detendrá.

Adam no se sorprendió en absoluto ante una declaración de intenciones tan clara, pero le preguntó:

—¿A cuántos hombres has confiado tus ambiciones hasta la fecha?

—A ninguno.

—¿Ni siquiera cuando hay barra libre y te pones tan borracho que no eres capaz de tenerte en pie?

—Tal vez lo haya hecho en una ocasión —reconoció Walpole.

—Con tu habitual timidez y carácter retraído, anunciaste en un banquete que tenías planes de dirigir el gobierno, ¿es eso cierto?

—Detecto cierto sarcasmo en tu voz.

Adam acercó a su propio pecho un dedo acusador y adoptó una expresión de preocupación.

—¿Yo? ¿Sarcástico yo? Dios mío, Robert, has tenido suerte de que nadie te haya pegado un tiro hasta el momento.

—Ya te lo he dicho, no soy nadie.

—¿Quién es lo bastante listo como para ser alguien? —Adam hizo un gesto de negación con la cabeza—. Robert, Robert, Robert. ¿Qué voy a hacer contigo?

Acariciando el relieve del mármol, Walpole le sugirió:

—Espiar para mí.

—¿Qué?

—Ya me has oído. Hay alguna conspiración en marcha y quiero enterarme de qué se trata. —Miró fijamente a Adam, una mirada grave e inquisitiva—. Hay un ronroneo que se acalla en cuanto se acerca cualquiera de mis informantes.

Adam disimuló su sensación de desmedida frustración.

—¿Y de verdad has pensado que yo sería adecuado para desempeñar desagradables tareas de espionaje?

Dominado por su entusiasmo, Walpole no prestó atención a las señales de advertencia.

—Perfectamente adecuado. Conoces las cafeterías de Change Alley mejor que cualquier otro ser viviente. Si existe alguna manera de descubrir qué se trama —o incluso la fuente qué lo trama—, tú puedes hacerlo.

—¿Y qué te inclina a pensar que puedo servirte de algo? Todo el mundo sabe que eres amigo mío.

—Tal vez no lo consigas, pero merece la pena intentarlo. El espionaje se paga bien —observó Walpole—. Cargos en la corte, favores, incluso dinero en efectivo.

La furia de Adam se descontroló de repente. Se inclinó hacia delante, el aliento silbando entre sus dientes mientras intentaba evitar llevar las manos al cuello de Walpole.

—Si eso es lo que piensas de mí, sal de inmediato de esta casa y no vuelvas jamás. Mi padre se inclinó ante cualquier empresa deshonesta que se interpuso en su camino y demostró ser condenadamente competente en ello, pero ante ti, al menos, creía haber demostrado...

—¡Maldita sea! —Walpole quedó envuelto en una sarta de profanidades más fuertes si cabe, notables por su variedad y tipología—. ¿Te agobia aún ese viejo escándalo? Nadie se acuerda de aquello... No existe nada más viejo que las noticias del año pasado, y eso sucedió hace ya muchos años.

—Mi padre deshonró de tal modo a esta familia que jamás será posible borrar esa mancha. ¿Crees sinceramente que nadie se acuerda? —preguntó Adam con desdén—. Las damas se ríen con disimulo detrás del abanico, mientras que los hombres se alejan a mi paso como si mi presencia pudiera contaminarlos.

—Tal vez, solo tal vez, se deba a que deambulas por la vida como el diablo en busca de nuevas almas. —Walpole se acercó a Adam agitando un dedo en el aire, como el maestro que se dispone a golpear con la vara al alumno—. Las reuniones sociales consisten en conversaciones frívolas, flirteos, bebida y jolgorio. Llegas tú y miras furioso a los reunidos, igual que me miras ahora a mí...

Adam intentó suavizar su expresión y Walpole movió la cabeza en un gesto de preocupación.

—Mejor que abras los ojos, Adam. Acudes a una fiesta y la anfitriona suspira sin poder evitarlo. Sabe que si te apuntas a jugar a las cartas con los caballeros, encontrarán todo tipo de excusas para abandonar la partida. Pero no porque los contamines, sino porque saben que estarán resolviendo los problemas del mundo antes incluso de que les haya dado tiempo a concluir la primera mano. Eres incapaz de hablar sobre mujeres guapas, incapaz de hablar de caballos, incapaz de hablar acerca del último cargamento de brandy de contrabando; solo sabes ser serio. Hablar de finanzas, métodos de cultivo o temas sumamente aburridos.

—Vamos, tampoco soy un tipo tan terrible —dijo Adam.

—Enfrías el ambiente donde quiera que vayas —insistió Walpole—. Y con las damas, peor. Proyectas esa mirada tuya sobre esas frágiles florecillas y, o quieren verte en calzones, o se desmayan. O ambas cosas a la vez. El fuego de tu mirada, el hielo de tu personalidad, las fascina. No me extraña que hayas tenido que buscarte una esposa que no te hubiera visto nunca. Y no entiendo todavía como la joven no ha salido huyendo de esta casa.

Adam resopló, pero su enfado empezó a amainar y Walpole le pasó el brazo por los hombros.

—No he hecho nada excepcional ofreciéndote un soborno. ¿Cómo demonios piensas que funciona el país? La corrupción es la piedra angular del sistema inglés, y es el mejor del mundo. ¿Por qué ponerle reparos al éxito?

Adam respondió, firme como una roca:

—Me importa un comino. Que lo haga todo el mundo, no significa que esté bien hecho.

—¡Eres un maldito petulante! —Walpole le miró a los ojos—. ¡Si crees que voy a partirme el trasero trabajando a cambio de una miseria, estás loco! ¿Por qué asumir un cargo en el gobierno si no puedes hacerte rico con ello?

—¿Tal vez por el bien de la madre patria inglesa? —sugirió Adam.

—Tal vez *tú* deberías hacerlo por el bien de la madre patria inglesa —replicó Walpole.

Lo captó enseguida.

—¿Espiar, te refieres?

Viendo que Adam había recuperado la razón, Walpole se mostró más osado.

—Por el amor de Dios, hombre, piensa un poco. Si no tomo yo las riendas del gobierno, ¿quién crees que lo hará? Lo único que quiere el rey es regresar a su amado hogar en Hanover para revolcarse con sus asquerosas amantes. Los tory están en un estado caótico. Mis whig carecen de un líder bien definido, y cuando estalle la burbuja de la Compañía de los Mares del Sur, los hombres y las mujeres que adquirieron sus títulos se amotinarán. Estuviste en Londres cuando el populacho se sublevó. Volcarán los carruajes de los ricos y romperán los escaparates de todos los establecimientos que encuentren entre aquí e Islington. —El fervoroso llamamiento de Walpole no perdía valor pese a ser interesado. Tenía razón, y Adam lo sabía—. Este rumor podría convertirse en mi llave para acceder al puesto más influyente de Inglaterra.

—Y podría ser una quimera.

—Y podría ser una quimera —admitió Walpole—. En cuyo caso, no estarías espiando, ¿verdad?

La boca de Adam esbozó una sonrisa de repugnancia.

Animado, Walpole le rogó lisonjeramente:

—Di que lo harás.

Adam bajó la cabeza. El papel de espía le dejaba un regusto amargo en la boca, pero ¿qué otra alternativa tenía? Cuando se puso mortalmente enfermo debido a la infección de la pierna y el medicucho del barco amenazó con amputarla, pensó que jamás volvería a ver las verdes costas de Inglaterra. Había jurado besar aquella dulce tierra si Dios le permitía regresar a ella. Haría cualquier cosa por el bien de su país, y creía que Walpole era el hombre indicado para conducir Inglaterra hacia la gloria. Clavándole aquella intensa mirada de la que seguía siendo inconsciente, dijo:

—Lo haré.

Capítulo 4

*P*apá, suéltame.

Desesperada por salir huyendo, Bronwyn dio un tirón con la mano, su rizado delantalito de seda aleteando en torno a su cintura.

Lord Gaynor la ignoró y siguió tirando de ella por los pulcros caminitos en dirección al despacho donde trabajaba Adam.

—Tendrás que hablar con él tarde o temprano, querida —le aconsejó—. Saludarlo con un «¿Qué tal está?» cuando llegue la noche de bodas no me parece en absoluto honorable.

—A mamá no le importa —protestó Bronwyn.

—Tu madre es una mujer excelente, aunque un poco destemplada en lo que a los asuntos del corazón se refiere. Demasiado práctica, no sé si me explico. —Se detuvo al llegar a la amplia terraza y le dio unos golpecitos tranquilizadores en el brazo—. Tú esto déjamelo a mí. Lord Rawson estará comiendo de tu mano antes de que la jornada toque a su fin.

Mirando hacia la ventana abierta, Bronwyn dijo en voz baja:

—No quiero que coma de mi mano, ni siquiera… —buscó las palabras adecuadas— que beba de mi vaso.

—Tonterías, niña, claro que quieres. Cualquier mujer quiere tener embelesado a su esposo, y tú eres la única de todas mis hijas capaz de conseguirlo. —La estruendosa voz de lord Gaynor la llevó a morirse de vergüenza cuando añadió—: Hablar con él no te hará ningún daño, ¿no te parece?

En cierto sentido, su padre tenía razón, pero ella no tenía ganas de hablar con su prometido. Cuando Adam la miraba con aquella intensidad, se sentía aturdida como una colegiala. No sabía por qué, pero deseaba desmayarse de puro miedo o arrojarse a sus brazos, y ambas reacciones la ponían muy nerviosa. Evitarlo le había parecido la mejor estrategia, y además era fácil de poner en práctica, puesto que él no había hecho ni el más mínimo intento de ir detrás de ella en las semanas que llevaba allí.

Pero su padre, el eterno casamentero, estaba decidido a que iniciaran el contacto. Lord Gaynor le pellizcó la mejilla con su aseada mano y a continuación le pellizcó la otra, para igualar el color.

—Perfecto. Estás encantadora.

Sin ninguna esperanza, como una prisionera de Tyburn Hill, Bronwyn siguió a su padre y juntos cruzaron las puertas de acceso al despacho.

Adam levantó la cabeza de los documentos llenos de números en los que estaba trabajando y dijo, sin ninguna emoción:

—¿Sí?

Lord Gaynor empujó a Bronwyn hasta una silla situada delante de la enorme mesa de despacho. Y mientras su padre se acercaba a la licorera, ella entrelazó lamentablemente los dedos sobre el regazo. Se dio cuenta de que tenía todas las uñas rotas. Se arriesgó a mirar a Adam. Si casualmente había oído la declaración de su padre en la terraza, no daba muestras de ello. Aunque eso no significaba nada. Nunca dejaba entrever sus sentimientos, jamás se delataba.

Sirviéndose una generosa dosis de su libación matutina, dijo su padre:

—Tenía intención de preguntarle, Adam, acerca de la fecha de la boda. Habría que fijarla. Habría que poner en marcha el torbellino de fiestas.

Bronwyn cerró los ojos. Confiaba en que su padre no atacara la situación a modo de venganza.

Y escuchó la respuesta de Adam, demasiado cerca.

—¿La boda? Suponía que aprovecharíamos este tiempo para conocernos mutuamente con el fin de casarnos en... ¿octubre, por ejemplo?

—Un plan muy sensato —dijo ella, abriendo los ojos y disponiéndose a levantarse.

La fuerte mano de su padre se lo impidió.

—Una espera espantosamente larga —se quejó—. ¿No cree que una boda en verano sería mejor?

—No.

La rotunda negativa de Adam no amilanó a lord Gaynor.

—Cuando las rosas florecen...

—No —repitió Adam.

—Mi esposa ha preparado un vestido de novia confeccionado según las especificaciones de Bronwyn.

Adam se recostó en su silla y estudió con atención a lord Gaynor.

—Pienso, lord Gaynor, que tal vez esté aburriéndose en mi casa.

La expresión de lord Gaynor se tornó de consternación.

—¡No, no! En absoluto. Su mansión es una de las más nuevas y mejores de Kensington. A una distancia conveniente de Londres, pero con todo el encanto de una casa de campo. Estamos junto a un encantador pueblecito con una pintoresca tienda... —Lord Gaynor esbozó una compungida sonrisa irlandesa al ver la cara de incredulidad de Adam—. Mi esposa y yo lo encontramos quizá demasiado tranquilo —reconoció.

—Y no pueden marcharse hasta que se celebre la boda —especuló Adam.

—Por supuesto que no. No sería correcto.

—Tal vez podría endulzar el trato con un poco de efectivo. —Abrió un cajón y extrajo una hoja de papel en la que escribió algunas palabras. Pasándoselo a lord Gaynor, le explicó—: Entrégueselo a Northrup, mi secretario. Le dará una letra de cambio de mi banco. Por supuesto, puede utilizar mis carruajes... le llevarán allí donde desee. Mi madre está aquí para hacer de dama de compañía, y Olivia estará feliz mientras esté con su hermana, imagino.

A Bronwyn le cayó el corazón a los pies. Adam tenía intención de quedársela. Confiaba en la posibilidad de que renunciara a su honor, y al de ella, y rescindiera el contrato matrimonial. Pero no, por lo visto no pensaba hacerlo, y conocía demasiado bien a su padre como para saber que no prescindiría de aquel dinero. Hasta el último penique de lo que pudieran producir sus fincas en Irlanda, se escapaba entre sus dedos con la facilidad y la inexorabilidad de la arena de un reloj. De hecho, estaba segura de que la necesidad de dinero era lo que le había empujado a pedir una boda lo antes posible. Su padre quería la dote que Adam había acordado para ella.

Manoseando el papel, su padre protestó:

—No puedo aceptar este préstamo.

—Considérelo un regalo —replicó Adam—. Estoy seguro de que a lady Nora le gustará poder visitar la ciudad.

Tal y como Bronwyn esperaba, lord Gaynor se guardó el pagaré en el bolsillo. Pero con todo y con eso, puso a continuación mala cara y preguntó:

—¿Es verdad eso que dijo su amigo?

—¿Mi amigo?

—Ese tal Walpole. —Lord Gaynor apuró el licor y volvió a llenar la copa, como si estuviera necesitado de un reconstituyente—. ¿Es verdad eso de los negocios? ¿Es usted tan listo como él dice?

Adam no dijo nada durante unos momentos, hasta que por fin reconoció:

—Sí.

—Está desprestigiado, ¿no? Lo de ganar tanto dinero.

Bronwyn gimió tan débilmente que supo que era imposible que la hubieran oído. Pero Adam la miró de reojo y ella tuvo la sensación de que la temperatura de la estancia había caído de manera apreciable.

—No tan desprestigiado como ser pobre.

Lord Gaynor no parecía haberse dado cuenta del ambiente gélido.

—Es una suerte que su familia sea tan vieja y noble. De lo contrario, no sé cómo habría podido soportar la desgracia. Actúa usted como un mercader.

—Muy amable —murmuró Adam.

—Limítese a mantenerlo en silencio —dijo lord Gaynor—. Si no lo restriega ante las narices de la sociedad, logrará mantener su respeto. No me gustaría que se supiese que mi hija está casada con un hombre *inteligente*.

Adam se mostró de acuerdo, murmurando:

—De lo más humillante.

Bronwyn volvió a cerrar los ojos, deseando poder encontrarse en cualquier otra parte.

—Voy a convertirme en su padre político, puesto que el suyo falleció. Pensé que apreciaría mi pequeño consejo. —Lord Gaynor dio un nuevo trago y asintió—. Pensé que lo apreciaría. No es que me importe que tenga cabeza para los negocios. La verdad es que incluso aceptaría algunos consejos en este aspecto sin sentirme mancillado por ello.

Adam se recostó en su asiento y tiró de la pluma.

—Por supuesto que estaría encantado en ofrecerle consejo, pero dudo que a Bridget...

Ella levantó de repente la vista.

—... Bronwyn —dijo, corrigiéndose— pudiera interesarle.

Lord Gaynor apuró la copa y miró a Adam.

—Es una señorita inteligente. Se sorprendería.

Adam la miró enarcando una ceja, como si estuviera cuestionando su presencia. Ella volvió a bajar la vista, deseando que su padre hubiera mantenido la boca cerrada. Si consideraba que la inteligencia era inaceptable para un hombre, ¿qué locura le habría empujado a pensar que había que aplaudirla en una mujer?

Adam dijo entonces, casi riendo:

—He estado en Change Alley y los títulos andan más locos que nunca.

—¿Ha entrado ya en vigor el decreto contra los títulos no autorizados por el Parlamento? —preguntó lord Gaynor.

—La puesta en práctica será el día del solsticio de verano, el veinticuatro de junio. —Previendo una conversación larga, Adam tapó con un corcho el tintero—. El rumor de su implementación ha hecho estallar una parte de las burbujas. Los propietarios han bajado la persiana y se han largado sin rechistar. Los hay, sin embargo, que dicen que ignorarán el decreto o declararán que sus títulos obsoletos son legales.

—¿Y conseguirán vencer con ello el decreto? —preguntó lord Gaynor.

Bronwyn arrugó la frente. ¿Desde cuándo su incompetente padre comprendía algo sobre los pormenores del mercado de valores?

—Si lo supiese, podría ganar mucho más de ese dinero que tanto le incomoda —dijo con acritud Adam—. La aplicación será desigual de entrada, pero acabará haciéndose efectiva.

—¿Y cuándo será eso?

A lord Gaynor le brillaban los ojos.

—Los títulos caerán como piedras. —Adam dejó caer un pisapapeles a modo de demostración—. Quien quiera que se haya quedado con una carga importante de títulos se verá aplastado. Irá a la bancarrota.

Un pensamiento, tan dramático como esclarecedor, cruzó de repente la cabeza de Bronwyn, que preguntó con osadía:

—¿Morirá gente?

Adam se sorprendió.

—Tal vez.

Lord Gaynor le dio unos golpecitos cariñosos en la parte superior de la peluca.

—No deberías preocupar tu linda cabeza con estos pensamientos.

Bronwyn miró a Adam y este respondió a su expresión inquisitiva.

—Sin duda alguna, el populacho provocará disturbios, puesto que perderá toda ilusión de hacerse rico. Y entonces habrá muertos.

—¿Existe alguna otra manera de matar a un hombre con un título?

Adam se tiró de la oreja, como si no pudiera creer lo que estaba oyendo, pero respondió sin perder la calma.

—Una frase con un giro interesante… «matar a un hombre con un título». —Fue entonces él quien la miró inquisitivamente, pero ella no dijo nada—. No tengo manera de saberlo con seguridad, pero creo que habrá suicidios.

—Suicidios —repitió ella—. Creo que lo entiendo.

Lord Gaynor, tan perplejo como Adam, preguntó entonces:

—¿Qué es lo que entiendes, Bronwyn, hija mía?

Recordando dónde estaba, Bronwyn se mordió el labio.

—Nada, papá. Lord Rawson acaba de explicar algo que había oído pero no alcanzaba a comprender.

Su padre la miró con extrañeza y le preguntó entonces a Adam:

—¿Debería vender mis títulos de la Compañía de los Mares del Sur?

—¿Posee algunos, entonces? —dijo Adam.

—Los compré antes de venir aquí —dijo lord Gaynor, sin dar más explicaciones.

—¿Por cuánto?

—Por trescientos.

Adam movió afirmativamente la cabeza, satisfecho.

—Le saldrá bien. No venda todavía. Ya le avisaré.

—Dependeré de ello. Aunque estaría bien tener un poco de efectivo. —Lord Gaynor se encaminó hacia la puerta—. ¿Vienes, hija mía?

Bronwyn miró de reojo a Adam e hizo el ademán de incorporarse. Pero tenía que confirmar aún sus sospechas; las palabras de la moribunda Henriette la tenían obsesionada. «Matar a un hombre con un título», había dicho Henriette. ¿Se trataría del título de una compañía? Volvió a sentarse.

—Todavía no, papá.

Se quedó boquiabierto. Estaba tan sorprendido como si su hija acabara de declarar que pensaba visitar a un dragón en su guarida, aunque jamás se imaginaría que quería quedarse para hablar sobre finanzas. Con una sonrisa de oreja a oreja, dijo:

—Esa es mi chica.

Bronwyn se retorció ante aquella aprobación, tan rotunda que se quedó flotando en el aire como el olor de una mofeta. En cuanto su padre desapareció, el silencio inundó la estancia; entonces ella miró a su alrededor con falso interés.

—La verdad es que tiene un despacho muy grande —dijo con un tono animado.

Adam no respondió.

—Con... con un mobiliario de lo más moderno. —Estiró el cuello para mirar hacia arriba—. Y la casa está construida siguiendo el estilo de Paladio, ¿verdad? —Seguía sin haber respuesta y descubrió la mirada insondable de Adam clavada en su rostro. Se dio por vencida. Con conversaciones frívolas nunca demostraría ser inteligente. Tosió para aclararse la garganta y se lanzó al tema con menos tacto y más interés—. Mi padre está fascinado con todo esto de los títulos. ¿Cree que podría explicarme cómo funciona?

Adam unió las puntas de los dedos formando un triángulo.

—¿Qué le gustaría saber?

Formuló la primera pregunta que se le pasó por la cabeza.

—¿Cómo consiguió mi padre dinero suficiente para invertir?

—En primer lugar, debía de tener un pequeño capital, algo de dinero que invertir.

Se quedó pensándolo: el prestamista, sin duda.

—Lo tenía.

—La Compañía de los Mares del Sur está prestando dinero a inversores para que puedan adquirir títulos, lo que garantiza que el dinero fluya hacia sus arcas, incluso el procedente de los que son demasiado pobres como para invertir adecuadamente.

—¿Y un título es...?

—Un certificado de inversión en una compañía emitido hacia un individuo y que le da derecho a un porcentaje de su generosidad.

Bronwyn pestañeó.

—De modo que mi padre fue a Change Alley con algo de dinero en efectivo, encontró a un representante de la Compañía de los Mares del Sur, y le dijo que quería prestar aquel dinero a la Compañía. El hombre cogió el dinero, le entregó a papá unos certificados, y si la Compañía obtiene beneficios... ¿papá tiene derecho a percibir una parte?

Adam empujó la silla para levantarse. Se inclinó por encima de la mesa apoyándose en la punta de los dedos y examinó a Bronwyn como si acabara de descubrir oro donde esperaba encontrar solo arcilla.

—Extraordinario. —Apartó por completo la silla, acercó dos más pequeñas al espacio de debajo de la mesa del escritorio donde extendía habitualmente las piernas y le ordenó—: Venga por aquí.

Se quedó boquiabierta, horrorizada por la invitación.

Un destello de impaciencia, pero enseguida se disciplinó para mostrar más amabilidad.

—Venga, por favor.

Se levantó con cautela. La mesa del escritorio era grandiosa, nueva, construida con madera de nogal y lustrada hasta no poder más. Rodear la mesa era un recorrido muy largo y temía tropezar en la arrugada alfombra si lo intentaba. Pero Adam la esperaba al otro lado y, por algún motivo que desconocía, no quiso que la tomase por una cobarde. Empleando los pasitos amanerados de su madre, recorrió la distancia hasta situarse a su lado. Le apartó una de las sillas y tomó asiento. Se acomodó él, tan cerca que las rodillas se rozaban. Tan cerca que podía incluso oler el aroma a menta que se aferraba a él como una brisa irlandesa.

Se apoderó de ella una extraña parálisis y se sujetó en el afestonado borde de la mesa hasta que el motivo decorativo se le clavó en la palma de la mano. Adam no se esforzó en aliviar su incomodidad. No llevaba chaqueta, tampoco pañuelo que le cubriera el cuello. Nunca lo había visto tan desarreglado. Su aspecto siempre había sido formal, correcto, elegante, aunque serio. Se había negado a plantearse cómo sería en el lecho matrimonial. Y una mirada furtiva a su torso, cubierto tan solo por una camisa, le hizo comprender por qué. La abundancia de suave batista no lograba disimular la musculatura que escondía debajo y, por otro lado, era plenamente consciente del brazo que descansaba sobre el respaldo de la silla que ella ocupaba. Tenso contra sus hombros al aire, su calor penetrándole la piel.

Se enderezó en el asiento para que la espalda no tocara el respaldo.

—¡Crédito! —Atacó con vigor—. No entiendo lo del crédito.

Fijó su mirada en el rostro de ella, observándola.

—Tampoco lo entiende la mayoría de este país.

¿Por qué la miraba con tanta atención? ¿Tendría alguna marca? ¿Habría caído el lunar que llevaba justo encima del labio superior? Antes se sentía incómoda; ahora colgaba del gancho del suspense. Presionó los volantes del delantal de seda y tiró del ribete.

—¿Cómo se compran títulos a crédito?

—Mediante un pago que inmoviliza un determinado número de títulos.

—¿Y cómo se gana dinero? Si uno intenta rescatar los títulos en las oficinas de la Compañía de los Mares del Sur, pero no están pagados del todo...

—Lo que uno intenta hacer es venderlos a otro inversor, dejándole a él la deuda y quedándose con el beneficio —explicó, mostrándose paciente con su ignorancia.

—¿Y por qué razón un inversor querría comprar deuda?

—Porque...

—Porque el título subirá aún más de precio —le interrumpió, comprendiéndolo de repente—, y podrá obtener también un beneficio.

Por primera vez desde que vivía en aquella casa, Adam sonrió. Le sonrió *a ella*. Se quedó sin aliento. Se quedó helada. El hombre que hasta el momento había considerado serio, austero, el vampiro de las fantasías de una doncella, acababa de transformarse en un malvado salteador de caminos, dispuesto a robarle todo su buen juicio. Sus miradas se encontraron.

—¿Pasa algo?

Le pareció que su voz se había vuelto más grave, y la sonrisa que tan atractiva le había resultado se había convertido en una mirada conocedora.

—No, me... me estaba explicando cómo funcionaba la venta de títulos. —Tenía surcos en las comisuras de la boca, vio, que se hacían más hondos cuando se sentía satisfecho. El dobladillo del delantal acabó soltándose; tiró de un hilo—. ¿Y la cantidad de títulos de la Compañía de los Mares del Sur es ilimitada?

—No.

—Lo que mantiene su demanda.

—Hay mucho más de lo que se ve a simple vista. —Le acarició la mejilla y ella dio un respingo al percibir el contacto. Él dejó caer los párpados, como si conociese un secreto—. No le haré daño. Solo quería ver si su piel es tan suave como parece.

Confusa por aquella atención, se encogió de hombros.

—No es más que piel. Como la suya.

—No se parece en nada a la mía. —Le cogió la mano que tenía en la falda para acercarla a su cara—. ¿Lo ve? El viento y la sal del mar han endurecido la mía.

Presionó la palma de la mano contra su barbilla. Deseaba retirarla, pero sabía que sería una tontería. Por algún motivo, no quería que la tomara por tonta. Lo que hizo fue evitar su mirada y palpar con una conciencia cada vez mayor la barba incipiente que le cubría la barbilla. ¿Por qué estaría estudiando con aquel nivel de detalle sus facciones cuando en realidad se había quedado allí para hablar de finanzas?

—Y estoy bronceado por estar todo el día yendo y viniendo de Londres a caballo —murmuró.

—Yo también estoy bronceada.

Retiró la mano y le dedicó una sonrisa para demostrarle que no le había molestado.

—Pero no tiene pecas. Su tez es clara como un día soleado.

La sorpresa la dejó boquiabierta, pero creyó recuperarse antes de que él se diese cuenta.

—¿Compra los títulos de la Compañía de los Mares del Sur como es debido, o compra a través de otros inversores?

—Northrup acude a la Compañía de los Mares del Sur siempre que sus directivos tienen una remesa que vender. Por ejemplo, el catorce de abril adquirió acciones a un precio de cotización de trescientas libras.

—¿Cada una?

—Cada una. El treinta de abril compró acciones a cuatrocientas libras. —Hizo una pausa—. Cada una.

¿Sería aquello una muestra de humor? Detectando el brillo de su mirada, Bronwyn le sonrió tímidamente.

—¿Y ha vendido esos títulos?

—No. De hecho, he comprado más.

La expresión de Bronwyn se hizo más cálida, con la esperanza de provocar en él otra de aquellas sonrisas que detenía el corazón.

—¿Cómo sabe cuándo vender?

—Las cafeterías de Change Alley son un lugar que bulle de información, siempre que sepas a qué prestar atención. Hay informantes, algunos fiables y otros no tanto, que venden lo que saben al precio justo. Siempre se filtran rumores.

Estaba resplandeciente y dejó entrever sus brillantes dientes en una nueva muestra de satisfacción. Aquella sonrisa mermó todas las fuerzas de Bronwyn, que tuvo que recostar la espalda en la silla.

Él continuó explicándose:

—El hombre que es astuto conoce lo que tiene que oír en boca de los informantes, razón por la cual venderé cuando llegue el momento. ¿Le preocupan las inversiones de su padre?

Concentrada en el brazo que acababa de rodearla por los hombros y en la presión de las rodillas de él contra las suyas, respondió:

—Ni siquiera estaba al corriente de que hubiera hecho inversiones. Es tan poco característico de él ser sensato…

—La locura de la adquisición de títulos ha afectado a todo el país. Me habría sorprendido que se hubiese salvado de ella.

La observó con atención mientras ella deseaba no haber revelado tantos detalles sobre su padre. Nerviosa, siguió manoseando la tela de su vestido.

Adam cambió repentinamente de tema y le preguntó:

—¿Por qué le ha sorprendido tanto que la encontrara atractiva?

—¿Atractiva? —Reflexionó sobre el adjetivo elegido—. Creo que tengo motivos para sorprenderme de que ahora me considere atractiva.

La media sonrisa que esbozó él daba a entender que se sentía culpable.

—¿Acaso no fueron tan observadores sus otros admiradores?

—No —respondió, titubeante. ¿Debería decirle que no había tenido otros admiradores? ¿Debería preguntarle si se consideraba su admirador? Vio que cogía la pluma y se volvía hasta darle la espalda—. No —decidió. Observó entonces que pasaba el dedo por el extremo de la pluma, como si quisiera verificar si estaba lo bastante afilada, y estrujó el delantal de seda. Casi desfallece al escuchar el leve sonido de la seda al rasgarse y para disimular, preguntó—: ¿Y todo el mundo está enriqueciéndose?

—¿Le gustaría especular?

Le acarició el cuello con la punta de la pluma.

El minúsculo contacto la encendió. Y cuando empezó a recorrer la clavícula, perdió toda la voluntad que la empujaba a hablar, a moverse, a respirar incluso.

—Si desea negociar con títulos —la pluma serpenteó hacia la hendidura que separaba sus pechos—, mi ayuda le resultará muy valiosa.

Ella tragó saliva de forma audible.

—Aunque, por supuesto, habrá unos honorarios. —Posó la mano que tenía libre sobre su hombro desnudo—. A satisfacer cuando así se solicite. —Retiró la pluma y se inclinó sobre ella—. Tiene unos ojos enormes —dijo maravillado—. Cómo me miran...

—No entiendo ni la mitad de lo que está diciéndome —musitó ella.

—Demasiado tarde para engañarme. Ya ha demostrado tener una inteligencia excepcional para una mujer. —Eran ya sus dos manos las que le abarcaban los hombros—. Quiero un beso.

Incrédula, ella replicó:

—Pero si cree que soy fea.

—¿Yo?

—Usted, sí...

—Tiene unas pestañas tan largas, que deben de enredársele.

Le acarició las pestañas como si las rozara una mariposa.

Bronwyn cerró los ojos y dejó que la abrazara. Y en cuanto le masajeó los omóplatos, los nudos que se habían formado en su musculatura empezaron a relajarse. Le besó las comisuras de la boca, saboreándola como si fuese una exquisitez.

—Está incómoda conmigo —murmuró—. Lo he notado antes.

Sus labios la acariciaron con las palabras antes de posarse sobre los de ella. El contacto produjo en Bronwyn una sensación mareante, la incitó a buscar aire que respirar, pero solo estaba él. Y cuando abrió la boca, él deslizó la lengua en su interior para explorarla. Resultaba extraño. Se puso tensa, pero la mano de él le sujetó la barbilla para impedir que se apartase. ¿Estaría burlándose de ella?

No, más bien parecía estar incitándola. Tímidamente, alargó ella la lengua y se inició una pequeña batalla. Aun perdiéndola, se sentía satisfecha, contenta por haber compartido aquella intimidad con él, satisfecha por haberlo tenido tan cerca.

Pero cuando sus ágiles dedos descubrieron su pecho y lo acariciaron por encima de la seda del vestido, abrió los ojos de par en par y lo empujó para apartarlo.

Tenía la cara pegada a ella: su mirada era ilegible, sus tupidas cejas formaban una línea única en su frente. La boca estaba muy cerca: un instrumento de tortura y hechizo. Notaba aún su sabor, la aspereza de su dentadura perfecta. Podía aun oler su aliento, estremecerse por el roce de aquella mano con su cuerpo, sumergirse todavía en el calor de su fuego.

La realidad llegó de forma precipitada.

Llenó de aire los pulmones y encerró la muñeca de él entre sus dedos.

—Suélteme.

Volvía a sonreírle. Jamás había visto algo tan encantador y capaz de disolver toda su resistencia. Abarcó su pecho un último instante, solo para demostrar que podía hacerlo, y retiró entonces la mano.

—Tiene los ojos brillantes.

Entonces ella dijo con más insistencia:

—Suélteme.

—Ya la ha oído, canalla. —Lord Gaynor estaba en la puerta, la personificación del aristócrata inglés ultrajado—. ¡Suelte a mi hija!

Avergonzada, Bronwyn intentó levantarse, pero tenía las rodillas aprisionadas bajo la mesa. La alfombra le impedía mover la silla hacia atrás. Y Adam bloqueaba su retirada. No el afable Adam que se había convertido en su compañero durante la última media hora, sino el lord austero que la había atemorizado hasta entonces.

Imperturbable, Adam preguntó:

—¿Se ha dejado olvidada alguna cosa, lord Gaynor?

Lord Gaynor entró en el despacho.

—Sí, he olvidado retirar a mi hija de sus lascivos brazos.

Adam se repantingó en la silla.

—Vamos a casarnos.

—Ha superado los límites de la corrección —insistió lord Gaynor.

—Oh, vamos. —Adam se sacudió una imaginaria mota de polvo de la manga—. ¿Qué quiere? ¿Qué cuando llegue la noche de bodas Bronwyn me reciba diciendo: «¿Qué tal está?» No sería honorable.

Bronwyn gimió al ver que Adam repetía las palabras exactas de su padre. El amante que acababa de besarla y acariciarla con tanta delicadeza había oído todo lo que habían hablado entre ellos en la terraza antes de entrar. No la había besado por deseo, ni amabilidad, ni placer. Sino que estaba enfadado. Enfadado con su padre por aquel torpe intento digno de un casamentero, enfadado con ella por confabular contra él.

Y ella había caído víctima de su venganza porque era una criatura sedienta de amor. Una oleada de turbación la impulsó a levantarse de la silla, arrastrándola sobre la alfombra. Cuando Adam hizo el gesto de ayudarla, ella le dio un hábil codazo en el pecho. Él cayó hacia atrás al incorporarse ella. Y aferrando con la mano el delantalito, dijo:

—No ha pasado nada, papá.

Lord Gaynor dio por finalizada su representación dramática para convertirse en un preocupado padre irlandés.

—No es necesario que le mientas a tu viejo padre, querida. Ese hombre estaba besándote.

—En absoluto. Se me había metido algo en el ojo. —Se apartó de la mesa y pasó por delante de lord Gaynor. Al llegar a la puerta, se giró. Con el delantalito arrugado y desprendido de la cintura, miró furiosa a Adam—. Pero al final no era nada.

Lord Gaynor observó la marcha de su hija y miró a continuación a Adam, que seguía sentado, tocándose el pecho. Como un perro de caza olisqueando la presa, echó la cabeza hacia delante y avanzó hacia Adam, la mirada fija en su futuro yerno. Se abalanzó y extendió la mano en dirección a la boca de Adam. Este retrocedió, aunque demasiado tarde. Entonces lord Gaynor dijo:

—¡Ajá!

—¿Ajá? —contestó Adam, arrastrando la palabra.

Lord Gaynor le mostró la palma de la mano, y allí, adherido a su dedo índice, apareció el lunar en forma de corazón que Bronwyn lucía justo por encima del labio superior.

Capítulo 5

*M*ilord, la ciudad de Londres se ha vuelto loca.

Recién llegado de Change Alley, Northrup dejó su sobretodo con un gesto teatral.

Adam encerró el lunar en el interior de la mano, escondiéndolo de la vista de Northrup. Lord Gaynor se lo había entregado con la advertencia de no realizar avances tan rápidos con su «querida» Bronwyn y había salido de estampida del despacho, la viva imagen del padre ofendido... salvo la sonrisa de satisfacción dibujada en su atractivo rostro.

Adam se preguntaba sobre los motivos de aquel irlandés. Aquel manirroto le agradaba, no podía evitarlo, pero seguía sin comprender por qué había decidido entregar a su hija —su hija favorita, al parecer— a un hombre cuyo apellido era sinónimo de corrupción. Robert Walpole insistía en que su integridad era intachable, pero él conocía la verdad. Su padre había mancillado el honor de la familia y nada conseguiría limpiarlo.

Northrup continuó hablando como si no se hubiera dado cuenta de lo distraído que estaba Adam.

—Es como si la locura del verano hubiera arrasado la ciudad.

—¿Y cómo es eso?

Adam tiró de la papelera con la intención de arrojar en ella el pedacito de terciopelo, pero al final decidió guardarlo en el cajón del escritorio. ¿Qué pasaba con aquella mujer con la que estaba prometido? Estaba tan nerviosa cuando se conocieron que pensó incluso que iba a echarse a llorar. Pero la había oído suplicarle a lord Gaynor que no la obligara a hablar con él, había visto su expresión de desesperación cuando su padre le había presionado para fijar la fecha de la boda.

Northrup dejó con cuidado su sombrero nuevo encima del sobretodo y se volvió hacia Adam.

—La Compañía de los Mares del Sur ha ofrecido poner en el mercado cincuenta mil acciones a mil libras el título.

Adam seguía mirando el interior del cajón. Su aspecto no era tan horrible, reflexionó. Una mirada exigente revelaba una boca grande y jovial, propensa a la sonrisa y en su punto, lista para ser besada. La vida, le decía su mirada, era un asunto muy serio, pero con todo y con eso, le encontraba sentido del humor a la presunción fingida de su padre e incluso a los modales excesivamente serios de él. E independientemente de lo que ahora estuviera de moda, le gustaba el tono dorado de su piel. Por lo tanto, no tenía motivos para ponerse nerviosa en su presencia.

—¿Lord Rawson? —dijo Northrup.

A lo mejor estaba nerviosa como consecuencia de lo descortés que él se había mostrado cuando le fue presentada. A lo mejor estaba nerviosa porque temía el lecho matrimonial. A lo mejor estaba nerviosa porque sabía lo de su padre y su ignominia.

—¿Lord Rawson?

—¿Qué? Oh. —Adam se recostó en la silla—. ¿A mil libras el título? Eso está por encima del precio de mercado.

—Un veinticinco por ciento por encima del precio de mercado —confirmó Northrup—. Aunque los términos son atractivos. Lo único que exigen es una entrada del diez por ciento y el resto a abonar a plazos.

—No me esperaba menos. —Adam rozó sus propios labios con los dedos y su sensibilidad le recordó el beso que acababan de compartir. Bronwyn había encendido el fuego de su pasión, y quizá también sus sentimientos. Su madre siempre se quejaba diciéndole que se había protegido contra las emociones con una especie de armadura, y así era. Resultaba más seguro, más limpio, menos doloroso, y el dolor que había padecido bastaba para llenar una vida entera—. ¿Los han vendido todos?

El rostro infantil de Northrup se iluminó.

—Todavía no, pero lo harán pronto.

Su entusiasmo consiguió por fin que Adam se concentrase en el asunto que tenían entre manos.

—¿Has comprado algo?

—No, señor —dijo enseguida Northrup—. Seguí sus instrucciones y no le he comprado nada.

Adam tensó la expresión.

—Me refería a si has comprado algo para ti.

Northrup se ruborizó.

—Ese sobretodo es nuevo, ¿no?

—Necesitaba sustituir mi chaqueta.

Los modales altaneros de Northrup llegaban tarde y con escasa convicción.

Adam observó pensativo a su secretario.

—Supongo que trabajar para mí ha sido una dura humillación, ¿verdad?

—Oh, no, señor. —Northrup se apresuró a tranquilizarlo—. Ha sido un… un proceso de aprendizaje.

Incapaz de creer sus palabras, Adam le espetó:

—Tal vez deberías recordar que ya no eres el futuro marqués de Tyne-Kelmport.

—Nunca lo olvidaré —dijo Northrup, su dignidad agarrotándole—. No me quejo.

—Un tanto a tu favor. —Adam afiló la punta de la pluma con el cuchillo—. Creo comprender tu afán por invertir en la Compañía de los Mares del Sur. Pero vende los títulos cuando yo te lo diga y obtendrás beneficios.

—Llevo ya dos años trabajando para usted, milord. Conozco sus métodos y creo que ya podría gestionar mis títulos yo mismo.

Adam examinó al joven. Con las manos en la cintura, Northrup intentaba parecer maduro y valiente, pero el gesto de pasarse la lengua por los labios traicionó su nerviosismo.

—Somos un poco independientes, ¿no, Northrup?

La mirada de Adam sirvió para recordarle a Northrup el puesto que ocupaba.

—Le pido perdón, milord.

—No me he sentido ofendido. —Y así era. Su secretario era un joven útil, ni más, ni menos. No se sentía responsable de que deseara arrojarse contra las rocas de las finanzas, solo enfadado. Northrup trabajaba duro, comprendía el sistema y anticipaba sus necesidades.

Sustituirlo sería casi imposible. Adam señaló el montón de papeles acumulado sobre la mesa y dijo—: Si te parece bien, pongámonos a trabajar.

Northrup miró a su alrededor en busca de la silla y la encontró al lado de Adam. Frunció el entrecejo, perplejo, hasta que la retiró. Y entonces, con una sonrisa, dijo:

—Ah, ha estado aquí lady Bronwyn.

Adam se sobresaltó, sintiéndose culpable.

—¿Cómo lo has sabido?

Northrup sacudió la silla para retirar los hilillos de seda.

—¿Ha estado desarmando otra vez alguno de sus abanicos?

—No, creo que era... una especie de delantal. Uno de esos aderezos que se ponen las mujeres.

Adam se quedó mirando a Northrup. ¿Cuánto sabría acerca de la intrépida Bronwyn? Se sintió embargado por una extraña curiosidad, una necesidad de saber más cosas sobre su prometida. Pero ¿haría bien hablando de ella con aquel joven? ¿Qué protocolo debía regir una conversación de aquel tipo? Era evidente que Northrup lo sabía, pero Adam desconocía el refinamiento que gobernaba las frívolas conversaciones sociales. Preguntó entonces, para tantearlo:

—¿Lo hace a menudo? ¿Lo de desarmar abanicos?

Northrup se echó a reír.

—¿No se ha fijado? Cuando está nerviosa, lo que sucede prácticamente siempre que está en compañía, empieza a puntear el abanico.

Detallista, escrupuloso, Adam insistió:

—No llevaba ningún abanico.

—Si no tiene otra cosa, se muerde las uñas. Me contó que su madre le regaña por ello.

—¿Te lo contó? —preguntó Adam, pasmado.

—Es una dama muy agradable, y hemos charlado. —Northrup tomó asiento y destapó su tintero—. ¿Tiene cartas para enviar, señor?

—Tengo unos números que quiero que copies y verifiques. —Y mientras buscaba entre los papeles, preguntó—: Supongo que así debe ser, puesto que la habrás visto por la corte, ¿verdad?

—¿A lady Bronwyn? Brevemente, señor.

Northrup cogió la pluma y se preparó.

Algo hubo que despertó las sospechas de Adam.

—Sois más o menos de la misma edad, ¿verdad?

—Sí, señor.

Adam fijó la mirada en el papel que tenía en la mano hasta que las cifras empezaron a tener sentido.

—Aquí está.

Northrup cogió el papel.

—No es tan simple como parece.

Northrup levantó la vista, sorprendido.

—¿Señor?

Percatándose que lo que acababa de decir podía parecer una tontería, Adam dijo:

—Me refiero a que lady Bronwyn tiene unos ojos muy bonitos.

—Estoy de acuerdo, señor.

Viendo que Adam no decía nada más, Northrup continuó trabajando.

Adam se acercó a la ventana y contempló los inmaculados jardines hasta que escuchó por fin la voz de Northrup.

—Estará de acuerdo, ¿verdad, señor?

La pluma rascó el papel.

—Sí, señor. Y me gusta su sonrisa. Tiene hoyuelos.

—Un hoyuelo —le corrigió Adam—. En la mejilla derecha.

—Ah, sí, claro… Estas columnas están correctas.

Northrup le devolvió el papel.

—Suma esto, por favor. —Adam deslizó otra hoja por encima de la mesa. Tamborileando con los dedos, dijo con preocupación—: Si no se anda con cuidado, acabará teniendo reputación de mujer instruida.

—Una idea espantosa. —Northrup se estremeció con sincera repugnancia—. ¿Hay algo peor que una mujer instruida?

—No es tan espantoso —objetó rápidamente Adam, y parpadeó a continuación. Qué raro. Deseaba defender a Bronwyn, una mujer a la que hasta entonces había tratado con suma descortesía. La acumulación de incredulidad de Northrup le llevó a añadir—: Al menos se puede hablar con ella.

Northrup dejó de fingir que estaba trabajando.

—¿Lady Bronwyn? Sí. Siempre he podido hablar con ella. Es una de las mujeres más amables que he conocido en mi vida.

—¿Amable? No sé nada sobre su amabilidad.

—Ha estado evitándola. ¿Cómo podría saberlo? —preguntó Northrup.

—Cada vez más atrevido, ¿verdad? — Northrup se negó a disculparse y Adam sonrió, reconociéndolo—. Tienes razón, por supuesto. He estado malhumorado y comportándome como un hombre incapaz de sacar el mejor provecho de la situación, una cualidad de la que siempre me he sentido orgulloso. Pero esto cambiará. A partir de ahora, cortejaré a lady Bronwyn con toda la delicadeza que una joven podría desear.

—Me alegro por usted, señor —dijo con entusiasmo Northrup—. Lady Bronwyn se merece algo de la admiración en la que nadan sus hermanas.

—Precisamente.

—Se merece más que todas sus siete hermanas juntas.

—¿Incluso Olivia? —dijo bromeando Adam, consciente de que su secretario había caído víctima de la flecha de Cupido en cuanto había visto las perfectas facciones de Olivia.

Northrup hizo una mueca.

—Olivia es bonita. Seguramente la más bonita de todas las sirenas irlandesas.

—Me he dado cuenta de que la mirabas.

—Nunca por nada más que admiración —replicó Northrup a la defensiva—. Vive en un mundo de ensueño, alejada de la vida diaria.

—Es como una copa finísima —dijo Adam—. Demasiado frágil para poder beber en ella.

—Exactamente. Olivia tiene una mente tan celestial, que no es un bien terrenal, no sé si me explico.

—Ya. —Adam estaba pensando de nuevo en Bronwyn. Se rozó la palma de la mano con la pluma. Le había gustado cuando se la había deslizado por la piel. Le había gustado la caricia de su mano. Cuando la había besado, su mirada se había vuelto borrosa, atenuada, se había tornado dulce y cálida…, pero había reaccionado como si nunca la hubieran besado. Miró de reojo a Northrup. Lo más probable era que algún joven galán la hubiera arrinconado para obsequiarla con sus atenciones. Al fin y al cabo, tenía veintidós años—. ¿Qué reputación tenía en la corte?

—¿Olivia?

—¡Bronwyn!

Northrup agitó la cabeza como si estuviese mareado.

—Lady Bronwyn vivió en la corte solo unos pocos días, con motivo de la boda de su hermana. No tenía ninguna reputación. Apenas nadie sabía quién era.

Animado, Adam siguió preguntando.

—¿Tenía un aspecto similar al de ahora?

—Era desgarbada, como una niña que ha crecido demasiado. Durante la procesión nupcial, tropezó con la cola de su propio vestido. Se le cayó el anillo de su hermana. —Northrup hizo una mueca de desagrado al recordarlo—. Insistió en dirigirse al rey Jorge en un mal hablado alemán y él se quedó encantado.

Adam se tapó los ojos.

—¿La puso en un aprieto?

—Peor. Le presentó a la Cucaña.

—¿A su amante?

—Todo el mundo lo ha olvidado, estoy seguro —lo reconfortó Northrup—. Igual que ellos habrán olvidado el entusiasmo que mostró por aquel manuscrito medieval irlandés que se exhibía en la catedral.

—¿Entusiasmo? Exageras —se mofó Adam.

Northrup se puso serio.

—Sabía *leerlo*, señor.

Adam dejó la pluma sobre la mesa.

—¿Leerlo? ¿No estaba en latín?

—En latín y en ese otro… —Northrup puso mala cara—, ese otro idioma que hablan allí.

—¿Gaélico? ¿Y dónde aprendió gaélico? —Adam no podía creérselo—. En Irlanda, el gaélico solo lo hablan los campesinos. Y ella es hija de uno de nuestros nobles.

—Dijo que las monjas le habían enseñado gaélico.

—¿Las monjas? —cuestionó Adam, alarmado—. ¿Será una papista encerrada en el armario?

—No, señor. No, no, de serlo yo mismo le habría puesto sobre aviso. Como muestra de mi lealtad —dijo Northrup—. Comentó que la enviaban normalmente al convento a aprender costura.

—Un asunto delicado. —Adam movió la cabeza en un gesto de preocupación—. Podría haberse imbuido de todo tipo de ideas infieles.

—Tenga la absoluta seguridad de que no fue así, al menos, no por parte de las monjas. Sin embargo, sí comentó que su institutriz le había enseñado latín.

Alarmadísimo de nuevo, Adam rugió:

—¿Su institutriz?

—¿En qué estaría pensando para enseñarle latín a una mujer?

—Tendrá que preguntárselo a lady Bronwyn —dijo Northrup, pensativo—. En el transcurso de alguna de sus privadas y tiernas conversaciones.

Adam pasó por alto la insinuación de que necesitaba instrucción en cuestiones amorosas.

—Los demás hombres cortejan a las mujeres. Estoy seguro de que yo también soy perfectamente capaz de hacerlo.

—Flores —sugirió Northrup—. Pequeños regalos. Obsérvela con estima. Acaríciele la cintura cuando la acompañe hacia el comedor para cenar.

—Sé muy bien lo que tengo que hacer —replicó Adam con irritación—. Le demostraré mi deseo de manera sutil.

—Lo siento —dijo Bronwyn incluso antes de que el vino, como una gigantesca marea roja, se extendiera por encima del encaje que cubría la mesita auxiliar. Intentó coger la copa al vuelo, pero cayó y se hizo añicos con el refinado estruendo del cristal plomado. El vino manchó la exquisita alfombra china que cubría la zona central del salón. Repitió—: Lo siento.

Mientras el criado corría a limpiarlo, Mab la tranquilizó.

—No tiene importancia. Los caballeros que Adam califica de amigos rompen más copas en una sola noche de las que tú hayas podido romper desde que estás aquí.

«La diferencia no es tanta», imaginó que Adam estaría pensando. Evitó su mirada y la ojeada que le lanzó su madre la clavó en la silla. Con sus preciosos ojos de color violeta, lady Nora dejó claro a Bronwyn que le tocaría purgar su reprobable torpeza.

El problema era que ella, al parecer, era incapaz de evitarlo. Desde aquella tarde en el despacho, Adam la obsequiaba con unas miradas tan intensas que hacían añicos su compostura, casi tanto como acababa de hacerse añicos la copa.

Se imaginaba que estaba enfadada con él. Un trato tan caballeresco merecía que estuviese enfadada. Jugar con sus emociones con tanta frialdad era un mal presagio para su matrimonio. Era un mal presagio para ella.

Pero el beso no le había sabido a vengativo, y las atenciones que le prodigaba últimamente no parecían desdeñosas. Actuaba como el hombre que corteja a una doncella, aunque su cortejo no era de los que estaban ahora en boga. No tenía ni idea de bromear, ni de pasatiempos intrascendentes. Cuando le besaba la mano, su boca se demoraba allí. Cuando la acompañaba al comedor, el calor de su palma traspasaba el tejido de la cintura del vestido. Cuando le regalaba una flor, lo hacía tan íntimamente y con tanto ardor, que acababa marchitándosele en la mano.

No sabía qué le daba más miedo, si la posibilidad de que estuviera buscando algún tipo de venganza, o la posibilidad de que no la buscara. Estaba mirándola con tanta intensidad, que imaginó que la peluca empezaría a arderle en cualquier momento.

—He sido invitado a asistir a la fiesta de la vigilia de San Juan que se celebra en el pueblo. —Formuló la invitación con cortesía; pero el tono de voz de Adam dejaba traslucir su apasionado objetivo—. Confío en que Bronwyn asista conmigo.

Al parecer, lord Gaynor adivinó las intenciones de Adam, puesto que preguntó:

—¿Verdad que la vigilia de San Juan coincide con el solsticio de verano?

Adam acarició la copa de brandy.

—Eso creo.

—Una celebración pagana para los campesinos, ¿no?

Adam enarcó una ceja y sonrió insípidamente.

—Sería una salida interesante para toda la familia. Gracias por decírnoslo —declaró lord Gaynor.

Bronwyn le sonrió agradecida, pero lady Nora exclamó:

—¡Imposible! Prometimos que asistiríamos a la fiesta que lady Hogarth celebra esa noche.

—Una nimiedad, querida. No nos echarán de menos.

—No es verdad, querido mío. —Lady Nora sonrió con afectación, pero demostró entereza—. Lady Hogarth es una de mis más estimadas amigas, y depende de nosotros. Nuestras hijas asistirán también, y lady Hogarth está pregonando la fiesta como «el retorno de las sirenas irlandesas».

—Las mujeres más bellas de la sociedad londinense juntas en una sola fiesta. —Lord Gaynor hinchó el pecho—. Debemos ir.

Bronwyn partió en dos el cierre de la cajita de lunares de terciopelo que llevaba en el bolsillo. Que su padre la descartara tan rápidamente como una de las sirenas hurgaba en una herida tan antigua que apenas le dio importancia. Pero no quería estar a solas con Adam, y su querido padre lo sabía muy bien.

—Papá —protestó.

Lord Gaynor se encogió de hombros.

—Te lo pasarás bien con su señoría. Olivia puede acompañarte.

Olivia chirrió desde las profundidades del sillón donde estaba escondida. Bronwyn se recostó de nuevo en el canapé. ¿De qué creía su absurdo padre que serviría su presencia? Adam alarmaba a Bronwyn, pero a ella le daba tanto miedo que le provocaba ataques de pánico.

—¿Qué tipo de saludable entretenimiento les espera a mis hijas? —preguntó lord Gaynor, deseoso de mostrar interés en las actividades—. ¿Es divertida la celebración de la gente local?

—No lo sé. Adquirí esta propiedad hace tan solo dos años —dijo Adam.

—Tiene razón. —Lord Gaynor extrajo una larga y curvada pipa—. Esta propiedad era la finca de lord Wilde y su familia. La perdieron como consecuencia de un revés económico, ¿no?

—Al estúpido de Wilde se le ocurrió financiar a la clase media. —Adam esbozó una mueca de desdén—. Y descubrió que sin sentido de las finanzas, incluso una familia noble puede acabar destruida.

Hurgando en el interior del saquito del tabaco, lord Gaynor observó:

—Hay que ser caritativo.

—Nadie fue caritativo conmigo —replicó con frialdad Adam.

—Por muy censurable que fuera la conducta de su padre, logró conservar el título. —Lord Gaynor agitó la mano con nerviosismo—. Estoy seguro de que estará de acuerdo en que es necesario preservar a la élite de este país.

—¿Sí?

A Bronwyn no le pareció una pregunta y se quedó mirando a Adam con los ojos abiertos de par en par. ¿Cuáles serían los orígenes de Adam? Cuando sus padres le informaron acerca del compromiso, le explicaron que era un vizconde de una familia noble y antigua. Pero era evidente que no le habían contado toda la historia, puesto que aquel deleznable desdén hacia la desgraciada familia Wilde hablaba por sí solo.

Lord Gaynor depositó en la pipa una medida de tabaco y lo aplastó con un utensilio de plata.

—La nobleza es el recordatorio vivo del poderoso pasado de Inglaterra.

—El futuro de Inglaterra es más brillante de lo que en cualquier momento pudiera serlo su pasado. —Indicándole con un gesto al criado que se acercara, Adam declaró—: Qué cada hombre se abra su propio camino, y que los mejores alcancen el éxito.

Lord Gaynor dejó caer la bolsita del tabaco.

—Dios mío, eso sería un caos.

Mab intervino:

—«Caos» es una palabra muy fuerte, pero puedo afirmar que mi hijo ha recorrido un camino que pocos podrían imaginarse. Salió de las profundidades de la pobreza más desoladora sirviéndose única y exclusivamente de su suerte y su ingenio.

—Mab —intervino entonces Adam—, mi desolador pasado es incluso menos interesante que el poderoso pasado de Inglaterra.

Bronwyn no estaba de acuerdo. Deseaba desesperadamente conocer los detalles, pero entonces le dijo Adam al criado:

—Dile a la doncella que limpie el tabaco que ha caído y acabe de recoger los cristales. Lord Gaynor necesita un yesquero para la pipa. —El criado salió corriendo de la estancia mientras Adam seguía hablando—. El verano pasado hice construir esta casa. Mab y yo nos instalamos por Navidad.

Mientras Adam hablaba, Bronwyn se inclinó hacia delante y rozó la mano de Olivia. Esta asintió y las chicas se levantaron.

—Vamos a retirarnos —anunció Bronwyn.

Adam se levantó al instante y se acercó a ella. Le cogió la mano para besársela y su boca localizó casualmente el latido del pulso en la muñeca. Saltaba entre sus labios y la miró a los ojos. Una oleada de rubor empezó a ascender desde los pies, para acabar muriendo en el pecho, el cuello, la cara.

Adam murmuró:

—Espero la vigilia del solsticio de verano con un fervor que jamás había sentido. —Y después de que Bronwyn consiguiera murmurar una vaga réplica, se dirigió a Olivia. Bajando la voz y con una amable sonrisa, le dijo—: Le ofreceremos una velada agradable.

La muestra de cortesía hacia Olivia quedó en evidencia después de las apasionadas palabras que había dirigido a Bronwyn.

Pero no produjo diferencia alguna. Olivia salió corriendo del salón como si su masculinidad la hubiera amenazado. Y pese a que Bronwyn había experimentado la misma reacción, le molestaba ver aquel comportamiento en su hermana, como si Adam fuese un sátiro.

Bronwyn corrió detrás de ella y la cogió por el codo.

—Olivia, deja de correr como un conejo asustado. No te hará ningún daño.

Olivia le agarró la mano con fuerza.

—Me da mucho miedo, Bronwyn. Parece como si fuera a devorarte.

—Después del primer desengaño que tuvo al ver una prometida tan poco atractiva, se ha mostrado considerado en todos los sentidos. —Era cierto, creía. No podía, o no debía, quejarse de tantas atenciones. Entonces, de forma inesperada, le vino a la cabeza la invitación de Rachelle para acudir a su salón—. A veces pienso que la vida sería más fácil si permaneciese alejada de toda esta tontería. Si no hubiera hombres agobiándome con sus berrinches. Si pudiese vivir como me apeteciera sin tener que preocuparme por lo que piensa la sociedad.

—Ojalá yo también pudiera. Oh, ojalá pudiera. —Olivia lanzó una temerosa mirada en dirección a la puerta abierta del salón. Tiró de Bronwyn y le dijo, empleando un tono acusador—: Dijiste que te besó.

—Se supone que el hombre tiene que sentir deseos de besar a su prometida.

Olivia se estremeció y empezó a subir la escalera.

—Los bajos instintos del hombre lo conducen a cometer actos espantosos.

Bronwyn corrió para adelantarla y la detuvo cuando alcanzó el descansillo.

—¿Cómo lo sabes?

—Me lo contó la hermana Mary Theresa.

Olivia se cruzó de brazos.

—¿La hermana Mary Theresa? —Bronwyn se quedó atónita—. ¡De eso hace un montón de años!

—Pero lo recuerdo —replicó Olivia con gazmoñería.

Bronwyn se hizo a un lado y dejó pasar a su hermana para seguir hablándole.

—Pues cuando vayamos a visitar el pueblo, tú vendrás conmigo para protegerme de sus instintos más bajos.

Olivia, delante ya de la puerta de su habitación, dijo:

—Lo siento, pero no vendré.

—¿Qué quieres decir con eso de que no vendrás? Ha dicho papá que...

—Ya he oído lo que ha dicho papá. Ha dicho que el día de San Juan es la tapadera pagana para celebrar el solsticio de verano. —Olivia cruzó el umbral y se dispuso a cerrar la puerta en las narices de Bronwyn—. No pienso contaminar mi alma asistiendo a un ritual pagano.

Bronwyn empujó la puerta y entró en la habitación.

—Papá no ha dicho nada sobre que fuese una tapadera pagana. ¿Dónde has oído tú eso?

—La hermana Mary Theresa me dijo que fuera siempre con cuidado, que el demonio sigue intentando recuperar sus festividades perdidas disfrazándolas de días santos cristianos.

Bronwyn cogió a su hermana por los hombros y la zarandeó.

—Ve con cuidado. Somos irlandesas y miembros de la iglesia anglicana, pero si saliese a relucir cualquier indicio de que pudiéramos ser papistas, nos convertiríamos en parias.

Olivia tragó saliva y musitó:

—Lo sé. —Sus grandes ojos azules clamaban comprensión—. Sé que quieres que venga, pero mi alma correría peligro.

—¿Y yo qué? Cuando Adam me mira, sé que no es precisamente mi alma lo que corre peligro.

—Tampoco deberías ir.

Exasperada, Bronwyn se apartó de su hermana.

—¡No puedo decirle que no!

—Esa criatura aprovechará la oportunidad para besarte de nuevo. —Olivia se comportaba como si la idea no se le hubiese pasado ya por la cabeza a Bronwyn—. ¿Y cómo podrás soportarlo?

—El otro beso lo soporté muy bien —confesó Bronwyn—. Me besó hasta que mi liguero empezó a echar humo.

—¡Bronwyn!

Sin ganas de enfrentarse al conmocionado semblante de su hermana, Bronwyn se dedicó a observar la punta del pie hurgando en la alfombra.

—Pues así fue.

—Oh, Bronwyn, esto es una tragedia. —Olivia se dejó caer en una silla—. Pero no estás enamorada de él, ¿verdad?

—No lo sé. —Bronwyn agitó los brazos—. No lo sé. Me gusta cuando me besa, y a veces cuando me mira siento una desazón en el estómago.

—¿Por qué estás asustada? —insinuó Olivia.

—Tal vez «desazón» no sea la palabra adecuada. Es más bien… —Enfrentada a la mirada vacía de su hermana, Bronwyn renunció a la idea de describírselo—. No es una sensación mala. Simplemente expectación, imagino.

Olivia se llevó las manos a las sienes y susurró, horrorizada:

—Estás enamorada de él.

—Enamorada. Es un término muy fuerte. —Bronwyn reflexionó—. Seguramente no es más que encaprichamiento.

Olivia cerró la boca con tensión y dijo:

—Piensa en mamá. No querrás ser como mamá, ¿verdad?

—Papá la quiere —respondió Bronwyn.

No le gustaba cómo la hacía sentirse Olivia… a la defensiva y alarmada por una cuestión de simple sentido común.

—Y ella le quiere. Con lo guapa que es, podría haberse casado con cualquier hombre, pero se decidió por papá.

Bronwyn, siempre protegiendo a su queridísimo padre, dijo:

—¡Papá no tiene nada malo!

—Nada, excepto que no tiene dinero, que es más irlandés que inglés y que sigue siempre los dictados de su corazón. —Olivia fue contando los defectos con los dedos—. Mamá ha tenido que ser el cerebro de la familia, y no está preparada para ello.

—Sí —reconoció Bronwyn.

—Mamá podría estar viviendo rodeada de lujos, y no instalada en la casa del prometido de su hija.

—Tampoco es tan terrible.

—Fingiendo que vive aquí porque así se lo ha pedido Adam, cuando lo que en realidad sucede es que no tiene ni siquiera dinero para abrir su casa de Londres. —Olivia cerró los puños con fuerza—. Podría ser duquesa.

—Lo sé —concedió apenada Bronwyn.

—¿Y qué obtiene a cambio de tanto sacrificio? Papá sigue buscando entretenimiento en otras mujeres. Ella siempre lo ha sabido y eso le consume el corazón.

Bronwyn se encogió de hombros, no por indiferencia, sino porque se sentía tremendamente incómoda.

Con verdadera indignación, Olivia preguntó entonces:

—¿Recuerdas cuando Holly se enamoró de su prometido? Se casaron y fueron apasionadamente felices hasta que apareció otra cara bonita que llamó la atención al marido. Y luego otra, y luego otra...

—No es necesario que insistas.

—Y la pobre Holly sigue amando a ese hombre, y cada vez que él encuentra otra amante, ella llora y llora hasta no poder más.

—Yo no podría amar a un hombre como ese.

Olivia se echó a reír con cierto histerismo.

—Las mujeres de esta familia no tenemos otra elección. Ninguna de nuestras demás hermanas ama a su esposo, porque no han encontrado al hombre adecuado. Pero cuando una mujer Edana ama, se pega como la brea. No hay forma de sacarla, nada sigue siendo igual. Por mucho que nos hagan los hombres, las mujeres Edana somos incapaces de escapar de esa horrorosa trampa.

Bronwyn rechazó la certidumbre de su hermana.

—Mamá es guapa. Holly es guapa. Ninguna de las dos es capaz de retener al hombre que ama. Y peor aún, Adam es, con creces, el esposo más atractivo de todos.

—Te has dado cuenta, ¿verdad? —dijo con sequedad Bronwyn.

Olivia se levantó de la silla y corrió a abrazar a su hermana.

—Te quiero muchísimo, pero tu físico no te permitirá mantener a ningún hombre a tu lado. Con esos ojos hipnotizadores que tiene, las mujeres se le deben de arrojar encima. Si amas al vizconde de Rawson, no te espera más que mal de amores.

Las palabras de Olivia sacudieron el precario aplomo de Bronwyn, pero aprovechó el momento para declarar:

—Por eso tienes que venir conmigo mañana por la noche.

—No. —Olivia negó con la cabeza—. No vendré.

—Sí, sí vendrás.

—No, no vendré.

Capítulo 6

Olivia no vendrá.

Bronwyn, sentada en el pequeño carruaje tirado por caballos, la falda de cotonía amarilla envolviendo las piernas de Adam y colgando por un lado, se balanceaba de un lado a otro mientras avanzaban por el camino que conducía hasta el pueblo.

—Olivia es delicada, ¿verdad?

Atraído por su oscuro magnetismo, el sol poniente besaba el rostro de Adam y se familiarizaba con sus facciones.

Los dedos de Bronwyn ansiaban acariciar esa chispa dorada que encendía su pelo negro.

—No sé si «delicada» sería la palabra correcta.

Resentida aún por la deserción de Olivia, se esforzó por emplear un tono agradable; pero la mirada de reojo de Adam le informó de que no lo había conseguido.

—¿Tenía dolor de cabeza?

Bronwyn examinó la uña de su dedo pulgar. Había adquirido una longitud aceptable, y acarició con el índice la suave superficie.

—Creo que lo sufría, sí.

—Su hermana parece casi etérea, algo aparte de este mundo.

Su despreocupada manera de conducir los ponis iba pareja con el carácter desenfadado de su atuendo: pantalón ceñido marrón y camisa blanca como la nieve. Las medias bastas y los sólidos zapatos lo decían todo: aquella noche la formalidad le traía sin cuidado.

Viéndolo de aquella manera, Bronwyn ansiaba deshacerse de los *paniers* que otorgaban tanta rigidez a sus faldas, quitarse de encima las enaguas que solo servían de adorno, despojarse del peto que la fajaba con fuerza. Había prescindido de la peluca alta y formal para decantarse por una más pequeña coronada con un gorrito. Pero lo que le gustaría sería poder correr descalza como hacía de pequeña, sentir la hierba entre los dedos de los pies.

Adam continuó hablando:

—Olivia tiene una piel tan clara y un cabello tan oscuro, que parece una princesa de cuento de hadas.

Bronwyn sonrió, una mínima curvatura en sus labios, y acarició la discreta peluca que cubría sus despreciables rizos.

—Es como mis hermanas.

—Usted es distinta.

—Eso me han dicho —dijo, mostrándose frágilmente de acuerdo.

Durante los instantes de silencio que siguieron, se reprendió por aquello. Adam admiraba a Olivia: ¿quién no? Por primera vez en su vida, no quería escuchar elogios para su hermana, y ello se debía única y exclusivamente a esa emoción tan inconveniente que se agitaba en su interior.

—¿Se enfadará su padre con usted por haber venido conmigo? —Bronwyn no respondió, y Adam añadió entonces—: ¿Sola?

Ella estuvo a punto de estallar en carcajadas.

—Sé manejar a papá. —Intentando enmendar ofensas, señaló el pueblecito situado en el fondo del valle—. Olivia sentirá haberse perdido esto. Desde aquí se huele el olor a buena comida.

—¿Ve las hogueras en las colinas? —Señaló con el látigo—. Es una tradición del solsticio de verano. Los habitantes del pueblo creen que sirven para dar la bienvenida al verano.

Bronwyn sonrió. Estaban entrando en la plaza del pueblo.

—¿De modo que es cierto que es una celebración pagana?

—Digamos que es una celebración cristiana con raíces paganas.

Un hombre, de pie junto a la puerta de la minúscula posada, lo saludó con la mano. Adam le respondió, dirigiéndose a él por su nombre, y detuvo el carromato.

—Milord, un placer tenerle por aquí. —John se secó las manos en su delantal—. Esperábamos que viniera, pero se ha perdido el queso rodante.

—Una lástima —dijo Adam, sonriendo.

John se mostró solemnemente de acuerdo.

—Fue digno de ver.

—¿Qué es el queso rodante? —preguntó Adam, haciéndose eco de la pregunta que asaltaba la cabeza de Bronwyn.

—¿No han visto nunca el queso rodante? —John los miró como si fueran criaturas extrañas—. Cogemos una rueda de queso grande, la hacemos rodar colina abajo y los chicos la persiguen. El ganador es el que consigue atrapar el queso. —En un intento de consolar su decepción, añadió—: Pero están todavía a tiempo de presenciar muchos juegos. Los hombres están jugando ahora a las canicas. Los niños, tratando de aparejar un cerdo engrasado. Tenemos boxeo, donde se puede apostar por los mejores, y todo esto antes de que se haga totalmente de noche y podamos encender la hoguera en la plaza. Hijo, coge los caballos de su señoría y llévatelos al establo.

Un chiquillo de unos diez años corrió a encargarse de los ponis y Adam ayudó a Bronwyn a bajar.

—¿Es su dama? —preguntó John, sin preocuparse por ocultar su ferviente interés—. ¿La dama con quien va a casarse?

—Exactamente. —Adam enlazó a Bronwyn por la cintura y la descendió al suelo. Mantuvo las manos en ella y se quedó mirándola, ella ruborizándose—. Lady Bronwyn Edana, hija del conde de Gaynor.

—Una dama elegante que acude a nuestra humilde celebración —dijo John.

Apareciendo de pronto bajo el brazo del hombre, una mujer que Bronwyn imaginó que sería su esposa, preguntó:

—¿Y han venido sin acompañante?

Adam soltó a Bronwyn y se volvió hacia la mujer.

—Mi hermana está enferma, Mab vendrá más tarde y, para esta breve visita, he decidido confiar en lord Keane.

—¿Sí? —La mujer examinó a Adam con mirada crítica—. No me cabe la menor duda en cuanto a que podría confiarle su vida. Pero ¿su virtud? —Movió el pulgar hacia abajo y se colocó de perfil. Su vientre, hinchado y a la espera de descargar su carga, era una advertencia mucho más sustanciosa que cualquier palabra—. No deje que la confianza la lleve demasiado lejos.

John, empujando a su mujer para que se marchara, tartamudeó, disculpándose:

—Disculpe a Gilda, milord, está en la última fase y se aprovecha de mi blando carácter.

Adam volvió a sonreír y sin palabras invitó a Bronwyn a compartir el gesto. Ella no pudo evitarlo. Respondió. Y bajo el resplandor de la satisfacción de Adam, comprendió que la advertencia de Gilda llegaba demasiado tarde. Bronwyn confiaba en Adam. Le confiaría su vida, le confiaría su virtud, por ningún otro motivo que el instinto que le llevaba a declarar que él era suyo.

—Mire las llamas que salen de aquellos barriles. —Bronwyn, en lo alto del otero, encima de una roca, aplaudió como la niña que recibe una ciruela confitada—. ¿Por qué los hacen rodar colina abajo?

Adam no se había encaramado a la roca y observaba la emoción de Bronwyn bajo la parpadeante luz de la hoguera.

—Es una tradición —dijo, tal y como había repetido tantas veces durante la noche.

—¿Y lo han hecho siempre?

Con una sonrisa, respondió:

—Supongo. Tendrá que preguntarlo.

Y así lo hizo. Sujetándose las faldas, Bronwyn saltó de la roca. A Adam le pareció oír el sonido de alguna cosa rasgándose, pero ella, imperturbable, correteó hacia la hoguera. Los aldeanos le cedieron paso de buena gana. Le habían cogido cariño después de verla animando en los encuentros de canicas y de boxeo. Se había reído hasta saltársele las lágrimas viendo a los niños pelearse por hacerse con el cerro engrasado y no se había sentido en absoluto ofendida por la curiosidad de los aldeanos hacia la prometida de Adam. Había bebido cerveza con ellos, charlado con ellos, les había dado las gracias por invitarla y los había convertido en sus adoradores discípulos.

Ahora estaba gritando para hacerse oír por encima del rugido del fuego y cuando Adam se acercó, la oyó decir:

—Hacen una hoguera. Llenan barriles de fuego y los lanzan colina abajo. ¿Qué otras cosas hacen en el solsticio de verano?

Para sorpresa de Adam, los aldeanos rieron con intención.

Uno de los hombres, envalentonado por el alcohol, dijo:

—Bueno... es un momento perfecto para beber cerveza.

—¿A sí?

—La cerveza de la iglesia, y todos los beneficios que se obtienen van a parar a la iglesia. —Meneó sus tupidas cejas—. Rechazarla sería irreverente.

El hombre se tambaleaba.

—Me parece que usted ha contribuido con creces a la causa —dijo bromeando Bronwyn.

Una de las chicas solteras se abrió paso entonces.

—Milady, ¿ve esa luna?

Bronwyn levantó la vista hacia el globo que se alzaba por encima del horizonte.

—Es la luna del solsticio de verano, y produce una locura terrible —explicó la chica—. Una locura amorosa. Las chicas que buscan esposo tienen que poner una guirnalda de flores debajo de la almohada. Y quien quiera que conjuren acabará siendo su hombre.

Los aldeanos se echaron a reír y a aplaudir cuando la chica se quitó la guirnalda que llevaba para coronar con ella a Bronwyn.

Adam se abrió paso hacia su prometida y acomodó las flores en la incómoda peluca.

—Me satisface saber que soñará conmigo.

Bronwyn bajó la vista bajo su intensa mirada y los aldeanos rieron y empezaron a toser. John les obsequió con dos jarras de cerveza.

—Esta ronda la pago yo. Desciendan ahora de la colina, milord y milady, y den comienzo a nuestro baile. —Se apartó el pelo de la cara—. Cuando ustedes quieran, naturalmente.

Adam lanzó una mirada inquisitiva a Bronwyn y ella asintió.

—Vamos —dijo, aceptando la cerveza—. Jamás he asistido a un baile de solsticio de verano.

—Tampoco yo. —Le ofreció el brazo y ella lo aceptó sin dudar un instante. Bronwyn tropezó y habría ido rodando colina abajo de no tenerla agarrada. La bebida había afectado a su dama. Calculó mentalmente las jarras que llevaba bebidas y preguntó—: Bronwyn, ¿le apetecería refrescarse un poco?

—Lléveme a la posada —respondió ella al instante, y le sonrió.

¿Cómo era posible que la hubiera podido encontrar poco atractiva? Tenía una sonrisa que le iluminaba el rostro como la luz de un hada. Su cuerpo se movía con una gracia que haría pensar a cualquier hombre en lentas y largas veladas de amor. Cuando la había tenido a su lado, en el despacho, había sido incapaz de refrenarse y no tocarla.

Como cabía esperar, sus formas estaban acentuadas por los rellenos, aunque no por completo. Por encima de aquel fajo de tela sobresalía un pecho redondo y sensible, y le gustaba su forma. Descubrirlo había disparado su curiosidad, y ahora se preguntaba qué otros misterios escondería su prometida.

La curiosidad le había provocado muchas noches de insomnio.

Como si le estuviera leyendo los pensamientos, aún sin ser consciente de ello, Bronwyn dijo entonces:

—Ha satisfecho una cosa por la que sentía gran curiosidad.

—¿En qué sentido?

—Había leído sobre la noche del solsticio de verano y las celebraciones irlandesas en el manuscrito gaélico que estuve traduciendo, y...

—¿Traduciendo? —Recordó lo que le había contado Northrup—. Querrá decir leyendo.

Bronwyn se llevó la mano a la boca, la mirada fija en la cara de su interlocutor. Era la viva imagen de la culpabilidad.

—¡Leyendo! Quería decir leyendo.

Mentía. No le cabía la menor duda. Había interrogado a demasiados grumetes y marineros para detectar la mentira cuando la tenía ante sus ojos. Hombres inferiores que le ayudaban a comprender sus gestos, pero ¿qué querría decir? No podía ser que aquella menuda mujer de la nobleza supiera leer gaélico. De un modo elaboradamente despreocupado, preguntó:

—¿Y dónde leyó eso?

—En Irlanda —respondió ella—. Mire las estrellas. Se ven enormes y brillantes, no hay ni una nube que las oculte.

Estaba intentando distraerle, y de forma poco inteligente, diagnosticó Adam.

—Cierto, ya recuerdo que vivió en Irlanda de pequeña. Es una isla que no he visitado nunca.

Con los típicos cambios de humor de una persona achispada, Bronwyn se giró, riendo.

—Debería ir. Es el lugar más bello de la Tierra.

Sin forzar la imaginación, era fácil imaginar la pilluela que debió de ser.

—Imagino que allí se pasaría el día correteando.

—No. No, no. —Negó con la cabeza con tanta fuerza, que la peluca se descolocó y un rayo de luna le iluminó el nacimiento del pelo—. Teníamos una institutriz, una tal señorita O'Donnell. Con su encantador acento irlandés, se calificaba como una noble venida a menos, y lo decía de tal modo que parecía incluso un honor. Papá le pagaba para que nos diera lecciones y ella nos daba lecciones.

Acercándose al blanco de sus indagaciones, Adam colocó el pie sobre una piedra y apoyó el brazo sobre la rodilla en un gesto despreocupado.

—¿Y qué le enseñó?

—De todo. Temía que la cabeza fuera estallarme de tanta cosa que me metía.

—¿Bordado? ¿Arpa? ¿Comportamiento social?

—¿La señorita O'Donnell? Qué va. Bueno, comportamiento social —reconoció—. La señorita O'Donnell creía en el comportamiento social. Pero matemáticas, idiomas, historia, sobre todo.

—¿Idiomas? —La miró muy interesado, pero ella había girado la cara para que le diera la brisa y no lo vio—. ¿Es allí donde aprendió a leer gaélico?

—No, con ella aprendí a leer latín —le corrigió, sin sospechar cómo se había traicionado con su respuesta—. Los manuscritos estaban en el convento donde fuimos, Olivia y yo, a aprender arpa y bordado. Encontré un viejo manuscrito escrito tanto en latín como en gaélico. Había oído a los campesinos hablar gaélico, claro está, pero ese era distinto. Era más... —buscó cómo definirlo—, sí, más arcaico. Creo que nunca lo habría sacado adelante de no ser tan interesante el texto.

—¿Versaba sobre el solsticio de verano?

—Sobre druidas, bardos, y todo un mundo desaparecido hace mucho tiempo. —Con gran solemnidad, movió la cabeza en un gesto de preocupación—. El gaélico es difícil.

—¿Y qué opinaba la señorita O'Donnell de todo eso?

—Ella tenía hermanos, y había aprendido todo lo que ellos aprendían. Pero decía que si quería tener cultura, tendría que adquirirla por mí misma. Decía que en cuanto llegara a Inglaterra, solo aprendería a bailar, a sonreír con afectación y a utilizar el abanico. —Dejó caer los hombros—. Tenía razón.

Adam la enlazó por la cintura y empezaron a descender la colina.

—¿Y tan terrible es eso?

El contacto físico la despertó a la realidad de sus actuales circunstancias, y se puso tensa.

—En absoluto —respondió.

Lo dijo en un tono frívolo y femenino, aunque su inteligencia natural lo convirtió en una parodia. Adam pensó que al día siguiente ya se preocuparía del tema, de su inteligencia y de cómo chocaba con sus necesidades. Pero por el momento, la satisfacción luchaba por dominar la velada. Acababa de solventar otro pequeño fragmento del misterio que rodeaba a aquella Edana tan distinta.

Cuando llegaron a la posada, Gilda recibió a Bronwyn con otra jarra de cerveza.

—¿Se lo está pasando bien, milady?

—Maravillosamente. —Bronwyn bebió un sorbo de la estupenda elaboración y preguntó—: ¿Tendría una habitación donde pueda reparar un poco los daños que estos momentos tan estupendos están infligiéndome?

—Por supuesto. Abrid paso para milady. No agobies a milady. —Gilda se abrió paso entre la masa de curiosos y sedientos juerguistas para subir a la planta superior. Abriendo una puerta, preguntó—: ¿Le va bien aquí, milady?

—Es perfecto, por supuesto. —Bronwyn echó un vistazo a la sencilla decoración—. Es muy acogedor.

Satisfecha, Gilda dijo:

—Es nuestra habitación, de John y mía.

—Reconozco su gusto —dijo en tono elogioso Bronwyn—. Y si pudiera ayudarme, se lo agradecería.

Como si estuviese esperando la invitación, Gilda pasó y cerró la puerta.

—¿Tendría un alfiler? —Bronwyn se levantó la falda, y el gesto dejó ver la enagua de seda que llevaba debajo—. Me he pisado el dobladillo del vestido y se me ha rasgado por la cintura. Mire.

Pasó el dedo por el agujero y lo meneó.

Gilda emitió una risilla y abrió un cajón del tocador.

—Me resultará más fácil cosérselo que ponerle un alfiler. Antes de casarme con John era costurera y me defiendo muy bien con la aguja.

—Una circunstancia afortunada para John.

—Le confecciono las camisas mejores que pueda haber tenido, y he confeccionado también toda la ropa al bebé —concedió Gilda, instalando un taburete junto a Bronwyn y arrodillándose en él—. Desde que John consiguió conservar la posada, ha sido una época muy feliz para ambos.

—¿Conservar la posada? ¿Acaso iban a perderla?

Gilda sujetó el agujero con un alfiler antes de responder.

—La celebración del solsticio del año pasado no fue ni mucho menos tan alegre como la de este, se lo aseguro.

—¿Por qué? —preguntó Bronwyn.

—Se acababan de vender las tierras a lord Keane y nadie sabía qué tipo de terrateniente sería. Todo el mundo temía quedarse sin casa. —Levantó la vista y guiñó el ojo—. Yo me casé gracias a su señoría.

—¿Por qué lo dice?

—Queríamos casarnos, John y yo, pero no podíamos hacerlo sin disponer de medios para alimentar a nuestros futuros hijos. Su señoría podría haber sido de esos que no quieren que los pueblos que ocupan sus tierras continúen creciendo. —Gilda enhebró la aguja—. Muchos de esos mercantes que adquieren una mansión no comprenden que hay familias que llevamos viviendo en las tierras desde hace muchas generaciones. Dicen que los pueblos estropean el paisaje, o cualquier otra tontería, y echan a todo el mundo por imposición.

—Debían de estar todos muy asustados cuando se enteraron de que se había vendido la finca —dijo Bronwyn, mostrando su comprensión.

Gilda movió la mano con la aguja y el hilo.

—Y no se imagina el alivio cuando descubrimos que lord Keane no era uno de esos caballeros engreídos.

Bronwyn recordó el imponente lord que la había recibido el primer día. Sorprendida, se mostró de acuerdo.

—Esta noche se muestra muy agradable.

—¿Agradable? —resopló Gilda—. Agradable no es la palabra que utilizaría yo para definirlo, pero es emprendedor, eso sí. En cuanto empezó a construir ese caserón, hizo mejorar también el camino. No sabe usted la diferencia que eso ha supuesto para la posada.

—Lo haría para acelerar la construcción —sugirió Bronwyn.

—Sí, claro, aunque tampoco tenía necesidad de mejorarlo hasta aquí, ¿no cree?

Bronwyn observó los ágiles dedos de Gilda coser.

—No, supongo que no. ¿Qué más ha hecho?

—Su madre y él están construyendo una escuela, aquí mismo en el pueblo, para que los pequeños aprendan hasta que cumplan diez años. Dice que da igual que sean pobres, que los niños no tienen que trabajar hasta que tengan once años y hayan dado el estirón. ¿Había oído alguna vez algo parecido?

Gilda movió la cabeza en un gesto de incredulidad.

Impresionada, pero sin querer demostrarlo, Bronwyn le dio la razón.

—Bastante radical.

—Bastante descabellado, si quiere conocer la opinión de John. Pero a mí me gusta. —Tocándose el vientre, dijo a continuación—: Este niño llegará lejos si aprende.

—¿Y si es niña? —preguntó Bronwyn.

Gilda hizo una mueca.

—En ese caso, ya le enseñaré yo costura. No tiene sentido que aprenda otra cosa.

—Nadie querría que las niñas prosperen —dijo con sarcasmo.

Intuyendo la decepción de Bronwyn, Gilda insistió:

—Incluso en el caso de las niñas, dice lord Keane que no tienen que iniciar su aprendizaje antes de los once años.

—Supongo que su gente le preocupa.

Gilda terminó de coser y mordió el hilo para cortarlo.

—Así es, y ni uno solo de nosotros se quedaría tumbado y dejando que tenga que conducir su bonito carruaje para venir hasta aquí.

Bronwyn ayudó a Gilda a incorporarse.

—Dudo que él se lo pidiera.

—Por supuesto. Por eso lo haríamos.

Sorprendida, Bronwyn le dio las gracias.

Adam esperaba en la taberna, charlando con los hombres que se apiñaban a su alrededor. Pero algo le llevó a levantar la cabeza y vio que Bronwyn bajaba por la escalera. Sus miradas se cruzaron; la intensidad de aquellos ojos la abrasaron y los sonidos se silenciaron de repente. Entonces llegó a su lado sin siquiera darse cuenta y le dio la mano sin saber por qué.

—Milord —susurró.

Él se llevó la mano de ella a los labios y Bronwyn percibió el calor de su aliento cuando pronunció:

—Milady.

A ella le costaba mantener el contacto visual teniéndolo tan cerca y cuando levantó la vista no vio más que risillas y codazos. Debería haberse sentido avergonzada, pero no fue así: todo lo contrario, le parecía agradable que aquella gente que tenía a Adam en tan alta estima le diera su aprobación.

John interrumpió aquel momento de mutua admiración.

—Estamos listos para dar comienzo al baile, milord.

—Es la señal para empezar, querida —dijo y le ofreció el brazo.

Cuando posó la mano en él, Adam entrelazó los dedos. Le cogió la mano como haría un hombre con su amada, los dedos envueltos entre sí, las palmas unidas. Aquel simple contacto la obligó a mirarlo de nuevo a los ojos. Y de nuevo se descubrió incapaz de respirar, de moverse, de pensar. Aquel hombre tenía algo que derrumbaba su sentido común como si fuese un castillo de naipes.

—¿El baile? —les animó John.

Adam la condujo hacia el exterior, hacia la cálida oscuridad. En el centro de la plaza ardía una gigantesca hoguera que respondía a la que continuaba encendida en lo alto de la colina, invitando al verano. En una tarima berreaba un enjambre de instrumentos: violín, flauta y armónica. Los músicos interpretaron desafinados fragmentos de melodía, luego fragmentos de música y, finalmente, inspirados por la festividad, una jovial canción. A pesar de que Bronwyn no la había oído nunca, su ritmo tan concentrado empujó a sus pies a seguirlo.

Adam tiró de ella y la situó en el centro de un círculo de aldeanos que no cesaban de dar palmas.

—No sé cómo se baila esto —le avisó Bronwyn.

—Tampoco yo —replicó él, poniéndole las manos en la cintura—. Cuidado con los pies.

Pero no tuvo necesidad de vigilar posibles pisotones, puesto que Adam empezó a conducir el baile con una fuerza que compensaba su cojera. Sin separar las manos de la cintura de ella, la levantó, la giró, le hizo dar vueltas en círculo. Dejándose llevar, se relajó y disfrutó de los saltos y las cabriolas. Los reunidos los animaban, en absoluto inquietos por los innovadores pasos y, poco a poco, el pueblo entero se sumó al baile alrededor de la hoguera.

Chicas con sus novios, hombres con sus esposas, ancianos con sus nietos, todo el mundo se dejaba llevar por la música mientras Adam hacía dar vueltas y más vueltas a Bronwyn. Ella no paró de reír hasta que se quedó sin aliento y entonces, cuando empezaba a jadear, la música cambió. El ritmo se ralentizó y los pasos frenéticos se sosegaron.

La expresión divertida de Adam cambió cuando la atrajo hacia él. Sus párpados velaban su mirada y ella comprendió que lo hacía para esconder sus intenciones. Y cuando estaba preguntándose por qué, sus cuerpos entraron en colisión.

Bronwyn cerró los ojos al recibir el azote del acalorado cuerpo de él e inspiró hondo y de forma prolongada. El aroma a incienso de su piel se aparejaba con el olor de la madera de la hoguera y, bajo el escudo protector de sus parpados, estallaron fuegos artificiales. Gimió como si las llamas estuvieran consumiéndole el cuerpo.

Antes de que le diera tiempo a chamuscarse, le hizo dar un giro que la apartó de él para luego volver a su lado, siguiendo las reglas de aquella danza.

Había gente a su alrededor, Bronwyn lo sabía, pero imaginó que nadie estaba observando sus evoluciones. Imaginó que Adam y ella estaban solos.

Ignorando los pasos que tocaban, Adam la envolvió con su cuerpo, un brazo rodeándola por los hombros, el otro brazo por la cintura.

Ella mantuvo las manos en los hombros de él. Los dedos flexionados, palpando la musculatura escondida bajo la fina tela de lino. Oía el palpitar de su corazón, el chirrido de su aliento y percibió un gemido cuando ella le rozó el cuello con la lengua. Solo pretendía percibir su sabor, pero él lo confundió por interés, puesto que la levantó en volandas.

Bronwyn abrió los ojos de par en par. La había transportado hasta el extremo de la improvisada pista de baile, planeando la huida como el contrabandista que planea el momento de tocar tierra. Un giro más y se adentraron en la arboleda. Miró hacia atrás y vio las chispas de la hoguera, una constelación de estrellas ascendiendo hacia el cielo.

Eso era lo que quería, lo que temía, lo que ansiaba. Desde que había conocido a Adam, había dejado de comprenderse. Su mirada la abrasó en aquel momento y se deleitó con la inquietud que ello le provocaba. La acariciaba como si recorrer sus formas le diera placer; sus manos se perdían por rincones que nadie había tocado desde que era un bebé, y eso la excitaba. Y entonces, cuando tiró de ella para conducirla al rincón más oscuro del bosque, lo siguió por voluntad propia.

La empujó contra el tronco de un grueso roble y murmuró:

—Bronwyn, dame tu boca.

Encontró sus labios en la oscuridad y se quedó maravillada ante su precisión. Sujetándola por detrás con el brazo y rodeándola por la cintura, sus cuerpos se unieron como los de dos criaturas nocturnas enfebrecidas.

Se enalteció él con aquella explosión de calor. Los besos de aquella pequeña virgen eran de ensueño. Entregada, gimiendo solo para él, le generaba impulsos que creía amortiguados por la madurez. Deseaba tenderla en el suelo, levantarle la falda y sumergirse en ella. Deseaba tener aquellos pechos en la boca, las manos en sus muslos y disponer de una larga noche para disfrutarla. ¿Sería la locura del solsticio de verano, como afirmaban los aldeanos? Sin duda, puesto que la locura latía en sus venas y le llevaba a empujarla como un ciervo ante una hembra en celo.

Levantó la cabeza y contempló su rostro, moteado por la luz de la luna, y supo que jamás olvidaría aquel momento. Los ángulos de su cara, sus cejas claras, aquella boca tan sensible, quedarían grabados en su cabeza. Impulsado por la necesidad, le acarició el cuello y deslizó la mano hacia la chorrera que resaltaba su pecho. Ella no se movió, y se preguntó él si estaría aturdida por la situación. Deseoso de tejer un ambiente mágico a su alrededor, le susurró:

—No me mires con esos ojos tan grandes. No te haré daño.

Y escarbando en el interior del corsé, encontró lo que estaba buscando.

Era un pecho suave, firme, coronado por un pezón tenso ya por sus besos. Gimió él con fuerza, incrédulo ante aquel desbocado reflejo. Su reacción le recordaba la adolescencia: los manoseos torpes, la pasión irrefrenable, el placer incondicional. ¿Qué le había devuelto aquella chica?

¿Qué le había robado Bronwyn? ¿La moderación? Era una *niña*, en cuanto a experiencia, que no en edad, y una niña de buena cuna, además. Era un canalla por querer presionarla. Evidentemente, ella desconocía las consecuencias de lo que él estaba haciendo... de la sensación de placer que estaba experimentando en aquel momento. Evidentemente, la había llevado más allá de cualquier cosa que hubiera podido experimentar hasta la fecha. Pero la tentación seguía susurrándole al oído, diciéndole que pronto estarían casados. Que la boda podía adelantarse si aquella noche acababa dando frutos. Que la boda tendría que adelantarse porque no podía esperar más tiempo a tener aquella chica en su cama cada noche. Que no podía esperar a saborearla sin prisas ni secretismo.

—Querida, deja que...

Se abalanzó sobre ella antes de dar por terminada su súplica. Levantándola, colocándola en precario equilibrio sobre la rodilla que tenía apoyada en el tronco del árbol, le acarició el cuello con la lengua, cubrió su clavícula con un reguero de besos. Liberó el pecho con destreza; no sabía, ni le importaba saberlo, si con tanta destreza que ella no se había dado ni cuenta.

Sí, se había dado cuenta, ya que gimió cuando su boca abarcó el pezón y se volvió loca entre sus brazos cuando se lo chupó.

No se resistía. A Dios gracias, no se resistía, puesto que había despertado al cazador que llevaba dentro y, de haberlo hecho, habría perdido el control sobre su persona. Aunque tal vez, los contoneos que estaba realizando sobre su rodilla eran aún peor. Obstaculizada por las faldas, Bronwyn intentó deslizarse hacia la entrepierna de él. Viendo que no podía, lo cabalgó como a un caballo, acercándose hacia un objetivo cada vez más próximo. Sus manos ansiosas se entretejieron entre el pelo de él, deshaciéndole la cinta que lo sujetaba. Cuando él la mordisqueó, ella gimió «Oh, Adam». Su nombre nunca había sonado tan bien.

Sin dejar de rodearla por la cintura, la bajó al suelo y le ordenó:

—Vámonos.

—¿Adónde? —preguntó ella, pero la pregunta no interfirió la impetuosidad de él.

—A casa. A mi cama.

Capítulo 7

A tu cama? —Tiró de él para detenerlo—. Entrar en tu cama sería mi deshonra.

Coincidió él, con un majestuoso gesto de asentimiento.

—Cierto.

—Mi reputación quedaría destruida.

—Sin duda. Y sin duda, también, llevas tiempo en tu lecho virginal soñando con la dulzura del amor. —Se inclinó hacia ella, tan cerca que el aroma de él se mezcló con el aroma de hojas nuevas y nueva vida—. Pero entre nosotros habrá poca dulzura. En mi cama, todo será ardor y sudor. Habrá una punzada de dolor y un deseo sin fin. Poca piedad, pero sí una oleada de pasión. En cuanto estés en mi cama, no lo olvidarás nunca. Nunca la abandonarás.

Debilitada por la promesa del deseo, suspiró:

—No querré abandonarla.

El fuego de los ojos de él era visible incluso con la oscuridad.

—Prométeme una cosa.

—Lo que tú quieras.

Le costaba creer que hubiera dicho esas palabras, pero no tenía dudas.

—Prométeme que dejarás de ponerte rellenos en el pecho.

Se quedó boquiabierta.

Él acercó la cara a la de ella y, nariz con nariz, le dijo:

—No lo necesitas. Tienes unos pechos redondos y dulces que no precisan de ningún tipo de aumento. Prométemelo.

Fuera lo que fuese lo que pudiera esperarse, no era precisamente aquello, y le respondió con un entumecido gesto de asentimiento. Como si no pudiera resistir el impulso, él le robó otro beso y siguió tirando de ella. La casa se cernía ante ellos, todas sus ventanas iluminadas por el resplandor de la luz de las velas. Las piernas de Bronwyn titubeaban, deseosas de poner luz a tanta confusión. La extravagancia de su hambre se sentía más a gusto en el bosque, en la oscuridad, con el cielo sobre sus cabezas y el suelo bajo sus pies. La civilización que implicaba un tejado y cuatro paredes resultaba opresiva.

Notó él que dudaba, y la atrajo hacia sí. Pecho contra pecho, la besó hasta que las rodillas de Bronwyn cedieron y desapareció toda lógica. A continuación, rodeándola por la cintura, le dijo:

—Los criados estarán acostados. Iremos rodeando los establos.

Ella lo miró, ruborizándose. Su intensidad era casi salvaje, como un gran león protegiendo a su pareja. Su cabello caía indomable sobre sus hombros, la piel de sus pómulos tensa. Su boca parecía presta a devorarla, y un escalofrío le recorrió la espalda imaginándoselo.

Sería una víctima de sacrificio voluntaria.

Subieron al amplio porche. Adam intentó abrir la puerta que daba acceso al oscuro salón. Cedió con un clic. Se llevó un dedo a los labios y le indicó a Bronwyn con un gesto que entrara. Una vez dentro, pensó que ya no llegarían más lejos, puesto que empezó a besarla y ella a desear sentir de nuevo su rodilla entre las piernas. No sabía por qué le gustaba tanto, por qué una cosa tan magnífica había estado a punto de suceder: él le incitaba la curiosidad.

Adam continuó tocándola y acariciándola a cada paso que daban hacia el pasillo. Pero el sonido de un relincho a través de la puerta le recordó de repente algo y dijo:

—Nos hemos olvidado el caballo.

—¿Qué?

Él se quedó mirándola, tan en otro mundo como ella.

El fuego de pasión que vio en sus ojos grises le hizo casi olvidar lo que estaba pensando, pero dijo de nuevo, jadeando:

—El caballo. El carromato.

—¿El caballo? ¡Dios mío, el caballo?

Estaba tan perplejo, que ella se echó a reír. Él también rió. Era la exultación de la noche, rápidamente avivada, rápidamente extinguida, y así fue como los descubrió Northrup.

—¿Señor? —Northrup levantó la vela que llevaba en la mano para alumbrarse mejor—. ¿Puedo ayudarle en alguna cosa?

Adam, sintiéndose tan culpable como ella, tartamudeó:

—¡Northrup! —En cuanto se recuperó se situó delante de ella—. Northrup, ¿qué haces de pie a estas horas?

—No es muy tarde, señor. Casi medianoche. Estaba trabajando en los números que me solicitó sobre el asunto de la Compañía de los Mares del Sur. —Northrup estiró el cuello para mirar a Bronwyn y su boca se tensó—: He pensado que le interesaría verlos.

—Por la mañana, Northrup —dijo Adam.

—Ahora, señor. —Levantando aún más la vela, Northrup exhibió una vena de terquedad que Bronwyn nunca le había visto—. Debo insistir en que vea esos números ahora.

Incapaz de soportar que Bronwyn se marchase, Adam le presionó la muñeca con más fuerza. Le temblaban los dedos, pero pasado un instante, se relajó.

—Por supuesto. Si me concedes un momento para desearle buenas noches a Bronwyn.

Northrup permaneció inmóvil.

—Sólo será un momento —insistió.

Sorprendida porque Adam acatara la solicitud de Northrup, ella observó la retirada de este con ojos acusadores.

Adam le acarició los labios y la caricia se prolongó allí.

—Ahora no puedo llevarte arriba. Debes entenderlo.

Pero Bronwyn no entendía nada.

—Querida, Northrup vendrá por mí con una pistola si te pongo otra vez la mano encima.

—No es asunto de Northrup.

El temblor de su voz delató la indignación que la embargaba.

—Es un caballero. Ha hecho suyo este asunto. —Torció la boca en una mueca de desprecio hacia sí mismo—. Y, además, tiene toda la razón, maldita sea.

Aquel arrepentimiento la consoló, aunque solo un poco.

—Ven luego —le instó Bronwyn.

Él rió, dolorido.

—Diablillo. Me tientas con tu persona y luego lo haces con tus palabras. —Le cogió la mano y se la soltó al instante, como si la piel le quemara—. No, no vendré luego. Vamos. —La condujo hacia el pasillo y después hacia la escalera—. Déjame tener sentido común.

Ella le siguió a regañadientes.

—¿Por qué?

La levantó en brazos para subirla al primer peldaño, como si ella fuese tan frágil que no pudiera subir sola, y le sonrió con ternura.

—Porque soy el hombre, y los hombres somos más pragmáticos que las mujeres.

Bajo el estímulo de las luces y la frustración, la algazara de ella se desvaneció un poco, y refunfuñó diciendo:

—Bromeas.

No se mostró en absoluto ofendido.

—Permíteme ilusionarme. —Le quitó la guirnalda que se había quedado olvidada en la cabeza y se la obsequió con una florida reverencia—. Sueña conmigo.

Mirándolo fijamente a los ojos, subió tropezando un par de peldaños y se giró. Subió un par más, miró hacia atrás. La observaba con tanto interés, que habría corrido hacia él para caer a sus pies. Pero se contuvo, viendo cómo Adam desaparecía tras la puerta del despacho. Se quedó marchita en la escalera, y acercó la cara a la barandilla.

¡Qué hombre! Si lo que había experimentado entre sus brazos era la mitad de lo que supondría su noche de bodas, le daría un hijo a la primera de cambio. Riendo en voz baja por aquella extravagancia, ni siquiera escuchó el primer murmullo de las voces masculinas.

Pero el murmullo subió de volumen y no pudo evitar oírlo cuando retumbó la voz de Northrup diciendo:

—¡Es una mujer de la nobleza, señor! No puede tratarla como una furcia.

La fría voz de Adam respondió:

—Por lo que se ve, sí.

Bronwyn se quedó rígida, deseando por un lado seguir subiendo, pero una curiosidad terrible la mantuvo inmóvil donde estaba.

—La he visto —dijo Northrup—. Los ojos le brillaban como estrellas. Sé que es usted un frío desgraciado, pero sus actos son viles incluso así.

—¿Y cuáles son exactamente mis actos?

—Está generándole falsas esperanzas a esa chica. Oí lo que dijo sobre ella cuando llegó. Vi su enojo cuando comprendió que había sido engañado con la promesa de una bella desposada. ¿Busca venganza, quizá? Bronwyn no puede evitar ser poco atractiva.

—Yo no diría que es poco atractiva —le interrumpió Adam.

—De acuerdo —dijo Northrup con sarcasmo—. Diga mejor que es fea, desgraciado.

Bronwyn escuchó en el interior del despacho el sonido del cristal al chocar contra una licorera e imaginó que Adam estaría sirviéndose una copa.

Lo último que querría ella ahora sería una copa. La cerveza que había consumido le revolvía el estómago y sintió náuseas al escuchar lo que dijo Northrup a continuación:

—Sé por qué se casa con ella. Es una Edana. Le abrirá puertas, le ayudará a congraciarse con la flor y nata de la alta sociedad. No se interpondrá en su camino. ¿No son motivos suficientes para sentirse felizmente satisfecho con lo que ha obtenido? ¿Tiene, además, que seducirla?

—Es tan fácil —dijo Adam, empleando un tono tan frívolo y desenfadado que Bronwyn tuvo que morderse el dorso de la mano para reprimir un sollozo—. ¿Quién sabe, Northrup? A lo mejor si la seduzco, le averiará hasta tal punto los sesos que desaparecerá esa inquietante tendencia de la que hablamos.

—¿Qué tendencia?

Si Northrup estaba receloso, no era nada en comparación con el mal presagio de Bronwyn, que se llevó la mano a la boca, escandalizada.

—La tendencia a parecer culta.

Bronwyn buscó a tientas a sus espaldas, encontró la contrahuella y se dejó caer sobre el peldaño. Aquella voz altanera la había hecho pedazos. Ya no quería oír más, pero cuando Adam volvió a tomar la palabra, no pudo evitar escucharlo.

—Es bien sabido que si una mujer se mantiene ocupada en la alcoba y el cuarto de los niños, no tiene tiempo de ponerse en ridículo.

¿Ponerse en ridículo? Subió un peldaño más. ¿Hacer aún más el ridículo que esta noche? En el bosque, en el salón, se había sentido abochornada pensando en Adam, por su propia reacción, pero solo porque no estaba acostumbrada a aquel grado de intimidad. Pero ahora se sentía avergonzada y, de poder hacerlo, lo mataría por haber destruido incluso el recuerdo del goce físico que ella le había provocado.

Sabía que Adam quería que fuese algo que ella no era. Siempre lo había sabido, pero había tenido la impresión de que habían alcanzado una especie de acuerdo. Cuando antes le había explicado lo de los manuscritos gaélicos, él se había mostrado muy interesado.

Aquello era como un bofetón que la llevó a sumergir la cabeza entre las rodillas. ¿Le había contado de verdad lo de los manuscritos? ¿O sería tan solo una simple invención de su imaginación, generada por la combinación de un deseo de empatía y una abundancia de cerveza de la iglesia? Llevaba años sin hablar con nadie sobre aquellos manuscritos. Cuando marchó de Irlanda, las monjas le habían permitido llevárselos, envueltos en papel marrón y encomendándoselos con una oración. Se los habían confiado con la esperanza de que los tradujese y se los devolviera. En su tiempo libre, se volcaba en la traducción, sin contárselo a nadie por temor a que pusieran objeciones por tratarse de manuscritos irlandeses y católicos, además, o porque era una mujer y podría «parecer culta» por ello.

Susurró de nuevo esas palabras: «Parecer culta». Tenían un sabor amargo en la boca, tan amargo como el de las lágrimas que rodaban por sus mejillas. En un arrebato, se levantó y terminó de subir la escalera.

Ojalá pudiera odiar a Adam. *Debería* odiarlo, pero una sola noche había servido para demostrar la verdad de la acusación que había hecho Olivia. Le amaba, y nunca sería capaz de arrancar de su corazón aquella horrorosa emoción.

Bronwyn entró en la sala del desayuno con un paso majestuoso, como un ángel vengador.

—Se la ve renovada. —Adam se levantó y le sonrió, todo su encanto volcado en ella—. ¿Ha soñado acaso con su futuro esposo?

Lo fulminó con la mirada. O intentó al menos fulminarlo, puesto que él se mostró impertérrito. Cuando se acercó al aparador donde estaba dispuesta la comida, vino a su lado, abarcó la barbilla de ella con una mano y le estampó un disimulado beso en los labios. Ella no respondió, no se desvaneció, ni siquiera cerró los ojos, y Adam la miró con mala cara.

—¿Demasiada cerveza? ¿Mareada aún un poco? Tengo algo que le hará sentirse mejor.

—Estoy bien.

Habló sin despegar los dientes, una señal clara, imaginó, de que le deseaba lo peor.

Pero no captó la señal. Sino que la hizo girar hacia la mesa y le dio un empujoncito.

—Siéntese. Le prepararé un plato.

En lugar de Adam, miró fijamente a los demás ocupantes de la mesa.

—Olivia, anoche te echamos de menos.

—Ya se lo he dicho. —Adam depositó delante de su prometida un plato cargado de comida y tomó asiento a su lado—. Sospecho que los festejos le habrían curado el dolor de cabeza.

—¿Y su madre? —preguntó Bronwyn—. ¿Dónde estaba?

—No dio ninguna excusa, ni dijo que lo sintiera. —Su cálida risa provocó en Bronwyn una emoción no deseada—. Imagino que esperaba que la noche se desarrollara más o menos como lo hizo, aunque sin el obstáculo que representó Northrup.

—Supongo. —Lo que acababa de decir sonaba muy típico de Mab y Bronwyn sabía que no debía regañar a la dama. Por muy amigas que fueran, ella nunca cometería el error de dar por sentada la buena disposición de Mab. Si a su entender se planteaba una situación capaz de beneficiar la felicidad de su hijo, Mab haría todo lo que considerara necesario, sin maldecir las consecuencias. Así que mantuvo la mirada fija en el plato mientras Adam le servía la leche—. No puedo comerme todo esto.

—Es un desayuno de marinero. Los marineros conocen los mejores métodos para curar la resaca. —Adam cogió el tenedor y se lo puso en la mano—. Y ahora, a comer.

—No estoy enferma.

Le puso un pedazo de pan en la boca.

—Mastique.

Bronwyn no podía hacer otra cosa, y Olivia rió disimuladamente, tapándose la boca con la mano. Adam le guiñó el ojo a Olivia y dijo:

—Ya veo que su hermana no se despierta con una sonrisa.

—No —reconoció Olivia. Se retorció de incomodidad y tragó, puesto que el esfuerzo de conversar con lord Rawson la intimidaba. Pero viendo a Bronwyn tan apurada, acabó conmoviéndola y finalmente añadió—: Le gusta trabajar hasta tarde, y eso le afecta el humor.

—¿En los manuscritos? —preguntó Adam.

Mientras Olivia se quedaba mirándolos boquiabierta, Adam cortó un trozo de carne de ternera y, por la fuerza, obligó a Bronwyn a comérselo.

—Oh, sí, me lo ha contado. ¿Comparte también ese interés?

Muda de sorpresa, Olivia negó con la cabeza.

—Una lástima. Parece fascinante.

—Es lo que dice ella. —El interés de Adam debió de animarla a hablar, ya que añadió—: Cuando me cuenta historias sobre los primeros tiempos de Irlanda, me quedo absorta. Pero es un tipo de trabajo que me parece tedioso y difícil.

—No puedo ni imaginarme la paciencia que debe de exigir un trabajo así —dijo Adam.

—Me alegro de que la apoye. —Como un nadador preparándose para zambullirse en el agua, Olivia cogió aire una vez, luego otra, y le hizo finalmente un llamamiento con los ojos abiertos de par en par—. Creo que Bronwyn se daría a la fuga antes que renunciar a un estudio que tanto valora.

Bronwyn se apartó del tenedor que seguía amenazándola.

—Aunque tal vez, después de la boda, es posible que el amor me atonte de tal manera que deje de abrigar ideas que puedan estar por encima de mi condición femenina.

Adam miró con mordacidad su expresión de rebeldía.

—Más pan —decidió, y a punto estuvo de perder un dedo al dárselo—. Con un tutor como yo, dominará tanto el amor como la cultura. —Sonrió, instándola a reír, pero ella respondió frunciendo el entrecejo. Perplejo, aunque terco, dijo—: De hecho, tengo un regalo para su lado femenino, algo que acabo de pedir solo para usted.

Cogió un abanico de marfil que estaba escondido detrás de la jarrita de la leche. Cuando lo abrió, los encajes y los motivos labrados en pan de oro destellaron bajo la luz.

La admiración superó el recato de Olivia.

—Es una obra de arte.

—Procede de China —les explicó Adam—. No tiene nada que deshilachar, ni seda que destrozar. Podrá utilizarlo todo el día, Bronwyn, sin miedo a estropearlo.

La rabia, instantánea y cegadora, corrió por sus venas. ¿Cómo se atrevía? ¿Cómo se atrevía a expresar de un modo tan descarado su preferencia por un tipo de mujer distinta? No la quería a *ella*, sino que quería una caricatura elegante de ella. Jamás en su vida le había escupido a nadie la comida a la cara, pero sentía grandes tentaciones de hacerlo.

Y él lo adivinó. Con la cautela de un hombre desarmado delante de un oso, le preguntó:

—¿Bronwyn? ¿Qué he dicho de malo?

Olivia, sentada al otro lado de Bronwyn, murmuró:

—¿Bronwyn? Está siendo amable contigo. De verdad, está mostrándose muy agradable.

La voz amedrentada de su hermana derrotó el impulso que sentía Bronwyn de cometer una locura.

—Gracias, milord. —Cogió el abanico procurando no rozarle la mano—. Jamás olvidaré este momento. —Hizo una pausa—. ¿Estará trabajando hoy con el señor Northrup?

Adam se enderezó y tensó sus facciones.

—Hoy no. Northrup me ha dejado, me temo, y me veré obligado a buscar otro secretario.

—¿Se ha marchado? —preguntó Olivia, sorprendida—. Pero tenía entendido que necesitaba el empleo. Eso es...

—Exactamente. Pero la reciente fortuna que ha obtenido con sus escarceos con las inversiones servirá para sustentarlo. Lo único que se interpone entre él y lo alto de la escalera... es la escalera. Northrup no es importante. —Había despedido a Northrup sin ningún escrúpulo—. Los secretarios son fácilmente sustituibles.

—Igual que las prometidas —dijo Bronwyn.

—¡Bronwyn! —exclamó Olivia.

Adam ignoró la descortesía. Con la mirada clavada en ella, sugirió:

—Confiaba en acompañarla hoy a realizar una visita personal a la casa. Explorar los jardines. Estoy ansioso por mostrarle a mi prometida las maravillas que Campbell diseñó para nuestro hogar.

Olivia aplaudió encantada y dijo:

—Una idea original.

—¿Nos acompañaría? —preguntó Adam.

—Me encantaría. —Olivia acarició la mejilla de su hermana—. Si no te importa, Bronwyn...

—En absoluto. —Olivia acababa de recordar con retraso su deber como carabina, pensó ella, pero forzó de todos modos una sonrisa—. Quizá, para ser más eficientes, tal vez sería mejor que pudiese terminar de desayunar sola.

—Por supuesto. —Adam se levantó y le tendió la mano a Olivia—. Nos vemos en el salón cuando haya terminado.

Bronwyn asintió y los vio marchar cogidos del brazo. Hacían una pareja atractiva, pensó, llevándose la mano a la boca y mordiéndose la uña del dedo pulgar. El regalo del abanico había atenuado los prejuicios de Olivia respecto a Adam. El hecho de que ella le hubiera explicado a Adam lo de los manuscritos, y que él lo hubiera aprobado, pesaba ahora mucho en su favor. Olivia empezaba a perderle el miedo a Adam y era la esposa que le había descrito anoche a Northrup: bella y agradable.

Y él... él se mostraba amable con Olivia. Jamás la había convertido en objeto de sus mofas, ni de su pasión.

Dejó el abanico en la mesa y subió a su habitación dispuesta a recoger sus cosas.

Adam levantó su copa de jerez contra el sol poniente y miró a través de la ventana, abierta ahora para dejar paso a la fresca brisa. Estaba pensando en los ojos de Bronwyn, pensando en el desdén que tantas veces había detectado a lo largo del día.

¿Qué le pasaría a esa mujer? Si no era de su agrado, la noche anterior lo había disimulado estupendamente. De hecho —su mano se tensó sobre la copa de cristal tallado hasta que el motivo decorativo quedó marcado en su palma—, había sido la mujer que él siempre había soñado, había representado todo lo que siempre había querido. Cierto, no debería haberle pedido tan encarecidamente que lo acompañara a su lecho. Y la situación al encontrarse con Northrup había resultado embarazosa. Conocía perfectamente bien la necesidad de intimidad que generaba la pasión. Del mismo modo que sabía perfectamente bien que la cerveza acababa con las inhibiciones.

Hoy había intentado decirle, explicarle, que la pasión no era nada de lo que avergonzarse. Pero ella se había negado en redondo a demostrársela.

Se rascó la dolorida pierna. Había caminado demasiado, bailado en exceso, para hacer feliz a su dama.

Era evidente que la conducta de Bronwyn también había dejado perpleja a Olivia. En el transcurso de la visita a la casa y el jardín, Bronwyn había hablado sobre la finca en un tono altisonante, llamando la atención a Olivia sobre los mejores detalles. En otras circunstancias, habría pensado que estaba vendiéndole la finca a su hermana.

La única explicación factible, la única explicación que tenía sentido, era que hubiera escuchado los reproches de Northrup. De ser este el caso, tendría que dedicar tiempo a convencerla de su irreprochabilidad. Suponía que tendría que haberla defendido. Tendría que haber dicho que el desprecio convencional hacia las mujeres cultas era una tontería, que la prefería a ella antes que a esas imbéciles que solo pensaban en guantes y abanicos.

Pero la verdad era que se sentía como el hombre al que le sirven unas gachas de avenas y descubre un diamante en el fondo del plato. Le resultaba imposible decidir qué modo de actuación era el correcto. Y más concretamente, le resultaba imposible decidir si le gustaba sentirse tan sorprendido. Llevaba años sobreviviendo, *prosperando*, anticipándose a lo que le daría la vida, planificando todas sus maniobras, buscando con lógica los puntos débiles de sus oponentes y explotándolos. Jamás se había imaginado que pudiera existir una mujer como Bronwyn. Había puesto patas arriba todas sus expectativas desde el mismo instante en que la vio por primera vez. Lo había zarandeado con constantes sorpresas, y temía no ser el hombre de hielo que había creído ser hasta entonces. Su madre siempre decía que no era frío, que llevaba simplemente una máscara, y él siempre lo había negado categóricamente.

Las máscaras podían quitarse, destruirse.

Anoche debería haberla defendido contra la amabilidad envenenada de Northrup, pero la vara contenida en su pantalón le había hecho ser perverso. Había comprado una esposa que le protegiese del desdén de la sociedad y, en cambio, se descubría teniendo que defenderla. Y no solo teniendo que defenderla…, sino deseando defenderla. Deseaba construir una muralla alrededor de Bronwyn, protegerla de las flechas del desprecio que solían arrojarse contra las mujeres cultas. Emociones que creía atrofiadas habían salido a la luz, y no sabía cómo esconderlas… ni tan siquiera si debía hacerlo.

Al oír el crujido de las ruedas del carruaje sobre la gravilla del camino de acceso se relajó. Los padres de Bronwyn regresaban de la fiesta en Londres. Estaba seguro de que ellos le aconsejarían cómo manejar a su complicada hija. Esperó a oír la animada llamada de lord Gaynor, la tintineante voz de lady Nora.

Pero no oyó nada. El carruaje se quedó esperando delante de la puerta principal rodeado por un excepcional silencio. Se abrió la puerta y se cerró acto seguido, sin hacer apenas ruido, y el cochero habló con alguien que no respondió.

Asaltado por una terrible sospecha, Adam se asomó por la ventana. No podía ver el carruaje, solo los caballos, que se agitaban inquietos. Las ballestas crujieron con la entrada de alguna persona. Crujieron de nuevo cuando el cochero ocupó su puesto. Se marchaba alguien. Alguien que no deseaba dar a conocer su marcha.

Un golpe de látigo y el carruaje se puso en marcha… y entonces la vio. Con la mirada fija al frente, la barbilla levantada, Bronwyn se marchaba a bordo de *su* vehículo. Impulsándose en el batiente de la ventana, gritó como un loco. Desde allí cayó al porche y bajó corriendo las escaleras.

—¡Bronwyn! —rugió—. ¡Maldita sea vuelve! —El carruaje no se detuvo y fue ganando velocidad por el camino de *su* casa, aquel camino que tanto se había esmerado en adecentar.

Impetuoso como un chiquillo, siguió corriendo hasta que la pierna le falló. Cayó de bruces en la gravilla. Intentó incorporarse, pero el dolor de la vieja herida le hizo caer de nuevo. Escupiendo gravilla, contempló el carruaje hasta que lo perdió de vista.

Al amanecer, los ojos de Bronwyn se abrieron y contempló una nueva habitación. Una estancia pequeña, amueblada con elegancia, con un innegable gusto por los muebles y los colores claros. A través de la ventana abierta de un tercer piso, se oían los primeros gritos de los vendedores, el traqueteo de un carro, la voz de la cocinera refunfuñando al partir hacia un mercado situado en el corazón de Londres. Olía a humo y a río, un olor omnipresente cuando el calor apretaba. Era el principio de una nueva vida, aunque sus pensamientos volvieron por un instante al día anterior y dijo en voz alta:

—No pienso comprometerme por él.

La voz de Rachelle le dio la razón:

—Ni deberías hacerlo.

Sorprendida, Bronwyn se quedó mirando a la dama que ocupaba el umbral de la puerta. Rachelle no había cambiado desde su primer encuentro, el mes pasado. Esbelta, amable, irradiaba una fortaleza y una rabia que superaban el dolor de su mirada.

—Como te dije anoche, puedes quedarte en mi casa todo el tiempo que desees. —Entró en la habitación con una criada pisándole los talones, a la que le señaló una mesita—. Deja aquí le *petit déjeuner*. —Rachelle permaneció en silencio mientras la criada dejaba la bandeja y se marchaba—. ¿Sigues con la misma idea?

—Ya dije que sí.

—Los únicos que no se piensan las cosas dos veces son los tontos.

Después de acercar a la cama una silla cómoda, Rachelle se dejó caer en ella con un suspiro.

—No tener marido no es ninguna vergüenza —dijo Bronwyn.

—Tampoco es un gran honor. —El rostro de Rachelle adoptó una expresión de agreste humor—. Este es un mundo de hombres, y un hombre siempre puede allanarte el camino. Créeme. —Se dio unos golpecitos en el pecho—. Lo sé.

—¿Por qué pretende disuadirme?

—Sería negligente por mi parte no alertarte sobre el espinoso camino que pretendes seguir. Adam Keane no se tomará este rechazo a la ligera.

—Tampoco él debería haberme insultado. —Bronwyn se movió aparatosamente en la cama y sacudió las almohadas para acomodarse mejor—. Esperaba algo mejor de él.

—Tal y como las mujeres llevan siglos esperando. —Rachelle sirvió el té—. Y casi siempre se han llevado una amarga decepción, me gustaría añadir. ¿Quieres comer algo?

—No. —Bronwyn bajó de la cama. Con movimientos agitados, retiró las cortinas y observó el pequeño patio de Rachelle, los establos, la valla, el callejón—. No podría ni comer. Me siento tan… traicionada.

—¿Traicionada? ¿Por un hombre? —El tono de Rachelle estaba cargado con años de amargura—. De esperar otra cosa, te daría un mal consejo.

—Lo que significa que hasta ahora me aconsejaron mal.

Envolviéndose con sus propios brazos, Bronwyn se volvió hacia Rachelle.

Esta se levantó para acercarse a ella. La cogió por la barbilla.

—Eres joven. No ser impulsiva no sería natural. Igual que mi Henriette, no hace tanto tiempo, aunque ella sabía más que tú.

—¿Cómo puede decirlo?

—Porque le había enseñado los peligros que conlleva amar en exceso. —Los ojos de Rachelle se llenaron de lágrimas—. Me temo que le enseñé a no amar nunca. A su manera, podría decirse que era fría y firme en sus objetivos, dispuesta a utilizar las debilidades de los hombres para salirse con la suya.

El enojo de Bronwyn se enfrió al ver el dolor de Rachelle.

—¿Qué sospecha?

—Los hombres hablan de muchas cosas en mi salón. Sospecho que escuchó alguna cosa que no debería haber escuchado ni sabido. Quien juega al chantaje recoge amargas cosechas, y Henriette era joven e inexperta.

—¿Ha logrado descubrir la identidad del hombre que le provocó tan graves lesiones?

—¿Del hombre que la mató? —Las lágrimas vencieron y resbalaron por las mejillas de Rachelle hasta alcanzar su barbilla. No hizo ni el más mínimo intento de disimularlas—. Lo dijiste en su momento. La mató. *Non*, no tengo sospechosos. El joven lord que le iba detrás lloró en el funeral, me ofreció los servicios de sus hombres para dar una paliza a *la canaille* en el caso de que lograra averiguar quién era. Londres hirvió de excitación tratando de dar caza a ese asesino capaz de atraer hacia su red a mi hija sin que ella opusiera resistencia, pero no conseguimos nada.

Bronwyn sacó el pañuelo que guardaba en el interior de la manga del camisón y se lo pasó a Rachelle.

—¿Cree que fue alguien que ella conocía?

—Creo que sí.

Rachelle aceptó el pañuelo y se secó la cara con delicados golpecitos.

—¿Ha dejado de venir alguien a sus reuniones?

—Non. —La determinación transformó a Rachelle—. Pero acabaré encontrando a ese hombre con *le visage fardé*.

—No la he entendido.

—*Le visage fardé* significa, literalmente, «la cara pintada». —Rachelle levantó la tapa de la bandeja—. Aunque sería mejor decir que se trata de alguien que esconde su identidad.

—Entiendo. —A Bronwyn se le hizo la boca agua con el olor. La bandeja contenía panecillos de todo tipo que le recordaron de pronto el apetito que había perdido el día anterior. Estaba hambrienta. Cogió un panecillo, caliente y blandito, y dijo—: Ayer, cuando llegué, no le conté mi plan.

Rachelle se serenó.

—Cuéntamelo ahora.

—Tengo en mi posesión unos manuscritos gaélicos, relatos épicos de hace muchísimo tiempo. He traducido algunos, y en otros estoy todavía trabajando, pero sé que serían de interés para el público. Si lograra encontrar un patrocinador, los publicaría...

Rachelle levantó una mano y le ordenó:

—No digas más. Te patrocinaré hasta que salga algo mejor.

—No podría haber nada mejor —dijo apasionadamente Bronwyn.

—Sería un cumplido para la princesa Caroline, la esposa del príncipe de Gales. —Rachelle asintió—. Creo que podríamos convencerla de que te subvencionara, de que apoyara tus aspiraciones.

Bronwyn empezó a esbozar una sonrisa.

—Sería adulador.

—Te lo mereces. —Rachelle ladeó la cabeza—. Y, entretanto, sería un cumplido para mí que fueses una de las lumbreras de nuestro salón. Podrías participar en las veladas como experta en idiomas, si te parece bien.

—Oh sí. Ese era mi sueño.

Rachelle, desmenuzando un trozo de pan entre los dedos, dijo:

—Cuando llegue *monsieur le Vicomte*, te mostrarás distante y fría.

Bronwyn se llevó una mano al cuello.

Rachelle observó a Bronwyn con atención.

—¿No se te había ocurrido la posibilidad de que soliera visitarnos?

—No.

El corazón de Bronwyn empezó a palpitar con fuerza al pensar en tener que volver a verlo. Con mano temblorosa, volvió a dejar el panecillo en el plato.

—Es un hombre serio, con preocupaciones serias. En el salón encuentra gente que piensa como él, que habla de temas que le interesan. No viene con la frecuencia que a él le agradaría, pero viene.

—¿Sabe por qué…? —Bronwyn se movió con inquietud, incómoda por fisgonear en los asuntos de Adam, pero incapaz de resistirse a la tentación—. Es decir… no consigo que nadie me explique el por qué de su seriedad.

—No, supongo que unos padres nunca contarían a una tímida prometida los detalles del oprobio, ¿no es eso? —dijo Rachelle, con cierto sarcasmo en la voz.

—¿Oprobio? —Bronwyn recordó las palabras de lord Gaynor y adelantó una suposición—. Es algo que tiene que ver con su padre, ¿verdad?

—Lo es. Pero entiende, de entrada, que lo que yo sé es solo de oídas. En tiempos de *le père infamant*, yo no vivía aún en Inglaterra.

—Los rumores siempre son mejores que la carencia de información.

—Lo que sí sé con total seguridad es que su padre murió en la horca condenado por falsificación.

—¡Tonterías! —Bronwyn reaccionó con escepticismo—. El padre de Adam era el vizconde de Rawson, su madre es hija de un duque. Es imposible que la Corona diese el visto bueno a esa condena.

—Cuenta la historia que lo dejaron colgado en Tyburn Hill casi hasta que el barco de Adam arribó a puerto. La madre de Adam se quedó en la indigencia, muriéndose de hambre. Cuando Adam llegó, la buscó y la encontró finalmente en un asilo para pobres. Dicen que era piel y huesos, que al principio se vio obligado a alimentarla solo con líquidos.

—Oh, imposible.

—Dicen que, gracias a la intervención de Adam, el director del asilo murió en alguno de los peores barrios bajos de Londres.

Levantó la mano para exhortar a Bronwyn que no la interrumpiera. Eso también parecía posible. Adam debía de ser capaz de vengarse con todo el rencor de las Furias.

—Pero si Mab es inmensa.

—¿Su madre? También lo sería yo, de haberme muerto de hambre —dijo Rachelle con compostura.

—¿Y chismorrean sobre el tema?

—¿Chismorrean? ¿Te refieres a la flor y nata de la sociedad inglesa? —Rachelle se echó a reír al ver la mueca de Bronwyn—. Por supuesto que chismorrean. Y Adam aviva los chismorreos con su creciente fortuna y su forma de burlarse de su frivolidad. Todo ello, combinado, es fuente de grandes envidias, de enormes especulaciones en torno a su persona.

—Sigo sin poder creérmelo...

Aunque Bronwyn empezaba a creérselo. Aquello explicaba muchas cosas. La rabia de Adam al verla por vez primera. Su disposición a quedarse con ella por el prestigio que le aportaba su familia. Incluso su ausencia de lástima hacia la noble familia a la que había comprado las tierras. Un hombre que no tenía nada, ni siquiera reputación, nunca sentiría lástima de un noble que lo tenía todo y lo arrojaba por la borda.

Tapándose los ojos con la mano, dijo entonces:

—No puedo verle.

Rachelle esbozó una mueca de lástima y sus ojos castaños brillaron, comprendiéndola. Le apartó las manos de la cara y le dijo:

—¿Tan niña eres que crees que esta conducta te hace invisible? —Viendo que Bronwyn se disponía a protestar, Rachel levantó un dedo—. No puedes quedarte eternamente escondida en esta habitación. Te verá. Pero si me haces caso, nunca caerá en la cuenta de quién eres.

—¿Qué quiere decir?

—Confía en mí. —Rachel se arremangó—. Empezaremos enseguida.

Capítulo 8

*D*ónde está? —Adam intentó levantarse de la cama; deseaba estrujar el blanco cuello de Olivia y zarandearla hasta hacerla hablar.

—Hijo, ha dicho el médico que te pondrás bien con unos días de reposo en la cama. —Mab lo empujó contra los almohadones—. Siempre y cuando no te levantes.

Lanzó una mirada furiosa a los reunidos. Aún con la ropa de viaje, lord Gaynor y lady Nora deambulaban de un lado a otro de la habitación y se movían con nerviosismo, dependiendo del carácter de cada uno. Olivia permanecía sentada en una silla, retorciéndose las manos. Mab se abalanzó sobre él, como si estuviese dispuesta a saltarle encima en caso de que intentara escapar.

Había pasado la noche inquieto por el dolor y la rabia. Su primera idea había sido la acertada: Bronwyn no era más que una solterona poco atractiva. ¿Cómo podía haber llegado a pensar que deseaba casarse con ella? Se había dejado seducir por una cabeza ágil, una sonrisa encantadora, una insolente curiosidad. Aunque, por otro lado, deseaba que volviese. Deseaba amarla, demostrarle todo aquello a lo que estaba renunciando, hacerle suplicar que quería casarse con él. Su cabeza giraba como un torbellino ante tal contrariedad de emociones. Insistió:

—Maldita sea, quiero saber dónde está.

Lord Gaynor extendió el brazo en dirección a Adam para detenerlo. Arrodillándose delante de Olivia como si estuviese frente a una niña, le dijo, queriendo engatusarla:

—Vamos, dínoslo. ¿Dónde crees que puede estar Bronwyn?

—No lo sé seguro —tartamudeó Olivia.

—¿Sí? —la animó lord Gaynor.

Olivia se mordió el labio y dijo:

—Dijo que quería vivir lejos de la alta sociedad, lejos de los hombres. No sé... he pensado que tal vez...

—¿Tal vez qué? —rugió Adam.

Olivia saltó, sobresaltada, pero el enfado de Adam le dio ánimos para seguir:

—Creo que a lo mejor ha decidido retirarse a un convento —dijo en un tono desafiante.

Nadie dijo nada. Nadie se movió. Los ojos de los reunidos se clavaron en Olivia, horrorizados.

Adam se había quedado sin aliento, tratando de razonar. ¿Bronwyn? ¿Su menuda y sencilla prometida, con aquella reserva escondida de pasión y de humor, en un convento? Imposible.

—¿Un convento? —musitó por fin lord Gaynor—. No, muchacha, dime que eso no es cierto.

Olivia bajó la vista.

—Papá, recuerda lo mucho que le gustaba trabajar en el convento cuando vivíamos en Irlanda. Pasaba horas con sus libros y hablando con el hermano Brendan cuando venía a visitarnos.

Sin parar de mover nerviosamente los pies, le espetó entonces lady Nora:

—Ese fue uno de los motivos por los que os trasladamos a Inglaterra. Empezabais a estar excesivamente vinculadas a las costumbres papistas, lo que habría tenido consecuencias fatales para nuestras aspiraciones.

Mab, la voz de la razón, intervino entonces.

—Bronwyn y yo hemos hablado multitud de veces sobre muchas cosas, y en ningún momento vi evidencia alguna de esa vocación. ¿Qué podría haber provocado un cambio de pensamiento así?

Olivia se ruborizó y agachó la cabeza, la palidez natural de su piel acentuando el color de sus mejillas.

Adam, después de recuperar la voz, preguntó:

—Mab, ¿le contaste algo a Bronwyn sobre mi padre?

Mab lo negó con la cabeza.

—¿Y usted lord Gaynor? ¿Lady Nora?

Ellos lo negaron, y el clavó a Olivia con una mirada que la dejó en lo huesos.

—¿No sabe Browyn nada acerda de mi padre?

Demasiado asustada para poder hablar, Olivia negó con la cabeza.

—En ese caso, esta teoría del convento es la mayor estupidez que he oído en mi vida —declaró Adam.

Olivia levantó la vista, su mirada reflejando un atisbo del fuego que había acabado asociando con Bronwyn.

—No sé, con ninguna seguridad, por qué podría querer entrar en un convento. Lo único que sé… es que lord Rawson la besó.

Saltó como consecuencia de la punzada del insulto y la traición, pero apenas sí notó el dolor.

—Se lo contó, ¿verdad? Pues mire, yo le cuento otra cosa: cuando la meta en mi cama, haré mucho más que simplemente besarla.

—Espere un momento. —Lady Nora levantó una fina y pálida mano—. Me parece que estamos yendo demasiado lejos. Bronwyn no es insustituible. Tenemos dos hijas en edad de merecer.

—¿Qué? —gritaron todas las gargantas al unísono.

—No, mamá —musitó Olivia.

Todas las miradas acusaron de frialdad a lady Nora, que se apresuró a suavizar la cosa.

—Estoy preocupada por Bronwyn, por supuesto. Es mi querida hija. Pero también estoy preocupada por el peligro que pueda correr la alianza entre nuestras dos familias.

—Tal y como ella planeó —murmuró Adam. Las miradas se volcaron entonces en él, que comprendió que era cierto: Bronwyn lo había planeado. ¿Qué le había dicho? Que una prometida era fácilmente sustituible. Aquella deserción había herido profundamente su orgullo, sus recién descubiertas emociones. Emociones que relegaría ahora a su lugar adecuado. Podía matar de hambre las emociones si dejaba de alimentarlas—. ¿La he entendido correctamente? ¿Estaría sugiriendo un compromiso entre Olivia y yo?

Lady Nora se retractó de la pasión que había depositado en su sugerencia.

—Bueno…, sí.

Tratando de aminorar su incomodidad, Adam sonrió, pero el gesto no sirvió para aliviar la tensión reinante en la estancia.

—Una idea excelente. Le pediré a mi nuevo secretario que redacte el contrato. Lo firmaré hoy mismo. No comprendo cómo pude llegar a imaginarme que una joven impetuosa como Bronwyn sería una pareja adecuada para un hombre frío como yo.

—Querida mía, desde el instante en que te vi, mis manos ardían de ganas de remodelarte. —Rachelle se apartó del espejo y empujó a Bronwyn hacia él—. Mira.

Bronwyn miró y no vio a nadie conocido.

Y entonces, sobresaltada, lo vio. La que veía en el espejo era ella, Bronwyn, pero una Bronwyn que no había visto jamás. Llevaba el pelo suelto, un amasijo de rizos rebeldes sujetos con una cinta en la nuca. El color rubio claro del cabello acentuaba su bronceado, dándole un aspecto extranjero. Rachelle le había oscurecido las pestañas con carboncillo y ahora envolvían unos ojos que brillaban con extraño exotismo. Llevaba las mejillas ruborizadas con un tono melocotón. La boca coloreada, intensa, subrayando unos labios excesivamente gruesos para el gusto de su madre. Un vestido de color verde esmeralda, desprovisto de adornos, proporcionaba altura a su cuerpo, adelgazándolo hasta tal punto que parecía casi un junco a merced del viento. Como en un sueño, alargó la mano hacia la imagen.

—Soy hermosa, Rachelle.

—Lo eres.

—Jamás me había visto así. —Frunció los labios y pestañeó. Convencida de que la mujer del espejo era en realidad ella, Bronwyn Edana, preguntó—: ¿Y no lo sabía mi madre?

—¿Cómo pretendes que lo supiera? —dijo Rachelle, encogiéndose de hombros en un gesto típicamente francés—. Es inglesa.

—¿Crees que soy tan bonita como mis hermanas?

Percibiendo la tremenda inseguridad que escondía la pregunta, Rachelle le respondió con paciencia.

—Tus hermanas son mujeres cortadas por el mismo patrón. Si un hombre no puede hacerse con cualquiera de ellas, quedará satisfecho con otra. Pero tú eres única.

Bronwyn se giró, riendo.

—¿Es una forma diplomática de decirme que no?

Rachelle le apartó a Bronwyn un mechón de pelo que le caía en la cara y dijo:

—Es la única forma que se me ocurre de decirte que no hay comparación.

—El pelo. —Bronwyn se lo tocó con manos tímidas, como temiendo que fuera a desaparecer—. ¿Puedo llevarlo así, suelto? ¿No dirán las matronas que lo llevo como si fuera a meterme en la cama?

—Y los caballeros lo dirán también, te lo prometo. —Rachelle le colocó un mechón por encima del hombro—. Todo el mundo se morirá de envidia e iniciarás una nueva moda. Te llamaremos «Cherie» y todo Londres brindará por ti.

—Me muero de ganas de que me vean.

Levantó los brazos y giró sobre sí misma.

—Te llevarás una sorpresa.

Bronwyn se detuvo.

—¿Por qué?

—Durante tu vida se te ha reconocido por ser una mujer inteligente. Es posible que eso no persuadiera mucho a los hombres, pero lo respetaban. —Rachelle cogió el lápiz de carboncillo y le retocó las cejas—. Cuanto más atractiva es una mujer, menos piensa el hombre en su intelecto.

—¿Se refiere a que pensarán que soy tonta?

—*Oui*. —Rachelle estudió el resultado y volvió a colocarla frente al espejo—. Cuando en realidad, es lo contrario. Una mujer atractiva hace estúpido al hombre.

Bronwyn no prestó atención a la respuesta de Rachelle.

—Cuando venga Adam, le demostraré que soy una mujer independiente. Le haré que se arrepienta de haberme considerado fea. Le haré morirse de vergüenza.

Rachelle interrumpió su regodeo.

—¿Por qué te importa tanto lo que piense?

Encontrándose con los ojos de Rachelle mirándola a través del espejo, se ruborizó sin poder evitarlo y apartó la vista.

—Mi invitación a quedarte aquí sigue en pie —dijo amablemente Rachelle—, pero me duele que la utilices como un refugio contra el amor.

—No quiero descansar —rugió Adam—. Lo único que quiero es que me acerquen mi bastón.

Sufriendo como solo puede sufrir un criado atrapado entre el molino y la piedra, el sirviente le dijo:

—Dice lady Mab que debo ayudarle a sentarse en el sofá. Dice que ha estado trabajando demasiado y tiene mucho dolor. Dice que…

—Mi madre es una…

Desde la puerta del despacho, Mab dijo:

—Tu madre sabe dónde está Bronwyn y si dejas de comportarte como un burro, te lo dirá.

Adam se calló de pronto, su gesto congelado, la cabeza echada hacia atrás. Muy lentamente, caminó renqueante hacia donde estaba su madre.

—¿Mab?

Mab se instaló en un sillón, junto al sofá, la labor en la mano, ignorando la encantadora sonrisa de su hijo.

Adam despidió al criado y se dispuso a interrogar a su madre.

—¿Dónde está? ¿Está en un convento? ¿Ha pronunciado sus votos?

Mab desplegó la labor y separó los hilos mientras Adam maldecía.

Llevaba cuatro semanas buscando a la chica. No porque le preocupase, claro está, sino porque sus padres sí estaban preocupados. Pero ahora pensaba obedecer a su madre descansando la condenada pierna que tanto le estaba haciendo sufrir. Avanzó cojeando hasta acomodarse en el sofá.

Su madre observó el esfuerzo que le suponía poner la pierna en alto.

—Si no hubieras intentado perseguirla el día que se marchó, no estarías sufriendo de esta manera.

—No me vengas ahora con lo de «ya te lo dije», no me parece bien. —Su madre le respondió con una amable sonrisa—. ¿Dónde está?

—¿Por qué tendría que decírtelo? ¿Para que vayas a verla, te pongas a gritar como un energúmeno y comprenda que huir de este execrable matrimonio convenido fue lo más adecuado? —Adam abrió la boca dispuesto a replicar, pero su madre movió un dedo acusador y cambió de idea—. Nunca quisiste escuchar lo que yo pensaba sobre tu grandioso plan de devolver la respetabilidad a la familia, pero ahora me escucharás.

Claudicando entre cojines, apuntaló bien la espalda, pegó la barbilla al pecho y hundió las manos en los bolsillos.

—Estás enfurruñado —observó su madre—. Como un niño a punto de recibir una regañina.

Movió los pies calzados en unas relucientes botas y fijó en ellas la vista.

—¿Y lo soy?

Ignoró ella el despecho, igual que ignoró su impaciencia.

—Adam, este honor que en tanta estima tienes es algo de poca importancia. Lo que importa es la familia. Tú eres mi hijo, la única persona del mundo que me ha querido. Como cualquier madre, aspiro a que tengas un futuro de ensueño. Quiero que seas feliz. Sueño con que tengas una esposa que te quiera por quien eres, no por tu dinero. Sueño con una esposa elegida no por su capacidad de darte hijos, ni por su linaje.

Llevaba toda la semana tan impaciente, que ni siquiera había permitido que su ayuda de cámara lo afeitara. Se pasó la mano por la barba incipiente.

—¿Qué pretendes decirme? Quieres que me case con ella, ¿verdad?

—Quiero que te cases con Bronwyn. No quiero que te cases con Olivia.

Bajo la mirada de su madre, tan similar a la suya, Adam se quejó:

—Bronwyn me abandonó. ¿Acaso no se daba cuenta del favor que le habría hecho accediendo a casarme con ella?

Mab se restregó los ojos, miró a su hijo, y volvió a restregárselos. Y dirigiéndose a nadie en particular, dijo:

—Sentado en esa cama no pareces el príncipe de los sueños de nadie. Pareces Adam, aunque tal vez empiece a fallarme la vista.

Adam suspiró.

—Te has vuelto presuntuoso —dijo su madre, regañándolo.

—No es verdad. Lo que pasa es que Bronwyn es tan…

Iba a decir poco atractiva, pero sabía que cuando se la había imaginado desnuda le había parecido tremendamente seductora.

—Olivia no es mujer para ti —prosiguió Mab—. Se derretirá como el aguanieve bajo las ruedas de un carruaje la primera vez que la reprendas. De hecho, cada vez que te le acercas corre a esconderse en un rincón.

—Lo sé. Olivia nunca cambiará.

—Bronwyn cumple tus requisitos, y cumple además mis requisitos. Es una chica agradable, con cabeza ágil y corazón generoso. Incluso tú, con tu petulante ceguera, te has dado cuenta de ello.

Adam se pasó la mano por el pelo, torturando sus remolinos negros.

—Sí, me he dado cuenta. Pero mi padre...

—Tu padre no tiene nada que ver con esto. —Mab se inclinó hacia él, dispuesta a convencerlo—. Perdió una impresionante fortuna, nos abandonó a merced de los lobos, nos trasladó de una mansión a una casita, ¿y qué? Tú y yo éramos felices en aquella casita, y él nunca fue feliz porque era un despilfarrador.

—Te metió en aquel asilo —dijo él con salvaje amargura.

—Pero tú me encontraste.

—Justo a tiempo. —Movió las piernas, armándose de valor para pisar el suelo—. El dinero ya lo tengo. Lo que ahora quiero es respeto.

Mab se pasó una venosa mano por la frente y resopló con incredulidad.

—¿Y eso te importa?

—No para mí. Pero quiero lo mejor para mis hijos. El apellido Keane debe quedar sin mácula. Ese es mi plan y no pienso titubear.

—No titubees, pero una pequeña mujer podría destruirlo. —Sonrió con picardía—. *Podrías* casarte con Olivia.

Con frialdad, rechazó la bella Edana.

—No, ahora veo que no funcionaría. Quiero recuperar a Bronwyn. ¿Me ayudarás?

Mab negó con la cabeza antes de que él terminara la frase.

—Rotundamente no.

Adam sabía de antemano que su madre no se comprometería. Mab buscaba su colaboración, que le hiciese su juramento, y estaba dispuesto a hacerlo. Lo haría porque nunca podía negarle nada a su madre y porque no deseaba cortejar a Olivia del modo en que había cortejado a Bronwyn. ¿Por qué perder el tiempo con Olivia? Echó el cuerpo hacia delante, los codos apoyados en las rodillas, las manos unidas.

—¿Dónde está, Mab? Haré todo lo que tú desees. Seré un verdadero marido, no la trataré comprándola con mercancías frívolas. Permaneceré en su lecho por las noches y le haré compañía de día.

—Tendrías que seducir a Bronwyn.

Mab lo censuraba, pero lo que acababa de decir su hijo era lo que quería oír. Él continuó:

—Lo haré, en cuanto me digas dónde está.

—Vive en el salón de madame Rachelle.

Adam se quedó inmóvil, sin pestañear siquiera.

—Ya me temía que reaccionarías así.

Levantó el bordado y clavó la aguja justo en medio de una de las flores, una muestra evidente de su desagrado hacia la conducta de su hijo.

—Madame Rachelle. —Se pasó la mano por los labios—. Supongo que me siento aliviado. Es mejor que un convento. ¿Y cómo descubrió el salón de madame Rachelle?

—Eso tendrás que preguntárselo a ella.

Hablando más para sus adentros que para su madre, dijo Adam:

—Debería haberlo deducido por mí mismo. ¿Dónde podría ir si no una mujer inteligente y de buena cuna?

—No contigo, príncipe de ensueño. —Dejó la labor para mirarlo a la cara—. Es una situación difícil e incómoda, pero te conozco, Adam. Tus esfuerzos te harán valorar aún más a Bronwyn.

Sabía que no debería preguntarlo, pero no pudo contener la curiosidad.

—¿Por qué me dices todo esto?

—Porque el chico apasionado que eras en su día no está destruido. Está simplemente escondido, y creo que Bronwyn ha dado con él. Creo que esa máscara que luces tan bien se desmorona cuando Bronwyn se lanza sobre ella, y creo… —rió entre dientes—, creo que esa niña ni siquiera sabe lo que es capaz de hacer.

Adam no podía permanecer más tiempo sin formular la pregunta que le obsesionaba.

—¿Te has planteado alguna vez, Mab, que tal vez no soy el hombre que crees que soy?

—¿Y qué hombre es ese?

—Me parece que piensas que debajo de esta dura capa exterior late un corazón compasivo. ¿No te has parado nunca a pensar que podrías estar equivocada?

A Mab empezaron a temblarle los labios como si su hijo la hubiera herido, y dio unas cuantas puntadas antes de responder:

—Lo único que sé es que hay un corazón, Adam. Sé que nada ha podido matar las pasiones que te impulsaban cuando eras niño. Esas pasiones se han reorientado, sí, pero tus ojos siguen ardiendo con fervor cuando hablas sobre una transacción financiera rentable, o del honor de la familia —levantó la vista y lo sorprendió mirándola—, o de Bronwyn. Es por eso que la enaltezco por encima de las demás mujeres. Te ha liberado de esa arrogancia, de esa frialdad que tan bien llevas.

—Mab, si es verdad que Bronwyn ha podido con esta máscara que dices que llevo, y no estoy diciendo que lo haya hecho —vio que su madre no estaba convencida y se apresuró para dar terminada su explicación cuanto antes—, seguramente comprenderás que su traición ha servido para reforzar mi decisión de permanecer así.

Había reconocido ante su madre que su pasión de niño seguía allí. Que su corazón no estaba petrificado. Él lo sabía, ella también, pero su madre, muy amablemente, se abstenía de advertírselo.

—La pregunta es: ¿serás capaz de aplastar las emociones que has vuelto a descubrir? —Una vez planteada la pregunta, cambió por completo de tema—. Me interesa ver cómo piensas gestionar esta complicación. ¿Cómo piensas hacerlo para que Bronwyn vuelva?

—Iré al salón de madame Rachelle y la sacaré rápidamente de allí.

Mab sostuvo la aguja inmóvil sobre el bordado.

—¿Es un lugar respetable ese salón?

—Lo es... y no lo es. En ese salón es posible encontrar las mejores mentes de Europa, elucidando sobre asuntos científicos, literatura, música. Pero madame Rachelle...

—Es todo un misterio, por lo que he oído decir. —Mab seleccionó un nuevo hilo de seda y lo enhebró—. ¿Es una cortesana?

El alcance de las conexiones de su madre nunca dejaría de sorprenderle. Conocía el salón, sabía que Bronwyn estaba alojada allí, ¿por qué no tendría que estar al corriente del aura de misterio que rodeaba a Rachelle?

—En absoluto. La nobleza francesa se sirve de ella para presentar a sus hijas a la sociedad inglesa.

—¿Sus hijas legítimas?

—No —hizo un amago de sonrisa—, pero son mujeres igualmente encantadoras. Varias de ellas han realizado matrimonios brillantes con la ayuda de madame Rachelle.

—Y entonces, ¿qué le ves de malo?

—Corren rumores sobre madame Rachelle. Rumores displicentes sobre su pasado. Se dice que es miembro de la nobleza, que era popular en Versalles, pero que abandonó Francia de manera repentina. Nadie sabe por qué. —Viendo que Mab no se mostraba impresionada, continuó—: Si una joven acude a ella en busca de ayuda, se la brinda. Ha mantenido a varias chicas inglesas de buena cuna en momentos de dificultades económicas. Madame Rachelle es una persona extremadamente bondadosa. Te gustaría, Mab.

—Y entonces, ¿por qué te preocupa que Bronwyn esté viviendo con ella?

—Porque Rachelle es una *salonière*, una librepensadora. —Se giró para mirar por la ventana—. Si acaban metiendo a Bronwyn en el mismo saco, perderá gran parte de su valor como esposa que pueda abrirme las puertas de la alta sociedad. Por otro lado, Rachelle no vive bajo la protección de ningún hombre e, independientemente del respeto que me inspira, su moral es sospechosa. Y, en consecuencia, lo mismo sucede con la de Bronwyn.

Mab esbozó una mueca de fastidio.

—*Yo* no soy una esnob, pero me parece que mi hijo sí lo es.

—¿Esnob? —Adam se quedó mirándola—. No, no soy ningún esnob. Pero preferiría estar seguro de que el primer hijo que lleva mi apellido es realmente mío.

—¿Estás cuestionando la virtud de Bronwyn? —Mab insertó una nota de incredulidad entre palabra y palabra. Dejó la labor y se levantó, su mirada echando chispas—. Te digo una cosa, Adam: jamás me había sentido avergonzada de ti, pero ahora lo estoy. Quieres a esta chica. Si Dios quiere, te casarás con ella si consigues que Olivia ponga fin al compromiso... ¿y andas quejándote por la virginidad de Bronwyn? Deja ya de preocuparte un poco de tu preciosa reputación y empieza a hacer planes para recuperar a tu Bronwyn.

Con gran dignidad, se giró, recogió la labor y salió por la puerta, no sin antes disparar una última salva:

—¡Dudo que tu virginidad merezca ser observada con tanto detalle!

Y con eso, Mab cerró de un portazo, dejando a Adam pasmado por su vehemencia y preguntándose acerca de la verdad.

¿Estaría engañándose en lo referente a sus sentimientos hacia

Bronwyn? Le parecía poco probable. El mismo día en que, con solo doce años de edad, su padre lo cogió, le compró un puesto de oficial de la Marina y lo embarcó, juró enfrentarse a la vida sin sentimientos ni ternura. A lo largo de los años siguientes, había acabado aceptando lo acertado de su decisión. Cierto, como descendiente de una familia inglesa deshonrada, tenía que casarse con la oveja negra de las Edana. Pero era una Edana y, además, infinitamente más forjada para su carácter que la frágil Olivia. Acabaría dominando la tendencia de Bronwyn a actuar con impulsividad, sino de otra manera, con las lecciones que pudiera darle en la alcoba.

De hecho, Bronwyn Edana le excitaba. En aquel momento visualizó su rostro de elegantes facciones y su esbelto cuerpo debajo de él, en la cama. Empezó a sentir un hormigueo en la punta de los dedos al recordar la textura del rosado pezón que había acariciado. De pronto, tomó una decisión. Rascándose la barbilla y cojeando, se dirigió a la puerta y gritó:

—¡Qué suba mi ayuda de cámara a la habitación! ¡Tengo que afeitarme!

Capítulo 9

La encantadora, fascinante y exótica Cherie hizo su entrada en el gran salón. Llevaba cintas y minúsculas flores engarzadas en el pelo, un vestido de seda de intenso color rosa que se ceñía a su estrecha cintura y se ondulaba en el bajo, su característico abanico... y los hombres se apiñaban a su alrededor. Cherie era la estrella del salón de madame Rachelle, donde se encontraba en su elemento.

Un estudiante de la Real Academia de Música, conocedor de su amor por la ópera, estaba haciendo sonar en el clavicémbalo las notas de *Radamisto*, la última obra de Händel dentro de este género. Con un saludo evocador del que haría una princesa en un desfile, le indicó su satisfacción y el estudiante respondió con una radiante sonrisa. Ella esbozó entonces un gesto enigmático al escuchar su nombre pronunciado en un tono que transmitía deseo y veneración.

—¡Mademoiselle Cherie! Mire, por favor, he compuesto una oda a la diosa de mi corazón.

Se volvió de cara al incipiente poeta que avanzaba hacia ella.

—Estaremos encantados de escucharlo en cuanto llegue madame Rachelle.

El poeta tartamudeó bajo el hechizo de sus ojos color jerez, pero el joven Humphrey Webster lo apartó de un codazo.

—A mademoiselle Cherie no le interesan los balbuceos de un traficante de palabras. Todo el mundo sabe que muestra especial interés por los experimentos científicos. Mademoiselle Cherie, le he traído aquello de lo que estuvimos hablando.

Cherie asestó unos golpecitos de abanico al presuntuoso joven.

—Está siendo descortés, señor Webster. Un verdadero intelectual muestra interés por todas las ramas del conocimiento.

Webster se sonrojó.

—¿Quiere decir con esto que es usted una intelectual?

—En absoluto —respondió ella muy seria—. Estoy diciendo que usted lo es.

Webster miró de reojo al insignificante poeta que tenía a su lado y se mordió el labio.

—Por supuesto. Pero solo leo los clásicos.

—Creo que mademoiselle Cherie podría decirle muy atinadamente que incluso los clásicos fueron novedosos en su día. —Con una reverencia que le provocó un crujido en la faja, el anciano lord Sawbridge añadió—: Es decir, cuando yo no era más que un chiquillo. —Rió por la gracia y Cherie siguió su ejemplo. Animado, continuó hablando con la sonoridad del que es algo duro de oído—: Recuerdo a Platón, sí. Le aconsejé a William Shakespeare que leyera sus obras.

—Y se basó en esa pauta para la creación de Polonio —murmuró Webster.

—¿Qué? ¿Qué ha dicho?

Lord Sawbridge se llevó la mano al oído.

—Un comentario sobre su sabiduría.

Cherie se alejó de las errantes manos de Sawbridge con bastante facilidad, resultado de algunas semanas de práctica.

Sawbridge sonrió bobamente y le ofreció un paquete fino y alargado.

—Para usted, mademoiselle.

—*Merci, Monsieur le Duc.* Es usted muy amable. —Cherie rasgó el papel, abrió el abanico de marfil y lo levantó para contemplarlo—. *Ah, c'est très beau, non?*

Ruborizándose como un niño, Sawbridge dijo entonces:

—Lo vi y pensé en usted...

—Una pieza perfecta para mi colección —le aseguró ella. El hombre le presentó la mejilla, como si esperara una forma más concreta de agradecimiento, pero ella fingió no haberlo visto y sonrió a los tres jóvenes que se acercaban hacia ella—. Creo que no nos han presentado.

—No, mademoiselle —dijeron los tres a coro.

El que iba vestido de forma más extravagante, dio un paso al frente.

—Habíamos oído hablar sobre su encanto y su belleza y hemos

venido para comprobar personalmente si era cierto. —Los tres saludaron con una reverencia—. Estamos sobrecogidos.

—El sobrecogimiento no les servirá de nada para ganarse un lugar en el salón de mademoiselle Rachelle —les reprobó ella—. Para ello deben estar dispuestos a aprender y a compartir sus conocimientos con los demás. —Se cogió del brazo de dos de los caballeros y echó a andar, sus admiradores siguiendo sus pasos—. Nuestra función aquí no es otra que fomentar las artes y las ciencias.

Habría seguido andando, pero un círculo de hombres y mujeres abarrotaba la parte central del salón, y entre los integrantes del grupo distinguió la voz de Daphne. Cerró el abanico de golpe. ¿En qué lío se habría metido la chica? Daphne tenía reputación de decir lo que se le pasara por la cabeza.

Era una noche de juventud y Cherie hizo las veces de anfitriona hasta que llegó Rachelle. Después de disculparse con sus adeptos, se abrió paso entre dos caballeros y a codazos avanzó hasta que pudo escuchar la voz de Daphne con claridad:

—Las partes masculinas del cuerpo son las antagonistas de las partes femeninas, lo que facilita el proceso de apareamiento.

Y antes de que Cherie pudiera recuperarse de la conmoción, el hombre que más temía en este mundo preguntó:

—¿Y dónde ha aprendido eso?

Adam.

En una transformación instantánea, la destellante Cherie se convirtió en la vulgar Bronwyn. No podía respirar. El corazón funcionaba sin orden ni concierto, latía en estallidos de velocidad y repentinas cesantías. Se llevó la mano a la frente y la descubrió goteando sudor.

Estaba allí, tal y como Rachelle había predicho hacía cuatro semanas, y ella no se sentía aún preparada para enfrentarse a él. Jamás estaría preparada para enfrentarse a él.

Pero con todo y con eso, cuando Daphne respondió con orgullo: «Lo he aprendido de un libro», Bronwyn comprendió que debía actuar... aunque era incapaz de despegar los pies de la alfombra.

Un murmullo corrió entre los reunidos y Bronwyn recordó lo bondadosa que había sido con ella Daphne. No podía permitir que aquello continuase, pero antes de que le diera tiempo a hacer algo, Adam volvió a tomar la palabra.

—¿Y explican allí qué sucede cuando la parte masculina se excita?

Impulsada por el horror, Bronwyn se abrió paso a codazos. Y en cuanto llegó junto a Daphne, le cogió por la muñeca.

—¡Cherie! —dijo Daphne—. Estoy teniendo una discusión fascinante con *monsieur le Vicomte*.

Sin paciencia, sin aliento, Bronwyn le espetó:

—Ya te he oído. También te ha oído medio Londres. Y la otra mitad lo habrá oído antes de que caiga la noche.

Daphne miró a su alrededor y vio la mirada crítica de los reunidos.

—Pero... si el estudio del cuerpo humano interesa a todo el mundo.

Haciendo acopio de toda su paciencia, Bronwyn replicó:

—En Inglaterra, las cuestiones de anatomía se comentan con discreción, en el caso de que se comenten, y jamás en público.

Daphne miró de nuevo a su alrededor. Las damas ofendidas levantaban el viento abanicándose sus acaloradas mejillas y permanecían a la espera de seguir escuchando. Los excitados caballeros sonreían con descaro y satisfacción. Por primera vez, Daphne se replanteó la discusión. Lanzó una furiosa mirada a Bronwyn, como si fuese la culpable, y esta comprendió que estaba muy resentida. Se preparó para lo peor, y no le sorprendió en absoluto que Daphne explotara diciendo:

—Miren, Cherie se ha sonrojado. Está tan azorada que incluso le han salido motitas rojas por el pecho.

Bronwyn se resistió a la tentación de taparse el escote con las manos. Y en voz baja, preguntó:

—¿Es esta tu manera de compensar las amabilidades de Rachelle?

Pero Daphne no quería retractarse. Dirigiéndose a Adam, dijo:

—Cherie es mayor que yo, pero imagino que esta *poulette petite* desconoce cómo se aparean los animales.

Bronwyn estaba consternada, pero mantuvo la compostura lo suficiente como para replicar:

—No es tanto el tema lo que me incomoda, sino tu conducta.

Rachelle apareció en el umbral de la puerta y dijo:

—Daphne, ¿podríamos hablar un momento?

La chica dedicó una reverencia a Adam y un gesto de asentimiento a Bronwyn. Los reunidos se dispersaron a continuación en murmurantes grupillos, pero Bronwyn no se sumó a ninguno de ellos.

Solo veía a Adam, austeramente atractivo, oscuro y arrogante. Cerró los ojos con fuerza, confiando en que con ello desapareciera.

Cuando volvió a abrirlos, él seguía allí, aunque nunca lo había visto vestido de aquella manera. El terrateniente había desaparecido. Y su lugar lo ocupaba un caballero vestido a la última moda. Su chaqueta de terciopelo azul oscuro estaba adornada con cordón de oro. Pantalones ceñidos azul marino y medias azules contenían unas piernas perfectamente formadas. Estaba allí delante, de pie, una pierna extendida, su bastón formando un ángulo con su cuerpo.

No mostraba ningún respeto, ningún interés, solo una insultante curiosidad por su *décolletage*.

—Encantado —dijo, arrastrando la palabra—. ¿Cómo ha conseguido un pelo de ese color?

Avergonzada, pensó en su anterior rubor. Pero ahora la rabia se había apoderado de ella, por lo que respondió, acalorada:

—Siento que no le guste, pero no pienso volver a ponerme esa peluca, ni siquiera por usted.

Dio media vuelta dispuesta a alejarse, pero el bastón la agarró por el codo y la obligó a girarse de nuevo.

—No me imagino por qué tendría que hacerlo. —Se limitó a sonreír, imperturbable excepto por una remota nota de gracia—. ¿Es usted el nuevo cachorrillo extraviado recogido por madame Rachelle?

Sin habla y boquiabierta, Bronwyn se quedó mirándolo.

—¿Qué? ¿Cazando moscas, mademoiselle? —se burló él.

¿Acaso no la había reconocido?

En el salón era Cherie, una intrigante mujer misteriosa sin historial. Liberada de la carga de las expectativas de su familia, había descubierto en su persona una mujer capaz de flirtear, hablar, tentar.

Nobles que la habían ignorado en encuentros previos la miraban ahora sin reconocerla y la cumplimentaban por su exótico aspecto. Había aprendido a sonreír y a dejar caer los párpados sobre unos ojos que describían como enormes, de color canela, inescrutables. A apartarse cuando intentaban tocarle el pelo para hacer desaparecer su color.

Con una ironía que nadie apreciaba, llevaba siempre consigo un abanico de marfil. Casi sin quererlo, había cultivado un acento francés que le llevaba a preguntarse constantemente qué haría si un visitante de Francia la abordaba con aquel idioma. Representaba un papel, el papel de una sirena, y había descubierto que tenía un verdadero talento como actriz. Tal vez, solo tal vez... Con cautela, poniendo a prueba a Adam con su nuevo acento, dijo:

—No nos han presentado.

—¿Desde cuándo acatan los franceses el tratamiento de cortesía?

Se giró y se dirigió renqueante hacia un canapé.

Ella le siguió, consumida por la curiosidad. Adam se dejó caer sobre un cojín. Sobrecogida, observó cómo la examinaba con todo detalle, de la cabeza a los pies, y luego se recostaba hacia atrás. Le sorprendía ver la indiferencia que sustituía su habitual vitalidad.

¿Qué sería lo que le había cambiado?

Miró de refilón el espejo colgado por encima de la repisa de la chimenea. Él no estaba cambiado, la que estaba cambiada era ella. Cambiada hasta el punto de ser irreconocible, por lo visto. Intentando adoptar cierto aire de dignidad, dudando de la sinceridad de Adam a cada paso que daba, avanzó hacia él.

—¿Cree que debería estar aquí teniendo en tan mal concepto a los franceses? Su anfitriona es francesa.

Adam puso ambas manos sobre el bastón de caña de Malaca.

—Madame Rachelle se ha ganado mi respeto.

Adam hundió la mano en los bolsillos de su chaqueta y extrajo una cajita ornamentada y pintada que abrió a continuación. Con la mano extendida, le preguntó:

—¿Le apetece una pastilla de menta?

Ella negó con la cabeza y él se llevó una a la boca.

—Uno de los pocos inventos franceses de cierta utilidad —le aseguró. Se deslizó hacia el brazo del estrecho sofá y le indicó a Bronwyn que se sentara dando unos golpecitos en el cojín.

Tomó asiento a su lado y posó la mano en su brazo. La retiró rápidamente al sentir la caricia del terciopelo. A pesar de que estaba representando un papel, a pesar de la confianza que había adquirido, le resultaba imposible tocarlo sin que le sacudieran los recuerdos, sin sentir una oleada de placer.

—Me llamo Cherie.

—Imagino que no es su nombre real. —Ella no hizo nada para negarlo y él rió—. Un misterio. Me encantan los misterios. Se lo advierto de antemano, haré todo lo posible por resolver el suyo.

Había oído aquellas mismas palabras en boca de interminables visitantes del salón locamente enamorados de ella, por lo que replicó sin alterarse:

—Puede intentarlo.

—Su acento no me suena. ¿De dónde es usted?

Enseguida inventó una patraña.

—Del norte de Francia, de Picardía.

—¿Y acaba de llegar de Picardía?

—*Oui*.

—Habla el inglés asombrosamente bien.

Ella lo miró a los ojos.

—Mi institutriz insistió en que aprendiera el idioma de los normandos y los anglosajones. ¿Habla usted francés?

—*Touché*. —Se llevó la mano a la frente a modo de saludo—. Mi francés es completamente impropio. —Bronwyn se relajó un instante, hasta que él añadió—: Por lo que al francés se refiere, solo domino lo referente al lenguaje del amor.

Sin pensarlo, Bronwyn se mordió la uña del dedo índice.

Adam rescató la sufrida mano y la apartó de su boca para examinar sus maltrechas uñas.

—No debería mordérselas de esta manera —la reprendió—. Resérvelo para un amante.

Bronwyn se ruborizó. A pesar de que con otros hombres había sabido responder a aquel tipo de insinuaciones, cuando Adam le hablaba no se le ocurría réplica alguna. Liberando la mano, le preguntó:

—¿Qué le trae por Londres, monsieur?

—Permitir que me entretenga —miró absorto las manos de Bronwyn, enlazándose—por el momento. Llevo un tiempo desatendiendo Change Alley, y le aseguro que es una amante caprichosa. Mañana pasaré el día entero por allí, rondando por las cafeterías.

—Habla de Change Alley como si fuera una mujer.

—Una exageración, por supuesto. Una mujer es el doble de fascinante —le acarició la mejilla con un solo dedo—, y el doble de caprichosa.

—¿Y de qué le sirve pasear ahora por el Alley? La Compañía de los Mares del Sur cerró cuentas a finales de junio y sir John Blunt se ha marchado a Tunbridge Wells para descansar con su familia.

—¿*Sir* John?

—¿No se ha enterado? Los beneficios que ha obtenido han satisfecho hasta tal punto al rey, que ha recompensado a su fiel servidor con una baronía —dijo Bronwyn, hablando del director de la Compañía de los Mares del Sur con una sonrisa, mientras Adam se llevaba la mano a la frente en un gesto burlón de desesperación.

—Locos, están todos locos. ¿A cómo están actualmente los títulos de la Compañía?

Bronwyn, olvidándose de su papel, le respondió:

—Por encima de mil, y Change Alley está aún lleno a rebosar de inversores.

Adam esbozó una sonrisita.

—Es usted una entendida.

Bronwyn, adentrándose de nuevo en el papel de Cherie, replicó:

—¿Y cómo evitarlo? Madame Rachelle intenta que la conversación se limite a artes y ciencias, pero todo el mundo quiere hablar de los beneficios que ha obtenido en Change Alley. —Y en un gesto de atrevimiento, añadió—: He descubierto que los asuntos monetarios me desagradan sobremanera.

—¿De verdad? —Lo dijo en un tono peligrosamente neutral—. Siempre he sido del parecer que la mujer no debería meter su preciosa cabecita en esos asuntos.

Bronwyn abrió la boca para replicar, y la cerró al instante. Prácticamente le había suplicado que dijera aquello; no podía culparle de haber caído en la tentación. Buscando algo de que reír, echó un vistazo a la estancia y descubrió un caballero que los observaba a través de unos anteojos plateados. Vestía bien, su peluca diseñada según las últimas tendencias, el corbatín atado con un lazo francés. Su rostro era liso, el color de su tez perfecto. Tenía la perfección de un retrato... completamente artificial.

—¿Quién es ese hombre? —preguntó Bronwyn—. Ese que nos mira fijamente.

A regañadientes, Adam retiró su atención de ella.

—No veo que nadie nos mire.

Entonces ella añadió con desdén:

—Creo que podría describirle como la maravilla de la caja de acuarelas.

—Ah. —Adam rió entre dientes, una risa que le produjo a Bronwyn un escalofrío—. Creo que se refiere a Carroll Judson. Se acerca para hablar con nosotros. Fíjese bien en él, Cherie, y luego cuénteme lo que ha visto.

Judson se acercó caminando como de puntillas sobre sus tacones y saludó con una reverencia a la pareja.

—Qué agradable sorpresa, lord Rawson.

—Una sorpresa, efectivamente.

Sorprendida por su brusquedad, Bronwyn miró de reojo a Adam y observó la tensión de la musculatura de su mandíbula. Era el regreso del antiguo Adam, del hombre que al verla por primera vez la había considerado deficiente. Que también consideraba deficiente a Carroll Judson y lo demostraba sin miramientos. ¿Correría por las venas de Adam aunque fuera una mínima expresión de diplomacia?

Pero Judson no pareció mostrarse ofendido. Sonrió, exhibiendo con el gesto una dentadura postiza de porcelana egipcia y preguntó alegremente:

—¿Cómo soporta usted a este bruto, querida?

—Mi visita con *monsieur le* Bronwyn *icomte* está siendo una delicia. Más de lo que cualquiera pudiera imaginarse, de hecho.

Judson se colocó justo donde no alcanzaba la iluminación de las velas.

—Es igual que su padre, me han dicho. Un hombre con gran afición por las damas.

Adam replicó apretando los dientes, enteros, blancos y propios.

—No me parezco en nada a mi padre, y mataré al hombre que afirme lo contrario.

Judson parpadeó, sorprendido.

—No pretendía ofenderlo. Al fin y al cabo, ¿quién mejor que yo para bromear acerca de su padre? Tenemos tanto en común, usted y yo.

Con la excepción de un pequeño cambio, Adam repitió literalmente la frase.

—No me parezco en nada a usted, y mataré al hombre que afirme lo contrario.

—No hay forma de complacerle. —Judson hizo un gesto de exageración—. De acuerdo, les dejo con su conversación, pero recuerde, mi estimada dama —se volvió hacia Bronwyn—, cuando se hastíe de esta criatura, acuda a mí.

El interludio dejó a Bronwyn sin nada que decir, y nada que hacer, excepto observar los dedos de Adam tensarse para adoptar la forma redondeada de la empuñadura de ámbar de su bastón. Le gustaban aquellos dedos tan largos, la amplitud de la palma, la totalidad de su mano, pero le desagradaba la frustración que podía llegar a provocarle tanta angustia.

—No tiene pelo.

—¿Qué? —Los dedos se relajaron un poco y le preguntó, empleando un tono de fingido asombro—: ¿Se refiere a que no ha conseguido engañarla con su disfraz?

—¿La peluca, esas cejas pintadas, las pestañas postizas? No, no me han engañado. Parece que lleve masilla en la cara, cubierta con una capa de pintura para darle algo de color.

Bajó la vista para protegerse de la mirada de admiración de Adam.

—Sufrió una viruela tan grave, que se quedó sin pelo. Como bien ha observado, cubre su piel con una capa de blanco con la esperanza de rellenar las cicatrices que le dejó la enfermedad, y luego eso lo complementa con carmín, cerusa, polvo y todo lo demás. —Le acarició la mejilla con un nudillo—. Su textura es de un esmalte tosco, nada que ver con la fina porcelana de su piel.

Bronwyn deseaba volcar sus labios sobre aquellos dedos y su reacción, tan contraria al rencor que debería guardarle, le provocó un intenso dolor en la zona que albergaba el corazón. Titubeando, preguntó:

—¿Y a quién podría engañar?

Jugando con el lazo superior del corpiño de ella, se inclinó hacia delante y su aroma a menta le acarició la cara.

—Le aseguro, mi querida Cherie, que en su vacío pecho late la esperanza de que todos le vean como él desea ser visto.

Con un pequeño tirón, deshizo el lazo.

Bronwyn le dio un bofetón en la mano.

—Monsieur, no debería practicar estos juegos con mi atuendo. Nadie desea ver mi corsé.

—Todo lo contrario —retiró el tejido y tocó la piel que sobresalía por encima de la ballena—, muchos desearían verlo. Sin embargo, deseo ser el único que tenga tal privilegio.

Bronwyn se quedó sorprendida al verlo expresar su deseo con tanto atrevimiento. Cogió la cinta por ambos extremos y anudó rápidamente el lazo.

—¿No es eso lo que todos buscamos? ¿Qué los demás nos vean como lo que nos gustaría ser, más que por lo que en realidad somos?

Adam deshizo de nuevo el lazo, que había quedado ladeado, y volvió a anudarlo con una elegancia que revelaba gran experiencia.

—Hay quien busca esconderse bajo una máscara, otros buscan esconderse provocando.

Nerviosa por la sugerencia, abrió el abanico, lo situó entre los dos y miró a Adam por encima. Parecía de nuevo algo aburrido, como si lo que acababa de decir careciera de relevancia. Temerosa de haberle dado excesiva importancia, le preguntó:

—¿Le importaría acompañarme a una discusión sobre la traducción que Pope ha hecho de la Ilíada?

Adam se puso serio planteándose la posibilidad.

—Preferiría una discusión entre usted y yo, sobre el laberinto de nuestras vidas y cómo hemos llegado a este encuentro predestinado.

Eso era precisamente de lo que ella no quería hablar.

—Una de nuestras damas es astrónoma. Tal vez le gustaría…

Él negó con la cabeza.

—¿Le gustaría ver el experimento que va a realizar?

—¿En qué la he ofendido, Cherie? Estábamos hablando de cosas generales, y usted quiere cambiar de tema. Hablábamos de intimidades, y usted desea volar. —Pero antes de que ella pudiera replicarle, agitó la mano en un gesto majestuoso—. No importa. Veo que tiene ganas de presenciar el experimento. Vayamos, pues.

—No es que no quiera… quiero decir que los experimentos que se llevan a cabo en el salón siempre me han interesado, y desearía presenciar este.

Adam se apoyó en el brazo del sofá para incorporarse.

—¿Y qué tiene de especial este en concreto?

—El joven señor Webster acaba de regresar de su *grand tour* y ha traído algo de Alemania.

—¿Sí? —dijo, animándola. Hizo una mueca de dolor al depositar el peso del cuerpo sobre la pierna.

—Lo llama «bomba de vacío». Dice que introduce un reloj en su interior, que extrae el aire mediante una bomba, y que el carrillón del reloj se silencia. Que enciende una cerilla, la mete dentro, extrae el aire y el fuego se apaga.

Adam suspiró.

—¿Y usted le cree?

Aquel escepticismo debería haberla molestado, pero el evidente dolor que sentía en la pierna la llevó a responderle con amabilidad.

—A lo largo de la visita que estoy realizando a esta casa, he visto demostraciones de todo tipo de cosas extrañas.

—Charlatanes.

Viéndolo cojear para rodear la mesa llena de gente conversando, ansió rodearlo con el brazo, pero su muestra de desagrado la detuvo.

—Lo confieso: lo veo todavía más como magia que como ciencia.

—Puede que, en resumidas cuentas, no sea usted tan crédula como parece —refunfuñó, recolocándose hasta conseguir reposar el cuerpo sobre el bastón.

Ella no respondió y se puso de puntillas. Webster estaba enseñando el globo alemán que, según él, era capaz de acallar milagrosamente un reloj y apagar una llama.

Judson se colocó a su lado y dijo, empleando un tono de superioridad:

—Vi una demostración de este asunto hace quince años, cuando realicé mi gira por el continente. Es ciencia antigua.

—¿Una gira por el continente? —La pregunta de Adam transmitía cierta mofa—. Tenía entendido que no fue tanto una gira como un exilio. Su padre escapó por los pelos de la cárcel, ¿no fue así?

Judson, encendido como la chispa que acababa de prender la llama del experimento, le espetó:

—Fue lo bastante listo como para evitar la horca.

—Y yo soy lo bastante listo como para evitar ir de presuntuoso —respondió rápidamente Adam—. Lo bastante listo como para coger la fortuna por el cuello y retorcerla hasta ser dueño de mi propia vida y no tener que depender de un mecenas.

Judson levantó la barbilla.

—Hoy la fortuna es mía, lord Rawson. Recuérdelo bien cuando mañana le abandone.

Riendo, Adam dijo entonces:

—Su amenaza es tan impotente como usted. No piense que no le he observado por Change Alley, correteando de cafetería en cafetería y metiendo las narices en los negocios de todo el mundo. Sin duda, debe de ser de lo más útil para el hombre que le da empleo, aunque me pregunto si el pobre es consciente de la perfidia que le caracteriza. Y si es consciente de que si aparece cualquier otro con un buen puñado de dinero, lo abandonará igual que una rata bien alimentada abandona un barco.

—¿Me ha observado? —La ojos de Judson se vaciaron al reflejar su consternación para, acto seguido, llenarse de malicia—. ¿Y en qué le convierte eso? ¿En un cazador de ratas?

—No me apetece en absoluto capturar esas alimañas —dijo Adam con simpatía—. Me limitaría a pisotearle. —Y cuando el hombrecillo se marchó, furibundo, Adam murmuró—: Pero averiguaré qué se lleva entre manos.

Bronwyn, que seguía a su lado, le preguntó:

—¿Era necesario enojarlo de esa manera?

—Ahora mueve dinero, pero recuerde lo que voy a decirle: pronto volverá a estar muerto de hambre. Me asombra que haya sobrevivido en Change Alley tanto tiempo. —Miró hacia el rincón donde se había quedado un malhumorado Judson—. Tiene una racha de suerte y lo dilapida todo, en lugar de construir pensando en el mañana.

—Le odia.

Adam la miró y sonrió.

—Una observación muy aguda.

Ella le devolvió la sonrisa, incapaz de resistirse a la yuxtaposición de músculos, huesos y piel que daban forma a su hilaridad. Luego, avergonzada por la reacción que no había podido contener, observó el experimento con fingida emoción. El caballero había colocado una llama en el interior del globo de cristal y apretaba repetidamente la bomba de mano. Pero su mirada debió de permanecer también fija en Adam, puesto que justo cuando la llama empezaba a flaquear, también lo hizo él. La pierna se le dobló por la rodilla y ella lo cogió al vuelo por la cintura.

Adam recuperó el equilibrio al instante, pero el dolor subrayó las líneas de expresión que le enmarcaban la boca.

—Venga —decidió ella—. Siéntese aquí, junto a la puerta.

Aceptó agradecido la silla, disculpándose.

—No pretendía caer sobre usted de esta manera. ¿Le he hecho daño?

—En absoluto —mintió, ignorando la magulladura que le había dejado la mano en el hombro izquierdo.

Se masajeó él el muslo.

—Es una chica valiente. Claro que le he hecho daño.

Bronwyn le apartó la mano y masajeó ella misma la pierna herida.

—Tal vez, pero no soy un jarrón frágil y decorativo. Soy bastante robusta, como verá, bastante...

Notó la musculatura tensarse bajo sus dedos y olvidó lo que iba a decir. Su rostro ardió como el fuego al considerar lo impropio de aquel masaje, que con tanta inocencia había iniciado. ¿Cómo detenerlo sin mostrarse turbada? Y, lo que era aún más importante, ¿quería detenerlo? Tocar el cuerpo de Adam era un placer y la tensión que percibía en el interior del ceñido pantalón le generaba curiosidad.

¿Acabaría claudicando a esa curiosidad? Dios... estaba planteándose seducirle.

Seducirle. A pesar de la atracción que había sentido hacia Adam la noche del solsticio de verano, jamás había llegado a comprender por completo los mecanismos del amor físico. Las vagas advertencias de su madre habían sido explícitas en cuanto al lugar —la alcoba— y el momento —por la noche.

Tal vez, si por su parte aportaba el lugar y el momento, lo demás vendría solo. Y, al fin y al cabo, no era Bronwyn Edama, sino la francesa Cherie. Tal vez la sofisticación, la coquetería y la *joie de vivre* de Cherie podrían guiarla.

Lo haría. Frunció el labio inferior. *Lo haría*, y lo haría con tanta astucia que él jamás sospecharía de su inexperiencia.

Fortalecida, masajeó el muslo una vez más, deleitándose con los contornos de la tela.

Adam refunfuñó, aunque no de dolor, y le dijo con voz ronca:

—Debería llamar mi carruaje antes de que la gente acabe apartando la vista del experimento.

Como pretendiendo subrayar sus palabras, la multitud alrededor de la mesa emitió un sonoro «oooh».

—Se ha apagado la llama —dijo Adam.

—Creo que no.

Ella se quedó mirándolo; él la miró. La llama de la que Bronwyn hablaba resplandecía en torno a la figura de Adam, transformando su rostro con la belleza de un ángel oscuro. Entonces se levantó y le tendió la mano. Él se quedó mirándola con una emoción de imposible descripción.

Adam la cogió antes de que ella se lo pensara dos veces y la acercó a su boca para besarle la palma. Le temblaron las rodillas con una emoción que nada tenía que ver con su anterior deseo. Mientras le masajeaba la pierna, se sentía fuerte; ahora se sentía débil y muy femenina.

—Qué contradicción —murmuró.

Comprendiéndola sin necesidad de explicaciones, él la rebatió:

—Qué promesa.

Daphne se dio cuenta de que Carroll Judson no podía despegar la mirada de la tierna escena que se estaba desarrollando junto a la puerta. Aquel insulso petimetre podía acabar siendo un buen conspirador en su campaña para expulsar a Cherie de casa de madame Rachelle. Tratando de no llamar la atención de nadie, Daphne se le acercó poco a poco y le dijo:

—¿No le apetece sumarse a nuestra discusión científica?

—Prefiero no hacerlo.

Daphne siguió la dirección de su mirada.

—Sí, coincido con usted. Las costumbres reproductoras de los humanos son mucho más interesantes.

—Muy sarcástica —dijo, él, reprendiéndola—. ¿Le importa?

¿Hasta qué punto contarle? ¿Reconocer que estaba celosa? ¿Hablarle sobre la relación especial que mantenía con Rachelle? Tal vez no sería lo más adecuado, puesto que nadie comprendía su veneración por Rachelle. Decidió decantarse por la pequeña transgresión que estaba cometiendo Cherie.

—*Monsieur le Vicomte* es un buen premio.

Judson resopló.

—No para las de su clase, pequeña bastarda. Aspira muy alto.

No se tomó mal la afrenta a su origen. ¿Por qué? Era la verdad. Lo que le sabía mal, lo que la irritaba, era la facilidad con la que aquella tal Cherie le había robado las atenciones de Rachelle hacia su incipiente talento. Que Cherie le hubiese robado al hombre que codiciaba solo era un detalle más a sumar a la envidia que ya sentía.

—¿Alto? No. La reputación del atractivo lord está ofuscada por un nubarrón y como hombre es un ejemplar decente. Me encajaría bien.

—Está comprometido.

—Su prometida huyó de él.

Judson la agarró por el brazo y la arrastró hacia un rincón. Sin dejar de mirar a Adam y la mujer, dijo:

—Cuénteme todo lo que sepa.

—¿No se ha enterado? —Permitió que una pequeña sonrisa asomara a sus labios—. Dicen que su prometida huyó de él por miedo, que prefirió encerrarse en un convento de clausura antes que compartir con él el lecho matrimonial.

—¿Es verdad que esa chica, esa tal Bronwyn Edana, se ha ido? ¿Es cierto eso?

—En parte es cierto. Se ha marchado de la casa. —Movió la cabeza en dirección a la pareja del sillón, segura de haber encontrado una forma agradable de crear problemas—. Pero evidentemente, todo lo demás son tonterías. ¿Cuál es la verdadera identidad de la enigmática Cherie?

Judson no lo captó de entrada, pero enseguida movió también la cabeza señalando a Adam y a su dama.

—No puedo hablar libremente del tema —ronroneó Daphne—. Rachelle me mataría.

La conducta de aquel hombre se transformó ante sus ojos y pasó de ser la de un petimetre a la de un salvaje. Rápido como una serpiente al ataque, trasladó las manos al cuello de Daphne y lo presionó.

—*Me daré* el enorme placer de estrangularla si no habla.

Presa del pánico, Daphne le dio un manotazo para quitárselo de encima. Judson la soltó, pero no dejó que se marchara.

Daphne, tocándose el cuello, comprendió que tal vez había errado en sus cálculos. Tal vez no fuera la mejor manera de crear problemas. Excitada y horrorizada por lo que estaba haciendo, se llevó la mano a la boca. Rachelle siempre decía que Daphne actuaba con excesiva impetuosidad, una opinión respetable. Rachelle, que había sido como una madre para ella. Rachelle, que volvería a estar más por ella si Bronwyn no estuviera allí. Daphne tomó una decisión.

—Es ella. Esa mujer con pelo de ramera. Esa es Bronwyn Edana.

—Imposible. —Sus manos, posadas sobre los hombros de Daphne, no cesaban de temblar—. Bronwyn Edana es la prometida de Adam. Ese metomentodo sin gracia jamás le permitiría escapar de sus garras.

En el amor y la guerra valía todo, ¿no era eso?

—Monsieur, yo solo sé lo que he oído decir entre Cherie y Rachelle.

—De ser esto cierto…

Volvió a deslizar las manos hacia el cuello.

Daphne se encogió, amedrentada por aquel hombre sin pelo.

—Lo es. —La expresión de aquel hombre era una amenaza de asesinato y las manos seguían atenazándole el cuello. Superada por el miedo, intentó escabullirse. Pero el hombre alargó el brazo, deteniéndola.

La cogió con ambas manos por la barbilla, le acarició las mejillas con los pulgares. Daphne gimoteó cuando Judson incrementó la presión, inmovilizándola.

—No dirá nada que me perjudique. Por si acaso me falla, sepa que tengo formas de garantizar su silencio.

Ella asintió, los ojos abiertos de par en par.

Satisfecho con su capitulación, la empujó para apartarla de él. E ignorándola como si careciese por completo de importancia, dijo:

—Nada podría ser peor. Nada podría ser más desastroso.

Se llevó la mano a la frente, un gesto digno de una actriz de Drury Lane.

—Bronwyn Edana aquí, en el salón de madame Rachelle con Adam Keane. Voy a ver qué puedo hacer con esto.

Con escalofríos y remordimientos, Daphne se alejó de él.

Pero él ni la vio marchar.

Capítulo 10

Adam subió la escalera apoyándose en el hombro de Bronwyn, aunque ella se dio cuenta enseguida de que se movía con más agilidad. Se preguntó si habría estado exagerando el dolor para conseguir una invitación a su alcoba y se descubrió pensando que era una posibilidad que le gustaba.

Abrió la puerta. Había olvidado por completo las enaguas que había dejado tiradas en el suelo, la colección de chinelas hechas un torbellino sobre la alfombra. El candelabro que llevaba él en la mano lo dejó todo al descubierto. Bronwyn se ruborizó e intentó excusarse.

—Disculpe todo este lío.

—Por supuesto. —Dejó el candelabro sobre el tocador situado frente al espejo y sujetó el bastón bajo el brazo. Cogiéndola por la barbilla, la obligó a mirarle—. Las faenas domésticas son terreno de la esposa, y una sirena como usted jamás encajaría en esa descripción tan escueta de la mujer.

Bronwyn experimentó una punzada de dolor al comprobar la rapidez con que había olvidado a su prometida, pero él no le dio tiempo a continuar pensando.

—Aquí hace calor, y eso que están abiertas las ventanas para que circule el aire. ¿Haría una sirena las veces de un ayuda de cámara? —Dio un paso atrás y extendió el brazo—. *Déshabilles-moi*.

Quería que ella lo desnudara.

Bronwyn fijó la vista en la mano extendida. Contrastando con la elegancia del terciopelo y el encaje, la palma ancha y callosa y los finos dedos delataban el trabajo de un marinero, el trabajo que le había convertido en quien era. Sus manos le recordaban aquel hombre formidable que ella sabía que era y, por algún inexplicable motivo, la llevaron a obedecer. Así que tiró del puño de la chaqueta. Él cogió la prenda y la arrojó sobre las enaguas. Le indicó a continuación los botones del chaleco bordado. Con el estilo desenfadado de un libertino, lo llevaba únicamente abotonado a la cintura. Lo desabrochó, él apoyado todavía en el bastón. Sabía que su inmovilidad era una farsa, puesto que Adam le hacía pensar cada vez más en un gato enorme que reservaba todas sus fuerzas para cuando la presa se pusiera a su alcance.

Se preguntó por qué estaría dispuesta a introducir la cabeza en la boca del león, y supo la respuesta cuando le despojó del chaleco. Sus espaldas, cubiertas tan solo con muselina blanca, le recordaron la noche del solsticio de verano y la pasión que habían vivido en el bosque. Adam prometía, de forma implícita, una excitación que hasta entonces ella solo había imaginado.

Se acercó un poco más para deshacer el corbatín de encaje blanco y abrir el cuello de la camisa. Cuando sus dedos rozaron el hueco de la clavícula, la mano de él se deslizó por la nuca de ella y enredó los dedos en su cabello.

Para haber estado al borde del desvanecimiento hacía apenas unos instantes, aquel hombre hacía gala de una gratificante energía. La besó con un adulador apetito que no se vino abajo en ningún momento, ni siquiera cuando Bronwyn decidió entregarse. Le capturó la lengua, se adentró en ella e inundó su boca de sabor a menta. Cuando ella empezó a jadear, casi sin aire en los pulmones, la soltó y se desplazó hacia la barbilla, las mejillas, la cara entera. No era tanto cariño como arrobamiento, y aquel atisbo de impaciencia la animó a corresponderle. Con el mismo desenfreno que él, besó cualquier pedazo de piel que se pusiera a su alcance, sorprendida por su desconocida exuberancia. Sabía que la experiencia en el bosque le había despertado el apetito. Había habido una promesa de plenitud, pero después se había denegado.

No podía ser verdad, entonaba su lógica. No podía ser verdad. Ni siquiera su inexperiencia podía negarlo. Cuando Adam la tocó, se encendieron como fósforos expuestos a la intemperie.

La fascinación que demostraba por su cabello la tenía cautivada. Empezó a besar la línea del nacimiento del pelo y a murmurar:

—*Clair de lune*. —Sumergió los dedos en su cabellera, disfrutando de su longitud, de su sedosa textura. Encerró un mechón en un puño y lo aproximó a la nariz para olerlo—. *Les fleurs.* — Gruñó—. *Votre chevelure sent merveilleusement.*

—*Oui* —murmuró ella, sin saber muy bien qué le había dicho.

Emitió él una carcajada ronca e intentó estrecharla más.

—Su cabello huele de maravilla. —Las ballenas de los *panniers* le molestaban y la apartó—. Retiremos este obstáculo —le ordenó—. Nada debe interponerse entre nosotros.

Buscó él la falda y ella retrocedió inmersa en la duda. Negarse rotundamente a que él la desnudara era una estupidez, pero eso fue justo lo que hizo. «Lo ha hecho *Bronwyn*, pero yo soy Cherie», se recordó. Europea, experta… ¿qué hubiera hecho Cherie en esta situación?

Él la animó.

—Hágalo usted misma —y le dio la impresión de que era la respuesta que andaba buscando.

Con una débil sonrisa, se despojó del vestido de seda y de las enaguas. Observó él con avidez la aparición de las chinelas y las medias. Antes de mostrar más, pasó las manos por debajo para deshacer el lazo de la cintura. Los *panniers* cayeron a sus pies y pasó por encima de ellos.

Adam despidió de un puntapié aquella jaula, sin dejar de contemplar la novedosa forma de las caderas.

—Las enaguas —le ordenó—. Las medias.

—Va usted demasiado rápido, monsieur —le reprendió ella.

—No tan rápido como me gustaría, *ma cherie.*

La miró un instante a la cara y apartó enseguida la vista. El contacto, aunque breve, la encendió. Le generaba un escozor que era incapaz de aliviar, una urgencia que no alcanzaba a comprender.

—Dios mío —musitó.

Consciente de pronto de su fuerza, repentinamente coqueta, se imaginó que estaba sola. Colocándose de perfil a él, levantó un pie para descansarlo en el pequeño sillón que tenía a su lado, despojándose antes de la chinela de piel. Unió ambas manos a la altura del tobillo e inició un largo y lento recorrido ascendente por la pierna. La falda fue levantándose, agónicamente, centímetro a centímetro. Dudó al alcanzar la liga y jugueteó con la escarapela que la decoraba.

—Hágalo —susurró él, su voz ronca por la tensión.

Con sumo cuidado, tiró del lazo y deslizó la media pierna abajo, enrollándola. Arqueó el pie y retiró la media. Mariposeó hasta rozar el suelo al tiempo que bajaba ella la pierna y posaba el otro pie en el asiento. Después de descalzarse, pasó de largo la liga y continuó hacia la cintura. Procurando que la caída de la falda revelara solo una insinuación de la piel del muslo y de la cadera, se aflojó las enaguas, aflojó la liga y miró a Adam.

Intuyó él su turbación. El bastón cayó con estrépito al suelo cuando se abalanzó sobre ella antes de que le diera tiempo a batirse en retirada. Sustituyó sus suaves manos por la aspereza de las suyas y bajó la otra media.

Ahora fue él quien empezó a provocarla. Sus manos se movían con más lentitud que las de ella, pero cosquillearon la cara interior de la rodilla. Acariciaron el músculo de la pantorrilla. Abarcaron el tobillo. Y durante todo el rato, abrasó su sensibilizada piel con tórridas miradas.

Apareció ante él lo que hasta entonces había permanecido oculto. No extremadamente bien, puesto que el parpadeo de las velas era incapaz de conquistar por completo la noche, pero si lo bastante como para que ella se tensara con una mezcla de vergüenza y orgullo.

La media se rasgó al abandonar el pie izquierdo y él se quedó mirando, asombrado, el desastre sedoso que capturaban sus dedos. Aprovechando que estaba distraído, ella intentó bajarse la falda, pero la mano de él aferró el muslo de la pierna que tenía sobre el silloncito.

—*Non, allumeuse*, me ha provocado y ahora va a recibir su castigo.

Se encogió de miedo, pero Adam se colocó entre sus piernas y la atrajo hacia él. El calor de su cuerpo reemplazó al instante el calor de su mirada… lo que era mucho peor, y con diferencia, puesto que seguía completamente vestido. La rodeó con ambos brazos, posó las manos en sus nalgas y empezó a moverlas en círculos. La fina seda de la falda no ofrecía protección de ningún tipo.

—Ya lo ve, *ma cherie*, de este modo puedo familiarizarme con todas sus deliciosas curvas. Y puedo familiarizarla además con la sensación de la seda contra su piel. —Los círculos fueron tornándose más pequeños, más concretos—. De hecho, creo que la seda aporta un ápice de decadencia, ¿no le parece?

Incapaz de pronunciar palabra, Bronwyn se limitó a asentir.

La reclinó sobre su brazo y le besó el pecho. La mano que tenía libre se consagró a trazar un sendero por su cadera y ascender luego hacia los lazos que decoraban y cerraban el corpiño. Uno a uno, desde la cintura hasta el escote, fue deshaciendo las lazadas. Separó con los dedos la seda para dejar al descubierto la parte delantera del corsé. Recorrió las flores bordadas, sonrió viendo el delicado bordado. La camisola seguía cubriéndole el pecho, una fina cortina de algodón que ocultaba la piel.

Ella apenas podía respirar a la espera de sus caricias y le clavó las uñas en el brazo, tirando de él.

—Una mujer que sabe lo que quiere, por lo que veo. —Le mordisqueó la oreja—. Una mujer que exige lo que se le debe. Una mujer poco común. —Siguió esculpiéndole el cuerpo con descaro—. ¿Es eso lo que quiere, *ma toute belle*?

Seguían sin salirle las palabras, aunque él no esperaba menos. Cerró él los ojos, satisfecho, la boca entreabierta en una sonrisa.

—Es poco común encontrar una mujer que no guatee su riqueza natural con rellenos de algodón.

Formando las palabras con dificultad, dijo ella por fin:

—No los necesito.

—Muy cierto —canturreó él—. Igual que tampoco necesita este corsé, que la oprime de esta manera.

Con ágiles dedos, aflojó la cuerda.

A pesar de que no tenía frío, la piel de gallina se extendió por todo su cuerpo.

El rostro de él dejaba patente la agonía en la que estaba inmerso, el placer que sentía.

—*Je suis fou.*

—*Oui* —jadeó ella, aun sin saber qué acababa él de decirle.

Con un leve empujón, la tumbó en el silloncito. Los cojines la recibieron con gentileza. Abrió los ojos al verlo cerniéndose sobre ella. Se pasó la camisa por la cabeza, dejando al descubierto un torso bronceado cubierto con vello oscuro.

Inclinándose sobre ella, sujetándose con una mano en el brazo acolchado del sillón, la cogió por la muñeca y condujo la mano hacia el esternón. El vello crujió bajo las yemas de sus dedos.

La guió por la línea que descendía hasta desaparecer en el interior del pantalón. Allí se detuvo ella, insegura, pero él la animó diciéndole:

—Continúe, pequeña *allemeuse*. Muéstreme las habilidades de una francesa.

El pantalón tenía que ir fuera, suponía, y supuso también que debía de esperar que ella se lo quitase. Pues muy bien, lo haría. Aunque siendo Cherie, y teniendo las habilidades de una francesa, tendría que prestar especial atención al bulto que contenían en su interior. La seducción, recordó, era su juego.

Con un impulso, presionó las manos sobre su entrepierna. Dio él una brusca sacudida. Lo exploró entonces con la punta de los dedos. Y él gruñó, un sonido ronco arrancado de lo más profundo de su ser. El placer que vio en su rostro le provocó a ella otra oleada igual, y cuando se incorporó, ella gimoteó, quejándose.

—Me ha llevado demasiado lejos. —Tiró del pantalón, retiró ligueros, medias y todo de un solo y furioso golpe—. Se merece…

Se detuvo. Bronwyn no sabía que un hombre pudiera ser tan grande, que su impaciencia pudiera darle aquel volumen. Por vez primera comprendió que aquello no funcionaría, y negó con la cabeza en silencio.

—Se merece… maldita sea, le daré todo lo que se merece.

La cólera desapareció de su tono de voz, pero no la amenaza. Lanzó un cojín con flecos al suelo y se arrodilló ante ella. Un reflejo la llevó a unir las rodillas con fuerza, pero él no puso reparos. Se limitó a acariciarle el vientre con las manos, hasta que la sensación de suspense la llevó a estremecerse. Le acarició con la punta de los dedos el contorno de la boca y se inclinó sobre ella. La besó tal y como lo recordaba, y se quedó sin habla.

No quería hablar.

La saboreó, movió los labios sobre los de ella, bebió de su boca. El aliento de ambos empezó a batirse en duelo, las lenguas a acariciarse con dulzura. Bronwyn desapareció de allí durante horas, años, se perdió en la oscuridad y se regaló en ello. Lo que le había enseñado antes no era nada en comparación con aquello, y cuando retiró él la boca, ella le siguió, murmurando palabras de queja.

Adam se sentó sobre sus talones y descubrió el tobillo de ella oculto por el bajo de la falda. Acariciándoselo, le preguntó:

—*Tu veux que je mets ma langue dans la chatte?*

La voz, que escondía una promesa, la convenció al instante.

—*Monsieur? Ah, oui.*

Él levantó una ceja, sonrió y se señaló la lengua.

—*Vraiment! ¿Ma langue?*

Cualquier cosa que tuviera que ver con la lengua sería celestial, a buen seguro.

—Oui, oui.

—Vous êtes ma chouchoute.

Se moría de turbación.

—*Oui?*

—Mucho «*oui*». Acabará convirtiéndome en un animal con su atrevimiento. —Le acarició la cara posterior de la rodilla, le levantó la pierna y se la cargó al hombro—. La mayoría de mujeres no se mostrarían muy de acuerdo con estas cosas, ni siquiera con un amante de larga duración.

Y antes de que ella tuviera tiempo para reflexionar sobre tan enigmática observación, le levantó la falda y se deslizó bajo ella.

El reflejo de las velas parpadeaba y brillaba en el espejo.

Igual que aquellas llamas, la lengua de Adam chamuscó su carne al acercarse a ella.

Ardía. Bronwyn ardía.

La boca de Adam la rozó finalmente, y la besó de un modo que jamás se habría imaginado. Cerró los ojos.

Quería apartarlo, quería abrazarlo. Cerró las manos en puños, arqueó los pies. Abrió los ojos y vio que lo tenía sobre ella, tan cerca que bloqueaba el paso de la luz con sus anchas espaldas.

—*Tu as le sang chaud* —dijo él.

Esta vez no cometió errores. No dio su conformidad, sino que extendió las manos y lo enlazó por la cintura con brazos temblorosos.

—*Tu veux coucher avec moi, oui?*

Ella se quedó mirandolo, sin entenderlo.

—Tienes que acceder a hacer el amor conmigo, *ma vie.* —Acercó la mejilla a la de ella—. No quiero que luego me deniegues tu consentimiento.

—No lo haría. —Sentía una débil indignación, provocada solo porque su cuerpo estaba temblorosamente a la espera. Pero él siguió acariciándola, esperando, hasta que ella dijo—: Haré el amor contigo.

—Le empujó la cabeza hacia atrás para mirarlo, aunque él había bajado la vista. Insistió—: Ahora.

—Una mujer exigente —observó él, maravillado.

Zarandeándolo por los hombros, ella siguió insistiendo.

—Una mujer frenética.

Él se negó a moverse con la velocidad que ella le demandaba. Casi como si quisiera castigarla por algún tipo de trasgresión, se arrodilló lentamente sobre el cojín, la atrajo hacia él y la posicionó. Tomándose todo el tiempo del mundo, se dispuso a encajarse, mientras ella observaba ansiosa.

Se adentró en ella.

Le ardía la carne. Le hacía daño. Era demasiado grande, tal y como se había imaginado.

—Por favor —titubeó—. No.

Él levantó la vista hacia ella y la miró. La miró de verdad por primera vez en toda la noche.

La realidad cayó sobre ella como un bofetón. Era Adam, el Adam que había conocido en Boudasea Manor.

Y ella era Bronwyn.

Ella no había conseguido engañarle. Él había sabido en todo momento quién era, estaba poseyéndola como un hombre dispuesto a reivindicarla para él. No le extrañaba que hubiera evitado mirarla: llevaba la verdad escrita en los ojos.

—No —susurró.

—Sí.

Sonriendo y mostrando su blanca dentadura, no disminuyó el ritmo.

—¡No!

Le empujó, pero él le forzó más las piernas, para separárselas.

Su virginidad se rindió por fin, vencida por su avance implacable. Continuó presionando hasta caer sobre ella. Se detuvo, jadeando como si acabase de correr una carrera.

—Has dado tu consentimiento. Has jurado que no te echarías atrás.

Insensible al rencor que le nublaba la mente, su cuerpo se adaptó a aquella invasión, acomodándose a él. Corría por sus venas un vestigio de la necesidad que había experimentado hasta entonces, aumentada, tal vez, por la rabia.

—Acaba, entonces. Acaba, pero te odio. Te odiaré eternamente.

—Eternamente es mucho tiempo. —Sus ojos la abrasaron en un nuevo movimiento—. Y tienes unas reservas de pasión enormes... Bronwyn.

—¿Creíste que no buscaría la venganza más exigua que pudiera? —Adam se rascó su dolorida pierna y clavó la vista en la espalda de ella—. Me humillaste.

—Robarme la virginidad no es una venganza exigua. —Envuelta en un chal de raso y tendida bocabajo sobre el ligero sofá, retorció el corbatín de encaje, como si el cuello de Adam estuviera en su interior—. O, como mínimo, yo no lo veo así.

Adam se presionaba los ojos con el dorso de las manos, normalmente no era tan torpe, pero la furia implacable de Bronwyn le había tomado por sorpresa. Se comportaba como si fuese ella la parte ofendida, negándose a reconocer su culpabilidad.

—Debemos llegar a un entendimiento en este asunto antes de volver a Boudasea Manor.

—No pienso volver —dijo en un tono monótono—. Ya te lo he dicho.

—Por supuesto que vas a volver. No puedes quedarte aquí. No es decoroso. Si por casualidad se conociese tu identidad, tu reputación...

—... como la hermana Edana fea —dijo ella, interrumpiéndole—, quedaría arruinada. Eso es lo que has dicho. Y yo digo...

—No me gusta que uses un lenguaje tan vigoroso. —Hablaba como un mojigato, pero le resultaba imposible callarse. Bronwyn lo trataba como si fuese un canalla. Se había jurado que cuando la encontrara le daría a conocer qué pensaba. Bronwyn había experimentado la punzada de su enfado, la furia de su posesividad... ¿por qué, entonces, se sentía culpable? Con una paciencia desconocida, dijo—: Supongo que esperarías que estuviera furioso por tu fuga.

—Lo que no esperaba era que aparecieras por aquí como Molière actuando en esa... —buscó mentalmente el título y acabó la frase, diciendo en tono petulante—, en esa obra.

Escondió él una sonrisa, aunque ella seguía negándose a mirarlo.

Probablemente porque él se había negado a ponerse encima otra cosa que no fuera la camisa.

—¿Te refieres a *El médico a palos*? ¿La obra en la que el leñador utiliza un incoherente latín para hacerse pasar por médico?

—Esa.

Encorvó los hombros en un expresivo gesto.

—Te he hablado en francés, y no en latín, y no he dicho incoherencias. —Se le acercó por detrás y le acarició la melena, sorprendido de nuevo por su color y su fina textura—. Una vez te dije que podía hacer el amor en cuatro idiomas, y es cierto, aunque son expresiones que tal vez una mujer de alta cuna desconoce... por mucho que hable francés.

Soltándose de su mano, le espetó ella:

—Te has reído de mí.

Adam se quedó en silencio. Estaba dándose cuenta de hasta qué punto se marchitaba el amor cuando quedaba expuesto a la burla. Hablarle en francés había sido un impulso irresistible, producto del acento fingido de ella y la rabia de él. En un intento de ganarse su comprensión, dijo:

—Cuando te vi por vez primera en Boudasea, no te conocía. Solo veía aquella espantosa peluca, los cosméticos que escondían lo que imaginaba serían horrores peores. Luego, a medida que fui conociéndote, me di cuenta de que lo que escondías era tu alma.

—No sé de qué hablas. Yo no me escondo.

—¿No? ¿Acaso no te dedicas a jugar con nosotros, los mortales inferiores? —Volvió a acariciarle el pelo, pero entonces tiró de él, exigiéndole una respuesta. Ella se encogió de hombros y él rió entre dientes—. ¿Lo ves? No puedes negarlo. Estaba descubriéndote, quitándote ese disfraz, ansioso por ver lo que descubría al final.

—No haces más que decir tonterías —replicó ella con frialdad.

—Esta noche, en el salón de madame Rachelle, no podía hacer más que mirarte. Tus máscaras habían desaparecido por completo, estabas tan magnífica como la luna en una noche despejada. —Experimentó una sincera punzada de dolor, de celos—. Te han mirado muchos hombres, han hablado contigo, se han enamorado de ti... y yo no estaba allí. Me he sentido como debe de sentirse una madre forzada a abandonar a su bebé, una madre que cuando regresa lo encuentra ya caminando. Así que ya ves, no eres la única que tiene una queja.

Bronwyn giró la cabeza y lo miró furiosa.

—¿Una queja? ¿Es eso lo que piensas que me pasa? ¿Qué tengo una queja?

Su mirada echó chispas de desdén antes de que volviera a darle la espalda. La sinceridad de Adam no había hecho mella. Seguía considerándolo un ser despreciable. Esto le pasaba por intentar explicar sus emociones a una mujer. Le dijo entonces:

—El matrimonio es un trato, y en un trato siempre hay alguien que se lleva la peor parte.

—Pues yo no quiero llevarme la peor parte de este trato —replicó ella, enfurruñada.

Adam cerró los puños con fuerza, confiando en no lanzarse a su cuello para estrangularla.

—No estás llevándote la peor parte del trato. Yo soy quien aporta el dinero, la casa, la estabilidad.

—Y yo soy la que vivirá bajo tu dominio. Yo soy la que sufrirá cuando mis enemigos se burlen de mí por culpa de tus amantes. —Miró fijamente la chimenea, aparentemente fascinada por las frías cenizas—. Yo soy la que sufrirá tu derecho a pegarme si así te apetece.

Herido, Adam le espetó:

—Como si fuese a apetecerme.

—Imagino que pocos hombres inician una relación imaginando que acabarán odiando a su esposa, pero eso es lo más habitual, no el cariño diario. —Envolviéndose en el chal como si estuviera muerta de frio, dijo—: Dices que no soy una apuesta, pero deseas casarte conmigo y apostar por tu continuado interés.

El raso de color azul cobalto moldeaba su cuerpo y la mirada de Adam se deleitó con la extensible fortaleza de su columna, tan claramente expuesta por la postura que adoptaba.

—No veo cómo podría perder el interés por una mujer que me lleva a perseguirla así.

Ella siguió ignorándolo a pesar de que Adam se acercó para cogerla por la barbilla.

—¿Dónde está la gracia del juego? Si el hombre se siente infeliz con su relación, se larga, busca otra mujer, pega a su esposa. El hombre tiene todos los derechos. Si la mujer es infeliz, no puede hacer nada.

—Excepto amargarle a él la vida, como tú estás haciendo conmigo. —Observó exasperado a Bronwyn, que agitó los pies en el aire. El chal se deslizó, dejando al descubierto tobillos y pantorrillas, pero consiguió salir airoso de aquella provocación intencionada. Incluso logró salir airoso de su ironía. Estaba tan inmersa en su humillación, que ni siquiera le importaba su presencia.

—Eres una criatura espantosa. —Profirió el insulto con el cariño de una caricia—. Yo, al menos, no me he dedicado a charlar con mi secretario sobre las desventajas de casarse con una mujer culta.

Ah, de modo que era eso.

—Temía que lo hubieras oído. Admito mi culpa y no puedo ofrecer ningún tipo de defensa razonable. Soy un hombre tan torpe, tosco e inculto como cualquier marinero.

Solo un lascivo desearía a una virgen recién desflorada, dijo.

—Me enseñaste a besar y luego te quejaste porque descubriste en mí a una alumna demasiado aplicada. —El encaje del corbatín de Adam emitió un lastimero sonido al rasgarse—. Me hiciste desear visitar tu cama y luego te dedicaste a colmarme de desdén.

Pese a lo que estaba escuchando, Adam no conseguía olvidar sus recientes gemidos de placer, el movimiento del cuerpo de Bronwyn pegado al suyo. Había intentado rechazarlo al comprender su perfidia, pero había sido incapaz de seguir desdeñándolo. Le resultaba imposible olvidar la dulzura de su sorpresa, el asombro que le había provocado descubrirse capaz de tanta pasión. Se sentía en el séptimo cielo recordando cómo había despreciado su experiencia al principio, luego la había temido, y al final la había buscado.

Bronwyn arrojó a la chimenea el maltrecho corbatín y dijo:

—Te ha sorprendido descubrir que era virgen, ¿verdad?

—No, no me ha sorprendido. —Se había sentido aliviado, pero no sorprendido. «Sorpresa» era una palabra demasiado insignificante. Le había dicho a su madre que la virginidad de Bronwyn le interesaba solo con el fin de demostrar una posible paternidad. ¿Era posesividad lo que estaba sintiendo?

—No sé por qué tendría que sorprenderte. Al fin y al cabo, soy la hermana fea.

Aquella conversación estaba repleta de trampas, trampas para atrapar a un hombre absorto por las formas de la mujer que tenía delante, no por el combate verbal que estaban librando.

—Eres tan bella que haces que mi corazón deje de latir.

Incrédula, Bronwyn puso cara larga y anunció su ultimátum.

—Me quedo en casa de Rachelle.

Adam se sentó con cautela a los pies del sofá.

—Madame Rachelle es una mujer bondadosa, pero te sentirías incómoda si tiene que mantenerte.

Ella lo miró por encima del hombro, desconfiando de sus movimientos.

—La princesa de Gales está interesada en el trabajo que estoy realizando con los manuscritos y ha accedido a mi petición para recibir una pensión.

—Ah. —La cogió por el tobillo y le acarició la planta del pie. Los dedos se agitaron, saltó e intentó soltarse. Con la indiferencia del hombre lujurioso que ahora sabía que era, empezó a masajearle el pie—. Supongo que aquí, además, tienes más tiempo para trabajar con los manuscritos que en Boudasea Manor.

Resistirse a aquel masaje superó la fuerza de resistencia de Bronwyn. Tal y como Adam sabía que sucedería, ella fue relajándose poco a poco.

—Sí, aquí dispongo de mi tiempo como más me conviene. No hay compromisos sociales a menos que lo desee, no...

Pasó al otro pie. Bronwyn dejó caer la cabeza sobre el sofá, olvidando lo que iba a decir.

—¿No...?

Adam la animó a continuar.

—No... mmm... —Había perdido el hilo de la conversación. Frunció el entrecejo—. Me gusta conocer hombres importantes.

Obligándose a continuar con el masaje, le preguntó Adam:

—¿Te ha reconocido alguien?

Bronwyn gimió en el instante en que Adam descubrió un punto especialmente sensible entre los dedos de los pies.

—Ahí siempre me duele cuando ando con esos tacones altos que ha puesto de moda el rey Luis.

El gemido lo distrajo, aunque solo por un momento.

—¿Te han reconocido? —insistió.

—No, nadie sabe quién soy.

Animado, preguntó:

—¿Quieres que te dé un masaje en las pantorrillas?

A lo que ella, levantando la cabeza, respondió:

—Por supuesto que no.

El ritmo de los dedos prosiguió sin interrupciones.

—Es evidente que esos estúpidos que se hacen llamar caballeros nunca podrían identificarte. El cambio es notable. Siempre supe que eras atractiva, pero algo había que no era lo adecuado. Ahora eres como una mariposa que ha logrado salir del capullo. ¿Cómo lo has hecho?

—¿Dices que antes te parecía atractiva?

Era lo único que había oído, comprendió Adam con satisfacción. Con minúsculos movimientos, se acercó al tobillo, pasó luego a la pantorrilla.

—No irás a creerte que intenté seducirte solo por tu cabeza. No soy tan altruista.

—Jamás pensé que…

Actuar con tanta artería no iba con su carácter, pensó Adam, reprendiéndose. Aunque no era más que la pura verdad y ella era un objetivo fácil en este sentido. Era como si en su vida hubiera oído un cumplido.

—No entiendo por qué ocultabas tu pelo bajo esa horrorosa peluca marrón. Incluso si te recogieras esta gloriosa cabellera y la cubrieses con una de esas gorritas de encaje, seguirías siendo una de las mujeres más llamativas que he visto en mi vida.

Cosquilleó la sensible piel de la parte posterior de la rodilla.

Notó la musculatura ceder bajo el efecto de sus artes.

—¿No recuerdas lo loco que me volviste en el bosque?

Con un tono de dulce sarcasmo, ella respondió:

—En el bosque estaba oscuro. No podías verme.

—Llevaba mirándote toda la noche. Sabía dónde me metía.

Inclinándose, sopló con suavidad para levantar la ligera tela que le cubría los muslos.

—No te pienses que no sé lo que estás haciendo. —Se estremeció—. No te servirá de nada. Estoy enfadada contigo.

—¿Cómo puedo pedirte perdón? —preguntó él, protestando.

—¿Piensas pedirme perdón haciéndome lo mismo que me ha hecho enfadar tanto?

Lo dijo con incredulidad, pero su voz la delató.

Adam emitió una carcajada gutural y le acarició como con una pluma la parte interior de los muslos.

—¿De verdad ha sido ese el motivo de tu enfado?

—No deberíamos...

Adam sumergió un dedo en su interior y quedó maravillado ante la buena disposición de su cuerpo.

—¿O si deberíamos?

Capítulo 11

*A*dam se secó el sudor de la frente. Nunca había visto tanta gente de la alta sociedad en Londres en pleno agosto. La Temporada había tocado a su fin para los nobles y los ricos. Normalmente, huían del calor refugiándose en sus fincas rurales. Pero aquel año no. Aquel año las damas y sus criadas competían con hombres de negocios y la escoria de la ciudad para acercarse a Change Alley, donde la fortuna cambiaba a diario de manos y los mozos se desplazaban ahora a bordo de carruajes.

No quería estar allí; tampoco tendría que caminar si pretendía que su dolorida pierna mejorase algún día, pero ¿adónde ir? Bronwyn no quería moverse de aquel salón y él no estaba dispuesto a regresar a Boudasea Manor sin ella.

—¡Lord Rawson! Me alegro de verle de nuevo en pie. —Northrup le dio una palmada en la espalda como si fuera un amigo de toda la vida—. Me dijeron que había estado enfermo.

Adam se tambaleó bajo aquella innecesaria demostración de fuerza.

—Qué va. Como puede ver, estoy más sano que nunca.

—Tendría que haber apostado por ello. —Hundiendo los pulgares en los bolsillos de su chaleco de terciopelo, Northrup asintió con conocimiento de causa—. Sí, milord, tendría que haber apostado por ello.

Adam miró de reojo al joven.

—Por lo que veo, Change Alley te ha tratado bien.

Northrup sonrió, algo humillado, pero muy orgulloso.

—Muy bien, señor. Me han sustentado sus enseñanzas.

Como un niño con un juguete nuevo, se alejó con elegantes andares, dio media vuelta y se acercó de nuevo a Adam, haciendo gala de su caro atuendo.

—Me alegro.

Una actriz de teatro empujó a Adam para abrirse paso y, contrariado, le arreó un golpe en el trasero con el bastón. La mujer chilló y se giró para reprenderlo.

Northrup cogió a Adam por el brazo y le preguntó:

—¿Le gustaría visitar Garraway's? Así podría ponerle al día de los chismorreos que corren en este ambiente digno de un invernadero.

—No hará falta que digas mucho más para convencerme. —Adam miró furioso a la descarada actriz—. El barrio financiero se ha convertido en una casa de locos.

—Así es, señor.

Northrup abrió la puerta de la famosa cafetería donde se concentraba el negocio del mercado de valores.

Diversos conocidos saludaron a Adam y él les devolvió el saludo.

—Supongo que habrán llegado a sus oídos diversos rumores.

Northrup guió a Adam hacia una mesa en un rincón, donde ambos pudieran sentarse apoyando la espalda en la pared. Bajó la voz.

—Rumores, que no hechos.

—Cuéntamelos todos —le ordenó Adam.

Respondiendo con una sonrisa ladeada al tono autoritario de Adam, Northrup levantó la mano para llamar al propietario del local.

—Café —le pidió. Y se giró de nuevo hacia Adam—. Se sabe que numerosas compañías que pidieron autorización para operar han visto rechazada su solicitud.

—No me sorprende. El Acta de la Burbuja del Parlamento cataloga de engorro público cualquier compañía que opere sin autorización.

—Sí, el decreto es estupendo para la Compañía de los Mares del Sur. El flujo de dinero que antes se escapaba de su alcance para ir a parar a otras compañías se detiene antes de que empiece a correr. Pero...

Northrup se interrumpió cuando apareció con la aromática bebida aquel robusto hombre al que conocían con el nombre de Garraway.

—Me alegro de verle, lord Rawson. —Garraway se embolsó la moneda que Adam había dejado encima de la mesa—. Le echábamos de menos.

—No tanto. —Adam indicó con un gesto el gentío que se apiñaba alrededor de las mesas—. El negocio va viento en popa.

Garraway resopló.

—Me quedaría con el negocio si pudiera echar de aquí a todos esos intermediarios, no sé si me explico.

—¿Tantos hay? —preguntó con interés Adam.

—Ni siquiera puedes escupir sin salpicar a alguno de ellos. —Escupió para subrayar sus palabras y sonrió de oreja a oreja cuando vio que un caballero se apartaba espantado—. Aunque los cambistas autorizados son una rareza.

—Y aburridos, además —sugirió Adam—. Muy aburridos.

—Yo no diría eso. —Garraway sonrió, dejando entrever los huecos de dos dientes que le faltaban—. O al menos, no se lo diría a la cara.

Adam se echó a reír.

—Cuando me muestro demasiado altivo, siempre puedo confiar en ti, Garraway, para que me bajes los humos. ¿Y está esto tan concurrido como antes?

—En absoluto, que va. —Bajó la voz—. No desde que esas compañías burbuja decidieron cerrar el chiringuito y largarse.

—El Acta de la Burbuja…

—No creo que sea tanto porque haya un documento impreso, como porque alguien esté echando a esas compañías dándoles una patada en el culo.

—¿Pretendes decirme que hay alguien intentando convencer a los propietarios de que ha llegado el momento de largarse?

—Lo único que digo es que los propietarios de esas compañías han sido víctimas de ciertos actos de violencia.

Adam emitió un silbido y apoyó la espalda en la pared.

—Aunque a decir verdad —prosiguió Garraway—, no creo que se trate de un comprador de títulos resentido porque ha descubierto que ha sido estafado.

—¿Qué sospechas entonces?

—Maldita sea —explotó Northrup—. Iba a contárselo yo.

—Por supuesto. —Garraway se retiró un poco—. No quiero robarle el protagonismo.

Northrup tuvo la elegancia de mostrarse turbado, aun así, dijo:

—Creo que se trata de un agente de la Compañía de los Mares del Sur que está animando a las empresas —Northrup enarcó intencionadamente una ceja— a que se declaren en bancarrota.

—Un navajero que trabaja para John Bluny —reflexionó Adam.

—Un navajero muy listo —replicó Northrup.

Garraway se secó las manos en el delantal.

—Sí, demasiado listo para tipos como yo. No me gustaría nada tropezarme con él en un callejón oscuro, no sé si me explico. —Miró a su alrededor y dijo—: Mejor que me pire. Si sigo hablando así, no haré más que buscarme problemas.

—En ese caso, vete enseguida. Pero antes...

Adam hurgó en el interior de su monedero.

—En otra ocasión. —El hombretón se rascó la nariz en un gesto de sentimentalismo—. Ha sido un placer poder hablar con alguien que no se ha vuelto loco por culpa del dinero.

Cuando Garraway regresó a la barra, Northrup acercó la silla a la de Adam.

—Ha obtenido más información en diez minutos de la que yo he conseguido sonsacar a la gente en un mes. Se lo digo, señor, todo el mundo sabe que ya no trabajo para usted, pero siguen mostrándose conmigo tan cerrados como una almeja.

—Viejos contactos —dijo Adam, tranquilizándolo—. Acabarás cultivando también los tuyos.

—Pero me gustaría devolverle todo lo que hizo por mí. —Northrup parecía sentirse realmente desdichado—. Me sentí... culpable al marcharme del modo en que lo hice, y me gustaría...

—Entre nosotros no existe ninguna deuda. —Pasmado y algo contrariado por la muestra de compromiso de un hombre que quería alejar de su vida, Adam dijo—: Realizaste un servicio y te pagué por ello.

—Sé que me contrató por bondad.

—¿Bondad? —Casi alarmado por aquella acusación de humanidad, Adam miró furibundo a Northrup—. En absoluto. Necesitaba un secretario. Tenías la formación para ello.

—Sí, pero...

—Era un asunto de negocios.

Northrup agachó la cabeza.

—Pero me enseñó muchas cosas. Eso no es solo un asunto de negocios.

—Lo que te enseñé sirvió para que pudieras aportarme más valor. —La brutalidad de sus palabras era similar a la de un chucho callejero, pero la intención de Adam era desanimar todas aquellas bobadas sentimentales—. Fue pura coincidencia que de paso te capacitara para ganar una considerable fortuna.

Con el ardor que solo un joven es capaz de exhibir, Northrup dijo entonces:

—Lo quiera o no, señor, ha sido usted bondadoso conmigo. Me ha tratado con dignidad mientras otros me despreciaban.

—Un marinero siempre lleva a cabo mejor sus deberes cuando tiene su orgullo asegurado. —Con el desdén de un oficial hacia un grumete, declaró—: Jamás he visto motivos para pensar que los que trabajan en tierra tengan que actuar de un modo distinto.

Northrup se mordió el labio.

—No creo, señor, que sea usted tan desalmado como pretende.

—Lo soy. Créeme, lo soy. —Cogió a Northrup por la muñeca y lo apretó con una fuerza capaz de machacarle los huesos—. Pero no digas más. —Northrup intentó protestar, y Adam repitió, con toda su intención—: No digas más.

Northrup retiró la mano y miró, asombrado, la combinación de pintura, cintas y peluca que había aparecido junto a la mesa.

La sonrisa de Carroll Judson dejaba al descubierto su dentadura postiza de porcelana egipcia.

—Qué placer, lord Rawson. —Sin apartar la mirada de Adam, ordenó—: Déjate de gimoteos, Northrup, hijo mío, y vete a buscarme una copa de vino. Francés, lo mejor que Garraway tenga para ofrecerme.

—¿Y ahora resulta que viene Humpty Dumpty dándome órdenes? —dijo con incredulidad Northrup.

La sonrisa satisfecha de Judson se desvaneció y murmuró:

—Eres un insolente.

Adam consiguió controlar la risa y chasqueó los dedos. Northrup y Judson interrumpieron su intercambio de miradas furiosas para girar la cabeza. Adam movió el pulgar en dirección a Northrup, como si el joven fuera una criatura inferior a su servicio. Ofendido, Northrup se levantó e hizo una reverencia, cumpliendo el encargo de Judson con desgana mientras Adam reflexionaba pensando que Northrup dejaría de gimotear a partir de entonces sobre su presunta bondad.

Aunque eso carecía de importancia. Judson no venía a buscarlo para intercambiar cumplidos. Tal vez disponía de información que vender o trocar, y el ego de Northrup no podía estar de por medio.

—La verdad es que no creo que el mejor vino de Garraway sea bebible —dijo Judson—. Tengo un paladar exquisito, ¿sabe? —Sonrió y retiró la silla situada enfrente de Adam—. ¿Me permite tomar asiento?

—Faltaría más.

Aleteando como una polilla expuesta a la luz del sol, Judson retocó sus puños, su corbatín, el elegante cierre trenzado de su chaqueta.

—Resulta asombroso que me topase anoche con usted y ahora de nuevo, esta mañana. —Miró a Adam por encima de sus anteojos plateados—. Se le ve cansado. ¿Ha dormido bien?

Adam se quedó mirándose las uñas.

—Muy bien. Muy bien. Soy un poco curioso. Pero gracias a ello he conseguido ganar mucho dinero estos últimos meses. Una insinuación por aquí, un consejo que te dan por allá. Y en nada de tiempo he conseguido hacerme con todos los títulos que quedaban sueltos y reservarlos para venderlos en el momento adecuado.

—¿Y eso cuándo será? —preguntó con frialdad Adam.

—Por supuesto, antes de que se produzca la quiebra. —Judson meneó un dedo en dirección a Adam—. Vamos, vamos, es usted demasiado astuto como para no saber que los títulos de la Compañía de los Mares del Sur caerán en picado.

—Soy muy astuto, pero no me había dado cuenta de que usted también lo fuera.

Judson rió por lo bajo.

—Es usted tan zafio, lord Rawson, que no sé siquiera qué hago hablando con usted. —Adam abrió la boca para replicar, pero no le dio tiempo, puesto que Judson continuó—: Es evidente que los títulos bajarán, pero ¿cuándo? Esa es la cuestión. Supongo que es por eso que está aquí en Londres en lugar de estar en su casa con su encantadora prometida. ¿Cómo se llamaba?

—¿Le interesa para algo?

—Bronwyn... —Tamborileó con los dedos sobre la mesa—. Bronwyn Edana, ¿no? ¿Y se ha celebrado ya la boda?

—Todavía no —respondió Adam de mala gana.

—Ah, eso explicaría lo amargado de su carácter. Es una de esas bellezas Edana y no ha podido aún meterse en su cama —canturreó Judson—. ¿Está previsto para pronto el feliz acontecimiento?

—Si tiene algo que decir, dígalo. De lo contrario, daré un buen uso a este objeto.

Adam depositó el bastón sobre la mesa dejando patente con ello su desagrado.

Satisfecho por haber empujado a Adam hacia una muestra de violencia, Judson dijo en voz baja:

—La situación de los títulos es inquietante. Imagino que andará tratando de detectar evidencias, ¿no?

Adam se recostó lentamente.

—De hecho, creo que acabo de dar con el hombre adecuado. Usted podría explicarme qué está pasando.

Después de que Northrup dejara la copa en la mesa, respondió:

—Seguramente mejor que su joven amigo.

Adam señaló la silla vacía y, resentido aún, Northrup tomó asiento. Era una lástima que el poco dinero que había ganado se le hubiera subido a la cabeza, pensó Adam, puesto que el joven satisfacía sus deseos con una perspicacia que lindaba con la genialidad.

Judson tosió exageradamente para aclararse la garganta. Adam lo miraba fijamente por hacer alguna cosa, simplemente. Y aquello había debilitado la compostura de Judson, puesto que empezó a tocarse los parches de terciopelo que adornaban su cara y dijo, quejándose:

—Esa mirada suya sería capaz de taladrar el acero. Preferiría que la dirigiese hacia otro lado.

Adam enarcó una perezosa ceja y le hizo caso, no sin antes ordenarle:

—No se los toque. Su ayuda de cámara le regañará.

Judson dejó de tocarse la cara.

—Mi ayuda de cámara se toma muy a pecho mi acicalamiento. Bastante más que yo mismo, me atrevería a decir.

Northrup emitió un bufido de incredulidad que rápidamente se transformó en un ataque de tos cuando Judson se volvió hacia él.

—¿Has pillado la tisis? Es tan común entre la gente de clase inferior.

Northrup ni pestañeó, pero no pudo evitar la marea de rojo que le ruborizó las mejillas.

Con una sonrisa fingida, Judson dijo:

—Tendrá que entrenar mejor a sus criados, Adam.

Adam infló las fosas nasales y replicó:

—Northrup no es mi criado, y nunca lo ha sido. Era mi secretario y, de no ser por una mala pasada del destino, sería ahora el marqués de Tyne-Kelmport. Estaría mirando desde arriba a tipos como usted, Judson, de modo que yo atemperaría mi postura, de estar en su lugar.

—Tiene razón. —Judson dirigió una sonrisa afectada a Northrup—. Tu tío soltero se casó y engendró un heredero antes de tener el buen gusto de morir, ¿no fue eso? No te preocupes. Los niños suelen sufrir de muy mala salud. Basta con echar un vistazo a la descendencia de la antigua reina Ana. Diecinueve hijos y ninguno con vida. Es posible que ese mocoso fallezca también.

—La verdad es que es usted una rata —dijo Northrup sin ninguna emoción.

Ahora fue Judson el que se ruborizó.

—¡Bueno! Y eso que solo estaba deseándote buena suerte.

Sonriendo en secreto al ver a Judson tan incómodo, Adam le dio un sorbo al café.

—¿Cuándo regresa sir John Blunt de Turnbridge Wells?

—Pronto —dijo Judson—. Es decir, imagino que regresará pronto para ver cómo va la Compañía.

Adam entrecerró los ojos mirando a Judson. Primero había respondido con seguridad y luego había querido disimular que lo sabía. Interesante.

—Pronto pondrá a la venta una nueva suscripción de títulos.

—Seguro, y será un momento estupendo para invertir. —Judson se giró hacia Adam para susurrarle—: He oído decir que sir John tiene planes para acabar con todas aquellas compañías que no acaten su grandioso plan.

—¿Y qué compañías son esas?

—Royal Lustring, York Buildings...

Adam dejó la taza en la mesa dando un golpe audible.

—... la English Copper Company y la Welsh Copper Company.

—¿Y cómo piensa sir John sacar adelante esta tontería? Son empresas que llevan años con sus estatutos aprobados.

—Demostrará que esos estatutos son inválidos. Ya han hablado con el canciller de Hacienda y con lord Townshend, y este está actuando como regente en ausencia del rey, ya lo sabe.

Judson apoyó el codo en el respaldo de la silla.

—Pero se trata de compañías estables y con un buen historial.

Judson enarcó sus cejas pintadas.

—¿Y?

—Cierto —dijo secamente Adam—. La lógica no tiene cabida en el loco mundo de las finanzas. Aunque de ser esto cierto...

—¿A quién piensa creer? —Judson empezó a dar golpecitos en la copa con la uña, un tintineo arrítmico que puso a Adam de los nervios—. ¿A mí o a su pequeño secretario enfermizo?

—A ninguno de los dos. No pienso creer a nadie hasta que haya consultado todas mis fuentes.

—Ya lo verá. —Judson se levantó y se recolocó la vestimenta—. Llevo la razón.

En cuanto se alejó, Adam se volvió hacia Northrup.

—¿Lleva la razón?

—Corren rumores, y ese es uno de ellos —reconoció Northrup.

—Es el rumor que predice el fin. Vende tus títulos, chico. Véndelos. —Adam se levantó y observó la desaprobación del semblante de Northrup. Encogiéndose de hombros, dijo—: Puedes cometer locuras si así lo quieres, claro está. No estás bajo mi responsabilidad.

—¡Espere! — Northrup se levantó también—. ¿Dónde se aloja?

—¿Por qué lo preguntas?

Sorprendido, Northrup tartamudeó.

—Por si oigo rumores de más noticias, para poder transmitírselas.

—Por supuesto. —Adam se relajó. Debería estar hospedándose en casa de algún amigo, o en su club, o incluso en una posada. Ningún caballero volvería a visitar a su prometida como si fuese su amante. En realidad, no tendría ni que ir a ver de nuevo a Bronwyn. Debería dejar que se preocupase por él; era una estrategia que había utilizado con mucho éxito con otras mujeres. Pero incapaz de seguir sus propios consejos, dijo—: Si me necesitas, haz llegar un mensaje a casa de madame Rachelle, en West London. Allí sabrán cómo contactar conmigo. —Empezó a andar para marcharse, pero se detuvo—. Humpty Dumpty, ¿eh? Una descripción precisa y descriptiva, Northrup: Humpty Dumpty.

La preciosa hermana de Bronwyn se secó con nerviosismo las comisuras de los ojos intentando esconder su aflicción a la alta sociedad que pululaba por el salón de Rachelle.

—Mira lo que has hecho.

Lady Holly, vizcondesa de Sidkirk, le mostró un pañuelo níveo salpicado con manchones negros.

Bronwyn, cambiando el peso de su cuerpo de un pie a otro, lo negó.

—Yo no lo he hecho.

—Me has hecho llorar con tu falta de disciplina y tu terquedad irrazonable, y por tu culpa se me está corriendo el maquillaje. —Sentada en una otomana baja, Holly levantó la cabeza para mirar a Bronwyn—. ¿Cómo ves mis polvos?

Cuando Holly la había descubierto en el salón, Bronwyn se había acobardado, pero el pánico había ido menguando lentamente y ahora se disponía a engatusar a su hermana para que olvidara su sentido del deber. Viendo la reseca superficie que le cubría la piel, dijo:

—Bien. Pero Holly, ¿por qué te pones tantas cosas en la cara? Eres bellísima.

Holly apartó la vista y murmuró:

—No soy tan joven como tú.

—Pero se te acabará cayendo el pelo —insistió Bronwyn.

Siempre paciente con su hermana, Holly suspiró y dijo:

—Llevo peluca.

—¿Cómo puedes vivir tan resignada? ¡No la necesitas! Eres una de las sirenas irlandesas —declaró Bronwyn.

—¿Y? —Holly se encogió de hombros con petulancia—. Eso no detiene la arremetida de la naturaleza.

—Tienes mejor aspecto tú con treinta y un años que yo con veintidós —replicó Bronwyn con cierta amargura.

Holly miró furiosa a su hermana.

—¿Cómo te atreves a quejarte con un aspecto tan cosmopolita, tan intrigante, tan *magnifique*, tan *chic*?

Bronwyn protestó con escaso humor:

—Nada de francés, por favor. Acaba metiéndome en horribles problemas. —No quería hacerlo, pero acabó formulando la pregunta—: ¿Crees de verdad que soy atractiva?

Holly tiró de ella para que se sentase a su lado. Bronwyn hizo una mueca de dolor cuando su trasero entró en contacto con el duro cojín, pero Holly no se dio ni cuenta.

—Tienes un aspecto salvaje, como una leona. A mí casi me das miedo, pero atraes todas las miradas, y eso es peligroso. Atraes una atención casi excesiva, y eso provocará envidias. Confía en lo que voy a decirte: saber que alguien podría hacerte daño por simples celos no es una sensación en absoluto confortable. Ve con cuidado, hermanita.

Mareada e incluso algo violenta, Bronwyn se dio cuenta por vez primera de que valoraban su aspecto por encima del de sus hermanas... y eso se lo decía precisamente una de ellas.

Holly estudió a Bronwyn y tomó una decisión:

—Tengo una cosa que necesitas. La compré en Niza la pasada primavera. —Hurgó en el interior de su bolsito con flecos—. *Parfum d'Orange*, fabricado por un viejecito que con mucha habilidad me alertó de que no era para nada mi esencia, pero no le hice caso y lo compré igualmente. —Holly cogió el pañuelo de encaje de Bronwyn y lo empapó con perfume. Lo aplicó luego detrás de las orejas de su hermana, en los brazos y en la parte del pecho que dejaba ver su *décolletage*—. Huele, ¿no te parece demoledor?

Bronwyn inspiró hondo la fragancia de naranjas.

—Me parece maravilloso.

—Es para ti. —Holly deslizó el frasco en uno de los bolsillos de su vestido—. Acéptalo como un regalo.

—Gracias...

—Y ve enseguida a ver a papá y a mamá y pídeles perdón por haberlos tenido tan preocupados.

Bronwyn se echó a reír al comprender la estratagema de su hermana.

—No me imagino que estén preocupados. ¿Cuándo has visto tú que les preocupe otra cosa que no sea la próxima fiesta a la que piensan acudir?

—Estás siendo tremendamente fría.

Los grandes ojos de Holly estaban otra vez llenos de lágrimas.

—Estoy siendo tremendamente práctica. ¿Quién me reconocería? Ni siquiera tu marido ha adivinado quién soy, y lleva además años ignorándome.

—Por supuesto que sabe quién eres. —Holly se negaba a mirar hacia donde estaba el vizconde de Sidkirk—. Está disimulando.

—Holly —dijo Bronwyn, exasperada—, está flirteando conmigo.

Las comisuras de la boca de Holly se acentuaron y entre las cejas aparecieron dos hendiduras.

—¡Cómo es posible! ¡Con mi propia hermana!

—Jamás pensé que fuera capaz de distinguir una aguja en un pajar. —De reojo, Bronwyn vio que a Holly le temblaba la barbilla, y le preguntó, esperanzada—: No seguirás queriéndolo, ¿verdad?

Holly sacó de nuevo el pañuelo.

—Ya sabes que sí.

—¿Por qué? —Bronwyn quería garantías—. Te casaste con él porque papá y mamá te dijeron que tenías que hacerlo. Es espantosamente rico, pero te trata con desdén. Está poniéndose como una vaca, seguro que tiene gota y lo único que le interesan son mujeres más jóvenes que él.

—Si te hubieses enamorado alguna vez, no preguntarías eso. —Holly movió afirmativamente la cabeza—. Ese tipo de amor te envuelve el corazón como una enredadera y luego eres incapaz de arrancarlo.

—Tal como lo cuentas, parece una mala hierba.

—A veces también me lo parece a mí. —Mordiéndose unos labios perfectos y pintados con carmín, Holly posó la mano en el brazo de Bronwyn—. Pero cuando es maravilloso... es tan maravilloso. No me imagino vivir sin eso. Cuando Sidkirk se acerca, tiemblo de felicidad. Si pudiésemos encontrar un hombre que pudieras amar... —Entrecerró los ojos—. ¿Cómo es tu prometido?

Bronwyn se sobresaltó.

—¿A qué te refieres con eso de cómo es?

—Ah. —Holly inspiró hondo—. Empiezo a comprenderlo.

—¿A comprender qué?

—Lord Rawson es un hombre formidable.

—¿De verdad?

—Lo respondes a todo con una sola pregunta —dijo Holly en un tono acusador.

Bronwyn cogió su pañuelo.

—¿Yo?

—Está en la ciudad, ya lo sabes.

—Lo sé. —Desesperada, Bronwyn sonrió a Sidkirk, que se acercaba a ellas—. Hermano, encantada de verte.

—¿Hermano? —Le crujió la faja al inclinarse para besarle la mano—. Me encantaría establecer una relación con usted, querida mía, pero no soy su hermano.

Cuando la humedad de aquellos labios entró en contacto con su piel, Bronwyn le dio con el abanico en la mejilla.

—Ya tenemos una relación, majadero. Soy la hermana de Holly.

Llevándose la mano a la mejilla, la miró con ojos miopes.

—Imposible. Todas las chicas Edana son iguales.

Holly le acarició la otra mejilla para consolarlo.

—Mira, Sidkirk, es la pequeña Bronwyn.

La miró a través de unas gafas.

—¿Bronwyn?

—Tu asombro resulta adulador —observó con sarcasmo esta.

—¡La pequeña Bronwyn!

Con jovial disposición, Sidkirk la enlazó por la cintura.

La asaltó al instante la combinación de aroma a perfume de lavanda, olor corporal y mal aliento. La pellizcó con unos dedos rechonchos y empezó a ascender lentamente hacia su pecho. Bronwyn levantó el codo y se lo clavó en el torso, en el mismo instante en que caía hacia atrás. Cuando se giró, vio a Adam sujetando a Sidkirk por el cogote.

—¡Sidkirk! —exclamó cordialmente Adam—. Mantenga sus apestosas manos alejadas de mi esposa.

El corazón de Bronwyn empezó a palpitar con fuerza al ver al moreno lord. Deseaba que se la tragara la tierra cuando pensó en lo que habían hecho la noche anterior. Deseaba mantener la frente bien alta y sentirse orgullosa por cómo había reaccionado Adam a ella. Le abrasaba la piel, no sabía si de azoramiento o de deseo. Juntó las manos para no tocarlo y retrocedió para evitarlo. Dios, ni siquiera recordaba su propio nombre.

Sidkirk, hostigado, logró zafarse de las manos de Adam y dio un paso atrás.

—¿Su esposa? Y entonces, ¿por qué le importa que me beneficie de alguno de sus encantos?

—Yo no soy... —empezó a decir Bronwyn.

El brazo de Adam serpenteó hasta rodearla por los hombros y la mano corrió a taparle la boca. Se derritió como la cera de una vela al oírlo declarar:

—A todos los efectos, es mi esposa. Mi querida esposa. Mi tesoro.

—Tal y como me imaginaba —dijo Holly en tono triunfante—. El león que doma a la leona.

Bronwyn se puso rígida.

Sidkirk frunció el entrecejo tratando de concentrarse.

—No me había enterado de que te habías casado, por lo que supongo que no llevas mucho tiempo bajo el arnés. —Le dio una palmadita en la espalda a Adam—. No se preocupe, Rawson. No volveré a interesarme por ella hasta que su heredero esté sano y salvo en el cuarto de los niños.

Bronwyn clavó los dientes en la palma de la mano de Adam y se liberó por fin. Ignorando al hombre cuya proximidad la hacía sentirse tremendamente incómoda, le pidió a Holly:

—No se lo digas a papá y a mamá, por favor.

—Tranquila, pequeña. Por supuesto que no. —Holly era la viva imagen de su madre cuando acercó la mejilla a la de Bronwyn en el único gesto de cariño físico que se permitía—. Si estás aquí con lord Rawson, no podrías estar más segura.

—¿Y quién me protegerá de él? —murmuró Bronwyn.

Adam le obligó a abrir la mano que tenía cerrada en un puño. Y después de cogerle el pañuelo que tenía hecho una pelota, lo agitó.

—*Merci, madame la vicomtesse.*

Holly enarcó una ceja y le dijo a Adam:

—¿Es usted el motivo de su repentino desagrado hacia el idioma francés?

Riendo para sus adentros, Adam dijo:

—Más bien habría pensado que soy el motivo por el que adora el francés.

—No me gusta que me ignoren —le advirtió Bronwyn.

Adam le sonrió, sus ojos repletos de recuerdos.

—*Ma petite, je ne peux jamais t'ignorer.*

—¿Qué ha dicho? —preguntó Bronwyn al instante.

—Que nunca podría ignorarte —le tradujo Holly.

—Gracias —contestó sucintamente Bronwyn, apartándose al ver que las manos de Adam buscaban su pecho.

La atrapó antes de que consiguiera dar dos pasos. Agitó el pañuelo de encaje y se lo acercó a la nariz.

—*Parfum d'Orange*. Una chica lista, un perfume perfecto para ti.

Remetió el pañuelo en el escote de Bronwyn y lo extendió para que le cubriera el pecho.

—La verdad, Rawson, ha echado usted a perder la diversión —se quejó Sidkirk.

Dividida entre la satisfacción y el enojo, Bronwyn olisqueó el aliento de Adam.

—No has estado bebiendo —declaró—. Eso es café. ¿Dónde has estado?

—En Change Alley —respondió Adam—, escuchando chismorreos.

—Sabes muy bien que los hombres no chismorrean —dijo Bronwyn con un dulce tono de sarcasmo.

Su cuñado no se percató de su manera de arrastrar las palabras y volvió a acercarse, ansioso.

—¿Qué noticias hay?

Adam sonrió a Bronwyn, disfrutando de la mordacidad de su ingenio.

—Se han vendido muchos títulos.

Sidkirk se rascó la cabeza por debajo de la peluca.

—¿Y?

—Los directivos están canjeando sus títulos por dinero en efectivo. —Adam miró intensamente a Sidkirk—. ¿Comprende lo que eso significa?

Sidkirk seguía rascándose, aunque Bronwyn no sabía muy bien si era un gesto de perplejidad o tenía piojos.

—¿Se lo has hecho saber a mi padre? —preguntó.

—Por supuesto. —Adam le cogió las manos cuando ella mostró intenciones de cogerle el pañuelo. Le explicó entonces a Holly—: ¿Verdad que es encantadora? Da la tabarra como una esposa.

—Muy gracioso —le espetó Bronwyn.

—¿Cuándo vendrás a casa conmigo para ser mi esposa? —Seguía sonriendo, pero Bronwyn percibió la presión de sus dedos sobre la mano. Adam utilizaba sus ojos injustamente, mirándola entrañablemente, con dulzura, casi como si la amara, la adorara. Resultaba mareante, y a punto estuvo de tambalearse. A punto.

Hasta que Holly gimoteó.

—Si no vuelve a casa con usted, se quedará usted aquí con ella, ¿verdad?

—No entiendo nada de todo esto —se quejó Sidkirk—. Si quiere llevarse a la chica a casa, cójala y llévesela a casa.

Adam seguía unido a ella por las manos, seguía mirándola.

—Podría hacerlo —admitió.

—Oh, Sidkirk —dijo su enamorada esposa—, ¿es qué no entiendes nada? Si Bronwyn no quiere ir, se escapará y Rawson no la encontrará jamás. ¿No es así?

Ni Adam ni Bronwyn respondieron. Sus ojos continuaban enzarzados en una batalla de voluntades.

—¿He dicho si no es así? —insistió Holly.

Adam respondió por fin.

—Así es. De modo que me quedaré en casa de madame Rachelle todo el tiempo que sea preciso hasta que logre convencer a Bronwyn de que venga a casa conmigo.

Sidkirk se balanceó sobre sus tacones.

—Eh... bien, no deje que la cosa se alargue más que unos pocos días.

La sencillez de la declaración de Adam la hizo más potente si cabe:

—Días, semanas... me quedaré aquí todo el tiempo que sea preciso.

Capítulo 12

*B*ronwyn dio media vuelta y empezó a abrirse paso entre el gentío. Cualquier cosa con tal de huir de Adam. Lo que fuera. El cariño que decía sentir por ella era fingido. Un hombre cuyo corazón era un ábaco no podía amar de verdad. Solo fingía deseos de casarse con ella. Conocía su veneración por la estima social que ella le aportaría. Fingía encontrarla bonita, cuando ella sabía que...

Dejó de andar, dejó de respirar. Era bonita. Lo era. Las semanas que llevaba en casa de Rachelle le habían hecho comprender que lo era. Y aun así... cuando Adam la había visto con su disfraz, había echado por tierra el engaño que se había hecho a sí misma. Había aplastado su confianza. Porque si se parecía a la antigua Bronwyn, no podía ser tan atractiva.

Cruzó la puerta, dispuesta a desaparecer corriendo escaleras arriba.

Alguien la seguía.

—¡Adam! —exclamó cuando él la agarró por el brazo—. Pero ¿qué haces?

—¿Qué pasa? Subo a mi habitación. —Levantó las manos con cara de inocencia—. ¿Te retiras tú también?

El corazón empezó a latirle con fuerza al ver el fuego de sus ojos, la oscura belleza que tan tentadora le resultaba. Recordó las historias sobre Satanás y sus seducciones. ¿Cómo conseguiría olvidar si la acechaba el demonio en persona? Continuó subiendo la escalera, sin saber muy bien si deseaba seducirlo o escapar de él.

—No puedes vivir conmigo.

—Anoche estabas muy dispuesta —replicó él, siguiéndola.

—Anoche era distinto. Tú no vivías conmigo. Y yo estaba seduciéndote. —Adam sonrió como si le hubiesen venido a la cabeza recuerdos que le gustaría recrear de nuevo, por lo que ella añadió con premura—: Anoche no sabías ni quién era.

—Créeme, lo sabía. Lo supe de inmediato. Tu aspecto ha cambiado, sí, pero no tanto como para que el hombre que te miró a los ojos por vez primera y te dio tu primer beso no supiera quién eras.

—Simplemente te lo imaginabas —dijo Bronwyn en un tono acusador.

—Así que *fui* el primer hombre que te besó —alardeó Adam.

Ella reconoció la trampa que le había tendido demasiado tarde. Se planteó mentirle. Decirle que había besado a centenares de hombres. Pero ¿cómo? La vulgar Bronwyn jamás habría sido capaz de seducir a nadie y Adam comprendería el porqué de su mentira: un intento desesperado de impresionar a un hombre que casualmente era su amante.

—¿Te lo imaginabas? —preguntó esperanzada.

Aplastó sus esperanzas sin pensarlo.

—Estaba seguro. Y para confirmarlo, escuché algún que otro lapsus en tu acento francés.

Bronwyn se sujetó al poste del final de la escalera.

—¿Qué pensaste cuando te invité a subir a mi habitación?

Se detuvo un peldaño por debajo de ella y la miró furioso.

—Pensé que hoy volverías conmigo a casa.

Bronwyn se detuvo en el descansillo y le devolvió la mirada.

—Una forma de pensar muy varonil.

—Soy un hombre. ¿Y quieres saber lo que pienso en este momento?

—¿Qué?

—Que nos aplicaremos al dicho de que los bebés suelen tardar nueve meses en llegar, aunque el primero puede llegar en cualquier momento.

Al principio no lo entendió. Luego sí. Bajó la vista y la fijó en el suave grabado del abanico.

—Dudo que esté encinta.

—Aun así —dijo él en un tono agradable.

Intentando que su voz no sonase excesivamente seria y autoritaria, le espetó:

—No habrá repetición de lo de anoche.

Adam no dijo nada y ella levantó la vista. Le envolvía un halo; abrasaba de tal manera que Bronwyn podría haberse calentado las manos con él. Pero no quería extenderlas; le daba miedo moverse. Ayer, Adam se había comportado como el león que acecha a su presa. Hoy era el león cuya presa ha logrado escapar, y era más maligno y estaba más hambriento.

Oyó un leve crujido en el marfil de su abanico al cerrarlo y, como si fuese una señal, dio media vuelta y echó a correr.

Él no logró alcanzarla hasta que llegó a la puerta, hasta que puso la mano en el pomo. La cogió entre sus brazos.

—Cherie, no es necesario ir corriendo hasta la alcoba. Deberíamos reservar energías y caminar.

Sospechando que la había atrapado cuando él había querido, le golpeó el pecho.

—No podemos hacer esto.

—Todo lo contrario. Somos muy buenos haciendo «esto» —su dentadura brilló en la oscuridad— y lo haremos hasta que haya conseguido convencerte.

—¿Convencerme de qué?

—Convencerte de que nosotros...

Asaltada por la idea, Bronwyn dijo:

—He herido tu orgullo.

Él pestañeó.

—¿Qué?

—Que he herido tu orgullo. —Asombrada, lo agarró por los hombros—. Creías que el amor que sentía por ti era tan turbador, que renunciaría a todas mis ambiciones, a todos mis sueños y esperanzas. Oí lo que le dijiste a Northrup. Le dijiste que si me seducías, dejaría de comportarme como una mujer culta.

Adam retrocedió, ofendido.

—No hablaba en serio.

Convencida, dio unos golpecitos al hoyuelo de la barbilla de Adam.

—Tal vez pensabas que no estabas hablando en serio, pero en el fondo era lo que esperabas.

—Yo jamás... —Volvió a intentarlo—. Estoy seguro de que no fue mi intención...

Bronwyn lo miró fijamente.

Adam se ablandó. Esbozó una mueca de disgusto, acercó la frente a la de ella.

—Tal vez fuera mi intención. No lo sé. Tal vez crea todavía que si me acuesto contigo, acabarás siendo lo que deseo que seas. Sé que no quiero que cambies... ¡típico de la lógica del hombre! —Sonrió de manera seductora—. Sé que, de una forma u otra, nos lo pasaremos bien demostrando la verdad.

—Se presionó contra ella y se inclinó para besarla.

Bronwyn sabía besar; él se lo había enseñado. Abrió la boca, lo recibió con la caricia de su lengua, clavó los dedos en su camisa para atraerlo hacia ella. Emparedada entre Adam y la puerta era perfectamente consciente de las fluctuaciones de la temperatura y de la respiración de él, y sabía que funcionaban a la par que las de ella.

Cuando Adam se retiró, la dejó jadeando y temerosa de que sus ojos brillaran como los de él. Veía con claridad que no lograría convencerlo... y con la misma claridad, que no quería convencerlo. Pero cuando volvió a pegarse a ella, recordó que de ninguna manera podían repetir las actividades de la noche anterior.

—Adam —dijo con vacilación.

—¿Amor mío?

—Adam, debes entenderlo. No hablo en broma.

Le acarició la espalda.

—Te conozco mejor que tú, creo.

—Sí, bueno...

Perdió la concentración cuando le rozó el pelo con la mejilla. Adam murmuró:

—Qué crimen ocultar esta gloriosa visión bajo aquella espantosa peluca. Un crimen por el cual tendré que castigarte.

Sonaba bien. Bronwyn abrió los ojos de par en par.

—¿Cómo?

—Ven, te lo enseñaré.

Puso la mano en el pomo, pero ella lo sujetó por la muñeca.

—Adam, no puedo. Simplemente... no puedo.

Comprendiendo su estado de humor, Adam se serenó y le acarició la mejilla con los nudillos.

—Cuéntamelo. Lo entenderé.

Con la mirada clavada en sus manos, que retorcían con nerviosismo el corbatín de Adam, fue aplazando la respuesta hasta que no pudo retrasarla más.

—Estoy dolorida —musitó.

—¿Qué? —preguntó, y voz sonó un poco ronca mientras ella retorció con más fuerza el corbatín.

Bronwyn respiró hondo y gimió, un gemido más sonoro de lo que pretendía.

—Estoy dolorida.

Avergonzada, refugió el rostro en la camisa de él.

Adam retiró de uno en uno los dedos que aprisionaban su corbatín y fue besándolos. Inspiró hondo y le besó la oreja hasta que ella se estremeció y levantó la cabeza. A modo de apasionada disculpa, dijo:

—Lo siento. Es culpa mía. Sé que tendría que haber obrado de otra manera, pero ¿qué puede esperar una mujer como tú? Siembras la tentación; y debes esperar acabar cosechando deseo.

Adulada y aturullada a la vez, tartamudeó:

—Pero...

—Pero eso no cura tu problema. Cierto. —Giró el pomo por detrás de la espalda de ella y la hizo entrar en la habitación. Cerró la puerta con el dorso y se apoyó en ella—. Conozco otras formas de hacer el amor. Déjame que te enseñe.

Adam tiró de las riendas para reducir el ritmo del caballo al paso y miró a su acompañante.

—Madame Rachelle, no puedo aprobar que Bronwyn siga viviendo en su casa.

Rachelle sonrió con amabilidad.

—Estoy segura de que no puede hacerlo.

—Piensa obstaculizar todo esto, ¿verdad?

Saludó ella con un gesto a un conocido.

—¿El qué, *mon ami*?

—Quiero que eche a Bronwyn a la calle para que se vea obligada a regresar a mi casa.

—Esas no serían maneras de tratar a una amiga —replicó ella—. Y Bronwyn es amiga mía.

—Lo sé. —Tendría que actuar con sumo cuidado, comprendió. Rachelle no era Bronwyn, inteligente pero ingenua. Cínica y protectora, Rachelle era consciente de su valía en el seno de la alta sociedad—. Ha hecho de ella mucho más de lo que era.

No se mostró especialmente satisfecho con la lisonja.

—En absoluto. Siempre ha sido la mujer maravillosa, ingeniosa y encantadora que ahora declara ser. Pero nadie la había animado hasta la fecha a florecer.

—Entiendo que esto es un ataque contra mí.

Abrió los ojos en una expresión evidente de astucia.

—Si imagina que lo es, será porque hay algo que lo justifica, ¿no?

—Es usted una mujer exasperante.

Rachelle se agarrotó y dijo:

—Eso solía decirme mi marido.

Dio un golpe de látigo al caballo, y el gallardo animal respondió con la punta de velocidad que ella deseaba.

La hostilidad la acompañaba en la silla y Adam se quedó perplejo viendo que su intento de aplacarla se había transformado rápidamente en batalla. Corrió al galope tras ella, preguntándose qué decirle a continuación. Con cualquier otra mujer, lanzaría un cumplido a su atuendo, a su cabello, probaría algún chismorreo. Pero con Rachelle una maniobra de aquel calibre solo serviría para molestarla más.

Ella acabó ralentizando el paso, rezagándose. Posó la mano en la de él.

—Vamos, debe perdonarme. No ha hecho más que pronunciar unas palabras que me han transportado a un tiempo distinto, menos acogedor.

Se disculpó con una compungida sonrisa.

—Por supuesto, madame, queda olvidado. —Inclinó la cabeza, preguntándose por aquella muestra de cólera en una mujer normalmente tan contenida—. Aunque podría darme una dádiva a cambio.

—No pienso echar a Bronwyn a la calle —le respondió ella.

—Jamás imaginé que fuera a hacerlo. —Sonrió con callado escepticismo—. Tenía que intentarlo. Lo único que podía responderme era no, tal y como ha hecho. Pero no, mi verdadero deseo es ligeramente distinto.

Pese a su elegancia de noble, ella asintió con cordialidad.

—Se la concederé si puedo hacerlo.

—Quiero que contrate un lacayo.

Sorprendida, exclamó:

—¡Un lacayo!

—O un mayordomo. —Tiró de su monta para conducirla hacia la sombra de un árbol y esperó a que ella se aproximara—. O cualquier hombre que pudiera proteger una casa llena de mujeres.

—No necesitamos protección.

Serio y convincente, él dijo:

—Creo que sí. La violencia acecha las calles de Londres. Solo los tontos no tienen miedo.

Tensó la boca como si recordara la muerte de su hija.

—Eso no significa que vayamos a corromper nuestro salón con la presencia de un hombre.

—Yo soy un hombre —observó—. En pleno funcionamiento, en absoluto repugnante y vivo en su casa.

—No necesitamos un lacayo —respondió en un tono triunfante.

—Solo estoy en la casa de noche. Paso el día en Change Alley y estoy distraído porque temo por la vida de Bronwyn. —Con la mano extendida en una muestra de súplica, dijo—: No puedo concentrarme, madame.

—Y le prometí una dádiva. —Se lo pensó—. Pero son pocos los hombres dispuestos a trabajar solo para una mujer.

—Ah. —Extrajo una carta del bolsillo—. Aquí tengo una carta de un joven excelente, un inmigrante como usted, que busca empleo. Y da la casualidad que trabajó en un salón en Italia, realizando las tareas que yo solicito.

Madame se rió a carcajadas.

—Me asombra usted. Primero quiere que contrate a un lacayo y luego se saca uno de la nada.

—De hecho, fue su carta, en la que me enumeraba sus cualidades y experiencia, la que me hizo reflexionar sobre los peligros que entraña Londres para mi Bronwyn. —Adam abrió la carta y la repasó—. Adjunta referencias de la *salonière*, así como referencias de diversos patronos más. No puedo verificarlas de inmediato, por supuesto, pero me entrevisté con él y se adaptaría a cualquier circunstancia con impunidad.

—¿Un camaleón?

—Es un activo importante para cualquier salón. —Ella enarcó una inquisitiva ceja y él se encogió de hombros—. Además, el joven se encuentra necesitado en estos momentos. Las casas nobles inglesas dudan en cuanto a emplear extranjeros y el hombre tiene que comer. He pensado que si lo contrataba, solucionaría dos problemas, tanto el mío como el de él.

—Es usted un hombre duro, Adam Keane.

—¿Un hombre duro? —Sorprendido, luego indignado, protestó—. Pensaba que estaba volviéndome decididamente filantrópico.

—Sí, y luego está lo otro. *Fidélité est de Dieu.*

—La fidelidad es de Dios —tradujo Adam—. ¿Por qué lo dice?

—Admiro su fidelidad. Durante la última semana, ha sido usted el pretendiente de la mano de su dama más dulce que puede existir. Admiro su moderación. La mayoría de los hombres se habría comportado con menos nobleza que usted. Muy bien —decidió—. Haré lo que me pide. Contrataré a ese hombre. ¿Me ha dicho ya cómo se llama?

—Gianni —respondió Adam—. Se llama Gianni.

La llamada sonó en la puerta a primera hora de la mañana, pero Adam ya estaba despierto. ¿Cómo no estarlo? Era una cama de tamaño generoso para una persona, pero poco adecuada para dos. La semana que llevaba durmiendo en ella no lo había endurecido lo bastante como para soportar las incomodidades, o las alegrías, de compartirla con Bronwyn.

—¿Lord Rawson? —dijo Rachelle en voz baja desde el otro lado—. Hay un hombre que insiste en verle.

Siempre cauteloso, Adam preguntó:

—¿Quién es?

—Dice llamarse Northrup.

Adam saltó de la cama.

—Gracias. Bajo enseguida.

Bronwyn se apartó el cabello de los ojos y se recostó sobre un codo.

—¿Qué pasa?

Adam sonrió a su amada, adormilada y sonrosada después de una noche de amor.

—Nada. Sigue durmiendo. Bronwyn Edana tiene que trabajar hoy en sus traducciones, y Cherie tiene que entretener al salón por la noche.

—Dejaré lo del entretenimiento en manos de Daphne. —Bronwyn se recostó de nuevo en la almohada—. ¿Irás luego directamente a Change Alley?

—Como siempre.

Se vistió rápidamente después de haberse acostumbrado ya a hacerlo sin ayuda de cámara.

—Pasas demasiado tiempo allí —se quejó Bronwyn—. Cada día.

—No todos los días, aunque debería estar allí cada día. Debes recordar, querida, que no poseo tierras ancestrales de las que exprimir dinero. Mi padre las vendió todas. Tampoco tengo citas en los tribunales de donde obtener sobornos. No soy corrupto. Tengo que ganarme la vida en Change Alley. —Se inclinó sobre ella—. Vas a casarte con un hombre con ingresos inestables.

Bronwyn levantó la cabeza y acercó la nariz a la de Adam.

—No voy a casarme con nadie, pero si me casara contigo, no me preocuparía nunca por el dinero.

Medio satisfecho por la respuesta, dijo:

—Además, en más de una ocasión has conseguido convencerme de que me olvide de mis deberes.

Ella sonrió recordándolo.

—Es espantosamente temprano para que el Alley esté ya en ebullición.

Hizo una pausa cuando estaba con la camisa a medio poner.

—¿Hay alguna razón por la que tenga que volver?

Bronwyn se desperezó y un pezón asomó por debajo de la sábana.

—Tal vez.

—En ese caso, tal vez vuelva. —Rió entre dientes al ver su mohín y supo que el «tal vez» era una certeza. Bajó la escalera, entró en el despacho de Rachelle y sorprendió a Northrup deambulando arriba y abajo con movimientos nerviosos y espasmódicos. Al ver a Adam, corrió hacia él y lo agarró por las solapas de la chaqueta. Adam retiró con delicadeza las manos de Northrup y dijo—: Cálmate, nada puede ser tan malo como para perder la compostura por ello.

—Lo he hecho. —Pálido debajo del carmín que utilizaba para iluminar las mejillas, Northrup jadeaba como si hubiera corrido durante kilómetros—. He encontrado la manera de compensarle.

Adam examinó el rostro del joven.

—¿Compensarme por qué?

—Por su ayuda, por la formación, por…

—Ya te dije que no tenías ninguna deuda conmigo.

—Yo considero que sí, y tengo una información por la que mataría.

—Cuéntamela, pues.

—Después de todas las visitas que ha realizado a Change Alley, y siempre que ha ido, se ha producido un problema.

Northrup estaba muy serio, tremendamente serio. Adam se serenó y se inclinó hacia él.

—¿Qué tipo de problema?

—Un problema de títulos. —Northrup se quitó la peluca y la arrojó al suelo—. Cada vez que está usted en Change Alley se emiten títulos falsos y todo el mundo dice que Adam Keane, lord Rawson, es quien se dedica a venderlos.

Capítulo 13

Vestida con seda negra, Rachelle esperaba en la puerta de su despacho.

—Cherie, ya es última hora de la tarde. ¿Piensas vestirte? Por el simple hecho de no haber recibido noticias de Adam en todo el día, no deberías enterrarte en tu manuscrito.

Bronwyn borró la expresión esperanzada que le había provocado la llegada de Rachelle.

—Por supuesto, ya voy.

La escritura de un monje fallecido mucho tiempo atrás se difuminó ante sus ojos. Estaba cansada, sí, pero sobre todo inquieta.

Adam no había regresado por la mañana. Segura de que lo haría, se había levantado para lavarse y prepararse, pero no había aparecido. Se había vuelto a quedar adormilada, y cuando se había despertado el sol brillaba con la pasión del mediodía.

Después de vestirse, había bajado en busca de desayuno e información. Se había ido, le habían dicho. Muy temprano, en compañía de Northrup.

Bronwyn se llevó la mano al vacío que percibía en el estómago. Qué extraño era sentirse abandonada por Adam.

No abandonada, se aseguró rápidamente. Pero dejada de lado. Olvidada.

Rachelle se acercó y le acarició el hombro.

—Te preocupas demasiado. *Monsieur le Vicomte* demuestra *empressement* por ti en todos sus actos. Volverá por la noche.

—¿*Empressement*? —preguntó Bronwyn, recogiendo sus papeles.

—Es de difícil traducción. Significa pasión. Entusiasmo.

—Tiene todo el derecho de dejarme sola durante el día. No me siento ofendida —le garantizó Bronwyn—. Solo que estoy demasiado mimada. Me he acostumbrado a que me confíe siempre su destino y sus intenciones, como si yo tuviera derecho a saberlo.

Rió un poco, aunque la risa se le quedó atascada en la garganta cuando Rachelle le dijo:

—Como si fueras su esposa.

La sofisticación de Bronwyn se derrumbó por completo con la observación de Rachelle. Apoyando los codos en la mesa, dejó caer la cabeza entre las manos.

—Me siento terriblemente confusa.

Rachelle dijo sonriendo:

—Me lo imaginaba.

—Primero estaba resignada a casarme con Adam, luego me encariñé y quería casarme con él. Después descubrí que me había traicionado y fugarme de su casa me pareció una idea razonable. Lo hice. Luego se presentó él aquí y vi que seguía resultándome atractivo. ¿Por qué no seducirlo? Nunca sabrá quién soy. Me pareció también una idea razonable. Ahora vuelvo a pensar que casarme es una idea razonable.

—Es muy posible que la razón no sea la base sobre la que construir tu vida.

La ironía de Rachelle le tocó la fibra sensible a Bronwyn que, mientras tapaba el tintero, le lanzó a su amiga una mirada que hablaba por sí sola. Se levantó y se desperezó.

—Me basta con decir que no puedo concentrarme. La confianza en mí misma es todavía demasiado novedosa como para soportar un largo y completo día sintiéndome ignorada por mi amante.

—Bronwyn.

Rachelle rara vez la llamaba por su verdadero nombre y lo hizo con tanta intensidad, que ella dejó lo que estaba haciendo para mirarla.

—¿Rachelle?

Por primera vez desde que Bronwyn la conocía, Rachelle parecía haber perdido toda su energía.

—Solo quiero que sepas lo mucho que me ha gustado tenerte conmigo.

—Del mismo modo que a mí me gusta estar aquí. —Preocupada, Bronwyn la observó alejarse de ella—. ¿Me marcho?

—Llega un momento en que todo toca a su fin. Creo que es posible que este episodio de tu vida esté acabándose.

—¿Debido a Adam?

—También por eso. —Rachelle se cruzó de brazos. Su inmovilidad dejaba patente su caos interior—. No soy mujer de intuición, pero predigo que esta noche será difícil.

Bronwyn agarró a Rachelle por la muñeca.

—Adam ha vuelto a Boudasea, ¿es eso? Me ha abandonado.

—En absoluto. Creo que en eso puedo tranquilizarte. —Rachelle rozó la frente de Bronwyn con sus fríos labios—. Jamás te abandonaría.

Con el entrecejo fruncido, Bronwyn vio salir a Rachelle por la puerta. ¡Había sido tremendamente críptica! Subió corriendo a su habitación, donde la esperaba su doncella. A modo de regalo, Adam había alquilado dos habitaciones en una posada cercana y había instalado allí a su ayuda de cámara y a la doncella. Ahora ya no tenía que pelearse con botones ni corsés, ni pedir ayuda a las demás mujeres.

La transformación de Bronwyn a Cherie le exigió solo un toque de color en los labios, un buen cepillado y un vestido sofisticado. Desde la llegada de Adam a su cama, se había puesto tan bella que apenas necesitaba pintura o polvos.

Terminados los preparativos, la encantadora, fascinante y exótica Cherie hizo su entrada en el salón. Había adornado su pelo plateado con cintas y florecitas, y su vestido de tafetán de color turquesa ceñía su minúscula cintura y se ondulaba a sus pies. Llevaba su característico abanico de marfil… ¡y nadie se percató siquiera de su presencia! Era la estrella del salón de madame Rachelle y nadie se percataba de su presencia.

Bronwyn barrió la estancia con una mirada de perplejidad. ¿Qué pasaba? No había música, no había carcajadas educadas, no había ninguna discusión intelectual flotando en el ambiente. Rachelle estaba en medio del salón, las manos unidas delante de su cuerpo como una diva a punto de cantar un aria. Su dignidad era palpable, su porte afligido.

Repartidos por la estancia, grupillos de gente zumbaban como abejas en un panal. Como abejas también, exhibían sus aguijones con su actitud hostil. Miraban por encima del hombro, susurraban y murmuraban cubriéndose la boca con la mano.

Y allí estaba Adam, apoyado de modo descuidado en la repisa de la chimenea. La alegría la empujó al instante hacia él. Pero la cautela la detuvo. ¿Por qué no había subido? Desde que se había instalado en su habitación, habían bajado juntos todas las noches. Habían dejado claro que estaban consagrados el uno al otro y nadie se había atrevido a hacer comentarios.

De modo que ralentizó el paso y él la observó con una sonrisa cínica.

Sintió casi con timidez al decirle:

—*Monsieur le Vicomte*, me alegro de verle.

—¿De verdad? Nunca lo habría imaginado.

Sus ojos grises ya no la adoraban, sino que la pasaron rozando. Se había dirigido a ella con ironía e indiferencia, pero en su actitud había algo que sugería dolor. La compasión la llevó a posarle la mano en el hombro.

—¿Qué sucede? ¿Te has hecho daño en la pierna?

Adam se la quitó de encima.

—No.

—Has andado demasiado.

Adam suspiró.

—Ya te advertí que Change Alley era una amante caprichosa.

Se quedó mirándolo. Los reveses financieros podrían explicar su desvelo. Ya había expresado su ansiedad cuando le había dicho que carecía de tierras ancestrales que le respaldaran; tal vez imaginaba que ella se mostraría voluble de no estar bien mantenida. Abordó esa lógica con la ansiedad de los inseguros.

—¿Acaso están cayendo los títulos de la Compañía de los Mares del Sur?

En un gesto veloz como un relámpago, le tiró de un mechón de pelo.

—¿No has oído los chismorreos?

Tiró con más fuerza cuando ella intentó apartarse. Bronwyn se quejó:

—¡Ay! ¡Eso duele!

La dentadura de Adam brilló con una sonrisa salvaje.

—Tal vez deberías volver a ponerte peluca. Entonces no ocurrirían accidentes de este tipo.

Abrió la mano y ella se apartó. Sin saber qué podía justificar tan extraña conducta y enojada por su descortés rechazo, se acercó con paso indignado al señor Webster.

—¡Señor!

Su joven admirador tiró de su corbatín, como si le apretara en exceso.

—¿Mademoiselle?

—Nos ha enseñado aquí sus experimentos científicos, sus globos de vacío y sus velas sin llama. —Miró hacia donde estaba Adam—. ¿Le da algún crédito a la teoría de la locura que produce la luna?

—¿Por qué? Yo... no me he planteado nunca una cosa así.

Tosió.

Bronwyn se dio unos golpecitos en el pecho con el abanico.

—Pues tal vez debería hacerlo. Creo que estamos viviendo un regreso de la locura del solsticio de verano.

Le sonrió exageradamente, decidida a exhibir una actitud despreocupada a cualquiera que desease verlo. E incluso a Adam, que debía de estar mirándola.

Pero su joven admirador se quedó horrorizado viéndose elegido. Se alejó de ella, y Bronwyn cayó entonces en la cuenta de que los chismorreos cesaban dondequiera que se acercara. Se había convertido no en el centro de atención, sino en el centro de la condena. ¿Por qué?

¿Qué había intentado decirle Rachelle antes? Que su tiempo aquí tocaba a su fin, ¿que... su verdadera identidad había quedado al descubierto? Miró de reojo a Adam, a Webster, al salón lleno de murmullos. Empezaba a reconocer las miradas, la falsa simpatía, la gente apartándose de ella.

De modo que lo sabían. Movió afirmativamente la cabeza. Le angustiaba menos de lo que se había imaginado. ¿Estaba en el fondo impaciente y con ganas de ser desenmascarada?

Su consternación inicial la había dejado perpleja, pero ahora estaba decidida a afrontar la situación con descaro. Con una airosa sonrisa, dijo:

—Señor Webster, ¿me ha traído hoy otro experimento que admirar?

Webster tragó saliva.

—Esta noche no.

—Entonces, mañana por la noche. —Se volvió hacia los demás—.

Lady Mary Montagu ha mandado aviso de que vendrá a visitarnos. ¿Han venido a escuchar a nuestro más brillante ingenio?

Nadie respondió. Los reunidos se agitaron incómodos y empezaron a darse codazos, miraron entonces por detrás de ella. Bronwyn se giró y vio a Carroll Judson, atildado, perfectamente maquillado, su mirada brillante presagiando cosas nefastas.

Casi agradeció el reto.

—¿Ha venido a escuchar a nuestro más brillante ingenio, señor?

—En absoluto. He venido a ver las ruinas.

Saludó con una reverencia, la mano en su nívea y ostentosa corbata.

No quería que fuese él quien se lo contara al mundo. No quería ni verlo allí. Pero si aquel artero hombrecillo la había desenmascarado, no podía negarle el placer de revelarlo en público.

—¿Ruinas? —preguntó Bronwyn.

—Las ruinas de la fachada de madame Rachelle. —Con un gesto exagerado hacia su entorno, preguntó—: ¿Acaso no lo ve?

Confusa, dijo ella:

—No veo nada.

—Lo tiene a su alrededor. Sus amigos han desaparecido. Su salón se ha esfumado. Su farsa ha terminado. —Se acercó a la nariz una almohadilla perfumada y la aspiró con delicadeza—. Su crimen ha salido a la luz.

Su expresión de horror no encajaba del todo con lo que pensaba Bronwyn.

—Yo no lo calificaría de crimen.

Judson se envalentonó, envolviéndose de dignidad como aquel que se echa un abrigo encima.

—Tal vez, como discípula suya que es, apruebe usted el parricidio.

Un témpano de hielo le rozó en aquel momento la nuca y empezó a gotearle espalda abajo. No le respondió, se limitó a mirarlo fijamente y permanecer a la espera, inmersa en un aterrador suspense.

—¿Se ha enterado, o sigue todavía sumida en la ignorancia?

Cerró el abanico con brío.

—¿Qué me está sugiriendo?

—Rachelle no tenía motivos para descubrir al asesino de su hija. —Levantó la voz para que todos pudieran oírle. Se inclinó hacia ella para aterrorizarla aún más—. La asesina de su hija *es* ella.

La visión de Bronwyn quedó de repente ofuscada por una neblina roja. Se clavó las uñas, que había conseguido mantener por fin, en la palma de las mano. En algún rincón de su cabeza, oyó a su padre advirtiéndole que nunca cediera a sus primeros impulsos. Recordó los castigos que le imponía la institutriz cuando tenía rabietas. Sabía que había conseguido dominar su cólera en todas las circunstancias, pero aquello parecía justificar una excepción.

Retrocedió un paso y le pegó un bofetón. El sonido del impacto resonó como un disparo en el salón. Las miradas se volvieron hacia ellos. Inmersa en un ataque de ira irlandés, apretó los dientes y dijo:

—Gusano repugnante. ¿Cómo se atreve a venir aquí, disfrutar de la comida de madame, de su vino, de su hospitalidad, para luego difundir estos rumores?

Empujado por la ráfaga de su cólera, Judson dio un paso atrás.

—Sapo despreciable. Salga de aquí para no volver nunca. —Alzó la voz como una cantante en pleno frenesí operístico. Señaló la puerta—. Fuera.

Vio que le caían motas de polvo de la mano y descubrió que la piel de debajo ardía enfurecida.

Adam interceptó a Judson con el brazo y le advirtió:

—No se le ocurra pegarla. Me lo tomaría muy mal.

Retenido por Adam, Judson recuperó el control de su persona con alarmante presteza. Chilló:

—¡Me iré!

Bronwyn se acercó a ellos.

—Me parece un plan excelente.

Adam le dio un empujón a Hudson, que se tambaleó. Los miró a los dos, una tan furiosa, el otro tan inflexible, y dio muestras de querer hablar. Meneó un dedo en dirección a Adam; abrió la boca más de una vez. Y por fin gruñó:

—Me marcharé… aunque, Cherie, tal vez haría bien preguntándole a su querida madame por qué abandonó Francia. Pregúntele por qué se marchó, pregúntele de dónde sacó tanto dinero, y asegúrese de preguntarle también por qué no puede regresar jamás a Francia. Pregúnteselo, si se atreve.

Y con eso, dio media vuelta y se fue, dejando atrás una laguna de silencio cada vez mayor.

Sintiéndose como una de las Furias griegas, Bronwyn movió los dedos de su dolorida mano. Miró las caras ávidas que se habían acercado para contemplar la escena, pero solo Adam se atrevió a mirarla a los ojos. Se acercó a ella: divertido, satisfecho, el hombre que había amado durante la pasada semana.

Bronwyn miró a Rachelle, y esta le sonrió. Como si del sol se tratara, la sonrisa de Rachelle le calentó el ánimo, aunque, al mismo tiempo, tuvo la sensación de que estaba tan lejos de ella como el mismo Helios.

Decidida a devolver un aspecto de normalidad al salón, sugirió entonces:

—¿Algo de música? ¿Tal vez una de las fantasías para clavicordio de Händel?

—Eres una fierecilla cuando sales en defensa de tus amigos. Creo que has acobardado a estos simples mortales —le murmuró Adam al oído.

No sabía qué era lo que lo había devuelto a ella, pero le respondió de todos modos.

—Tu humor llega a horas intempestivas.

Señalando a uno de los discípulos de Händel, le indicó al joven que prestara su servicio, consciente de que el clavicordio amortiguaría el desdén que flotaba en el ambiente.

Aprovechando la atmósfera civilizada que siempre generaba la música, empezó a circular por la estancia. Adam la siguió, sin dejar de hablar.

—Eficiente y feroz. Una buena amiga de madame Rachelle.

Bronwyn había tenido tiempo suficiente para reflexionar y se volvió hacia él.

—Seguramente le he hecho más mal que bien. Un ataque de cólera como el mío solo sirve para alimentar la especulación. Míralos. Siguen sin marcharse. *Es* la locura del solsticio de verano.

—Algún tipo de locura, sí. Deambulan, inquietos como animales, a la espera del último acto de la farsa.

Distraído por su deseo de proteger a Rachelle, casi pasa por alto su tono burlón.

—No me atrevo ni a visitarla, ni a tranquilizarla. Hacerlo haría que todas las miradas cayesen sobre ella. —Pero cuando las palabras de él le calaron, giró repentinamente la cabeza—. ¿A qué te refieres con eso de que están a la espera del último acto?

—El último acto. —La saludó con una reverencia—. Empieza ahora mismo. Se acerca tu anciano galán.

Lord Sawbridge venía hacia ellos con Daphne colgada del brazo.

—¿Mi anciano galán? —Bronwyn rió entre dientes, indecisa debido a cómo estaba desarrollándose la velada.

—Te habría calentado de buena gana la cama —dijo Adam—. Se llevó un buen disgusto cuando me quedé con lo que él no pudo conseguir por impotencia. Ahora tendrá su venganza.

—¿Rawson? —Lord Sawbridge lo miró con ojos miopes—. *Es* usted. No puedo creer que esté aquí esta noche.

Adam enarcó una altanera ceja.

—¿Y dónde querría que estuviera?

—Tiene usted el valor de hacer acto de presencia —dijo lord Sawbridge con carraspera—. Después de lo que ha hecho.

Adam extrajo su cajita de madera tallada y la abrió con un elegante gesto.

—¿Una pastilla de menta?

—No, maldita sea. —Sawbridge arrugó la frente—. Jamás aceptaría nada de usted. Dios sabe de dónde lo habrá obtenido.

Mareada por la malicia que inundaba el ambiente, Bronwyn dijo:

—¿Por qué no aceptaría nada de lord Rawson?

—De tal padre, tal hijo —citó Sawbridge—. El árbol crece hacia el lado que se inclina el retoño. Los pecados del padre y esas cosas.

—Polonio, sí —observó Bronwyn—. Le ruego que prosiga.

Lord Sawbridge sonrió socarronamente con petulante indignación.

—Si deseaba tomar un amante, querida, debería haberme elegido a mí.

Fría como el viento del norte, Bronwyn replicó:

—No le quería a usted.

—Un error. Un error. —Le pellizcó el costado con sus rechonchos dedos antes de que ella pudiera evitarlo—. Soy tan rico como Rawson, pero mi padre nunca me enseñó el oficio que le enseñó a él el suyo.

En blanco como la pizarra de un niño, Bronwyn respondió tartamudeando:

—¿Enseñar un oficio? ¿A qué se refiere? Lord Rawson no aprendió ningún oficio de su padre.

—Él se lo contará, querida. —Lord Sawbridge se restregó la barriga en un gesto de solemne énfasis—. Él se lo contará.

Bronwyn miró a Adam.

Adam esbozó una sonrisa de aburrimiento.

—Quiere decir que soy un falsificador.

—¿Un falsificador? —Bronwyn tenía la impresión de haber pisado un nido de lunáticos—. ¿De qué?

Daphne se lo aclaró.

—Tu amante ha estado falsificando títulos de la Compañía de los Mares del Sur.

Los dos portadores de malas noticias, lord Sawbridge y Daphne, se quedaron a la espera de la reacción de Bronwyn, que se los quedó mirando, consciente de lo satisfechos que se sentían. Se preguntó qué esperarían de ella: ¿otro arranque de ira? ¿Una escena de repulsa?

Miró a Adam y se percató de su estudiada indiferencia. Creyó saber lo que esperaba de ella. Un atisbo de dignidad, un rechazo con escasas palabras.

—Pura podredumbre.

Lord Sawbridge y Daphne seguían a la espera con ávida expectación. Adam seguía con su gélida sonrisa. Bronwyn, pellizcándose el entrecejo, se pronunció:

—Una velada de lo más insólita.

—¿Es todo lo que tiene que decir? —preguntó lord Sawbridge.

Se apartó la mano de la cara.

—¿Qué más quiere que diga?

Con aspecto triunfante, sugirió entonces Daphne:

—Tal vez su endurecida actitud esté delatando su conocimiento del crimen.

—Locura. —Bronwyn dio media vuelta para alejarse de todos ellos. Deseaba la compañía de alguien que estuviese cuerdo, de alguien que comprendiera las personas y los acontecimientos que le rodeaban. Cruzó la estancia, sin importarle ya poder atraer la atención hacia Rachelle. Cuando llegó junto a madame, repitió—. Simple locura.

—Estás inmersa en un torbellino, ¿verdad?

Rachelle le cogió la mano.

—¿Inmersa en un torbellino? —Bronwyn soltó una carcajada casi histérica—. ¿Ha oído lo que Judson ha dicho de usted?

—¿Cómo no oírlo?

—Y ahora Daphne y el viejo Sawbridge acusan a Adam de falsificador.

—Lo sé. —Guiándola hacia otro lado, y pasando por delante del nuevo lacayo, Rachelle le preguntó—: ¿Y lo crees?

Bronwyn puso los ojos en blanco, dispuesta a protestar.

—Nadie que conozca bien a Adam podría creerlo. Solo un estúpido sería incapaz de ver su integridad. Pero ¿por qué andan diciendo estas cosas? ¿Acaso no entienden que Adam puede hacerles daño?

Rachelle se detuvo al llegar al umbral de su despacho.

—¿Hacerles daño?

—Un hombre rico tiene formas de conseguirlo —dijo Bronwyn, sabiendo de lo que hablaba—, y Adam es un hombre muy rico.

Entonces Rachelle le sugirió:

—Tal vez ellos piensen que el daño que pueden hacerle es mayor.

—¿Cómo? —exigió saber Bronwyn.

—Atacando su reputación y el honor de su familia. —Rachelle acercó una fría mano a la mejilla de Bronwyn, como si con el contacto deseare subrayar sus palabras—. Todo el mundo conoce la sensibilidad de lord Rawson en todo lo referente a su honor.

Con repulsión, Bronwyn entró en el despacho.

—Tengo ganas de ahuyentarlos a gritos.

Rachelle la siguió con paso elegante y cerró la puerta a sus espaldas.

—¿Por qué no lo has hecho?

Bronwyn se dejó caer en un exquisito silloncito e hizo una mueca.

—Una rabieta infantil solo conseguiría impresionar a esos idiotas en sentido contrario al que me gustaría. Pido disculpas por la explosión que he tenido antes.

Rachelle dudó, como si estuviera dividida. Bronwyn levantó las cejas en un gesto inquisitivo, pero su amiga negó con la cabeza, rechazando interiormente alguna idea, y se limitó a decir:

—De haber tenido libertad para hablar, les habría contado cómo murió Henriette. ¿Cómo se inició ese horroroso rumor?

—En cuanto alguien descubrió la vieja historia sobre por qué abandoné Francia, supongo que era inevitable que me acusaran de la muerte de Henriette.

—Es una indicación de la mentalidad estrecha que puebla nuestra sociedad... —Bronwyn ladeó la cabeza—. ¿Qué vieja historia?

Moviéndose con cautela, como si no quisiera alarmarla, Rachelle se sentó sobre la mesa del despacho.

—Dicen que marché de Francia porque maté a mi marido.

Bronwyn estiró las piernas por delante de ella, agitó los pies y los observó con desapegada fascinación.

—Injurioso.

—En absoluto. Es la verdad.

Las articulaciones de Bronwyn se quedaron clavadas. Sus funciones mentales se interrumpieron. No podía hablar.

—Le maté. Era un noble, yo era su esposa, y lo apuñalé hasta matarlo.

Olvidado en el salón, Adam hizo caso omiso a los murmullos y las miradas. Bronwyn lo había abandonado. Lo había abandonado como a un leproso al que acaban de anunciarle su diagnóstico. Sawbridge y Daphne habían lanzado sus acusaciones, y ella se había limitado a articular un débil comentario y se había marchado. Se había acercado a Rachelle y se había marchado.

El golpe lo había dejado tambaleante. Esperaba, confiaba, en la lealtad de Bronwyn. Pero ella había desertado. Con náuseas, golpeándose contra los muebles y la gente, salió de allí. Volvería a Boudasea Manor, regresaría e intentaría rescatar su aquejado negocio. Saldría de allí...

Pero sin darse cuenta, se descubrió subiendo a la habitación de la planta superior, como el animal herido que busca auxilio en la guarida que compartía con Bronwyn.

Tal vez ella hubiera cometido un error, se preguntó mientras subía. Tal vez se hubiera quedado tan pasmada con la acusación de falsificación que había sido incapaz de gestionarla adecuadamente en público. Abrió la puerta y oyó movimiento dentro. El corazón le dio un vuelco al ver la preciosa cara de Bronwyn manchada por las lágrimas. Abrió los brazos y ella se precipitó hacia él. Le estrechó la cintura con los brazos y él le correspondió. Era incapaz de contener su júbilo.

Bronwyn lo apoyaba. Bronwyn creía en él.

Sin importarle su aún formal atuendo, ella lo agarró por el chaleco.

—¿Sabes lo que acaba de contarme Rachelle?

La pierna le flaqueó bajo el impacto de la sorpresa.

—¿Rachelle?

—¿Te encuentras bien? —Lo acompañó al sillón, lo instaló en el cojín, se sentó en el brazo y le pasó el suyo por los hombros—. Esta noche ha sido una conmoción, lo sé, pero Rachelle me ha dado permiso para confiarte su secreto. —Angustiada, escondió el rostro en su corbatín—. Dios mío, Adam, Rachelle mató a su marido. —Adam se quedó rígido y ella se apresuró a añadir—: Con buenos motivos para hacerlo.

—Entiendo.

Pero no lo entendía. No entendía nada. ¿Por qué estaba Bronwyn hablándole de Rachelle?

—Él la pegaba. Le daba tales palizas que todavía tiene cicatrices. Me las mostró… —le dijo y se estremeció.

Incapaz de poder evitarlo, la consoló apretándole la mano.

—Sabía que su familia no la ayudaría. Que le echarían la culpa. Que nadie la ayudaría, aunque todo Versalles sabía el tipo de hombre que era el marido. No podía hacer nada, nada. —Se le quebró la voz y Adam la rodeó por la cintura—. Entonces se quedó embarazada.

—¿Del marido?

Ella lo miró furiosa entre lágrimas amenazadoras.

—Pues claro que del marido.

—Es una pregunta razonable —observó—. Si la pegaba tan despiadadamente, cabe la posibilidad de que buscara solaz en otra parte.

—¡Es una pregunta estúpida! —le espetó ella—. ¿Por qué una mujer violada de todas las maneras posibles por su marido, por un marido que incluso le había fracturado huesos… por qué tendría ganas de buscar otro hombre? Los hombres no le sirven de nada.

Halagó su vehemencia con seriedad.

—¿Por qué lo mató?

—¡Porque pegaba al bebé! Henriette era su quinto vástago, y le rompió las costillas. —Las lágrimas rodaban por su cara, pero Bronwyn ni se daba cuenta de ello.

Sin dudarlo un instante, Adam declaró:

—Se merecía morir.

—Dios mío, sí. Su familia era demasiado poderosa como para que Rachelle fuera llevada a los tribunales. Su familia no quería ver su apellido vinculado con el escándalo, de modo que le dieron dinero suficiente para vivir tranquila el resto de su vida. El viejo rey Luis ordenó su exilio y se trasladó aquí para poder criar a su hija sana y salva.

Bronwyn tenía la nariz colorada, los ojos hinchados, pero con todo y con eso, se sentía atraído hacia ella. Tal vez la compasión hacia Rachelle la hubiera cegado e impedido ver lo apurado de su situación. Le pasó su pañuelo.

—Sécate las lágrimas —le ordenó.

Cayó una mancha en la seda bordada del chaleco y ella intentó solucionarla secándola a golpecitos.

—No importa. Suénate.

Le acercó el pañuelo a la nariz y ella se sonó.

Retorciendo el pañuelo, ella dijo entonces:

—Su hija murió víctima precisamente del final que Rachelle trató de evitar, y los rumores la acusan del crimen que más la aterra.

—De lo más injusto, y tengo motivos para saber lo injustos que pueden llegar a ser los rumores.

Estaba tanteándola, lo sabía, y se alegró cuando notó la mano de ella posándose sobre el lugar donde estaba ubicado su corazón. Ahora se indignaría por él. Ahora se mostraría compasiva. Ahora, la fe que había depositado en ella se vería recompensada.

Con solemnidad y dulzura, Bronwyn replicó:

—Y yo, pero no creo que nuestros problemas sean tan graves como los de Rachelle.

Se quedó observando todas sus facciones con incredulidad. Le temblaba la boca, sus ojos de color jerez no dejaban de mirar los de él. El entumecimiento del llanto iba menguando.

Pero ¿era por él que se sentía tan indignada?

El momento de calma se transformó en perplejidad.

—¿Adam? ¿Por qué me miras así?

—¿Es eso todo lo que tienes que decirme? —preguntó él.

—Bueno, yo... no. —Buscó las palabras adecuadas, su rostro asolado por la culpabilidad—. Supongo que te refieres a Henriette.

La calma que había mantenido Adam acabó explotando.

—¿Henriette? —gritó.

Bronwyn se amedrantó.

—Sé que debería habértelo contado antes, pero Olivia y yo rescatamos a Henriette antes de que muriese.

Su audacia lo confundía. ¿Cómo se atrevía a hablar sobre una mujer fallecida que ni siquiera había conocido, cuando la fiabilidad de su persona había desaparecido.

—¿Estás hablándome *ahora* sobre la hija de Rachelle?

—Debería habértelo confiado, pero temía que te enfadaras. —Inspiró hondo—. Tal y como está pasando. Ni siquiera se lo conté a mi padre, pero dijo una cosa que creo que entenderás.

—¿Qué Henriette dijo algo que crees que entenderé?

—Y si dejas de gritarme, te diré lo que es.

Pudo con él una rabia, espesa y cegadora como la niebla sobre el mar.

—Me dijo que el desgraciado que la secuestró había amenazado con matar a un hombre con un «título». Ahora he deducido que...

Esta vez no gritó. Sino que susurró:

—No digas una palabra más.

Ella abrió la boca.

—Nada. —El hielo que se había apoderado de su alma congeló la palabra y ella abrió los ojos de par en par, como si aquel frío la hubiera alcanzado—. No quiero hablar contigo, y no quiero escucharte.

Movió la boca y las lágrimas asomaron una vez más a sus ojos. Preguntó:

—¿Vas a abandonarme?

Adam se sacudió con una carcajada amarga.

—Te gustaría, ¿verdad? Sería más fácil para ti. —Un monstruo se había apoderado de él y le hacía decir cosas que se suponía que no debía decir—. No, no te abandonaré. Pienso quedarme aquí y hacer de tu vida un infierno, querida. Un infierno viviente. —Con el bastón en la mano, abrió la puerta y se giró—. Y estate aquí para cuando regrese.

El llanto de Bronwyn no le hizo dar media vuelta, aunque tuvo tentaciones de hacerlo. Sí, sintió tentaciones. Y eso lo puso más rabioso si cabe, puesto que sabía que su padre le había destruido una vez más, aunque en esta ocasión lo había hecho con un aliado. Bronwyn, su bella Bronwyn, le había traspasado el corazón con una puñalada.

Capítulo 14

Change Alley era una locura. Nobles y deshollinadores correteaban como hormigas, como si su actividad fuera a generar prosperidad allí donde no la había. Una oleada de calor en pleno septiembre no detenía su labor, puesto que los acechaba la ruina. Sentado en su mesa habitual en Garraway's, Adam los observaba con sombrío regocijo y se preguntaba cómo sería capaz de descubrir una conspiración en un lugar donde nadie le dirigía la palabra.

Quienquiera que hubiera iniciado el rumor de la falsificación había elegido bien su objetivo. Adam nunca había sido un hombre popular. Tal y como Walpole le había dicho, resultaba demasiado serio, demasiado amenazador. Pero la gente solía tratar con él porque era un intermediario respetado y autorizado.

Ahora solo era autorizado.

Todos creían que los había engañado. Querían creerlo, les gustaba creerlo. ¿Por qué no? Así tenían un objetivo, una persona a quien echar la culpa de sus problemas.

Levantó la mano para pedir más café. Garraway miró hacia su mesa y envió a la camarera.

Los desaires, los abucheos, los comentarios a gritos, todo eso no le había importado, pero ¿tenía Bronwyn que seguir fingiendo que su desgracia le traía sin cuidado? Nunca le había preguntado acerca de su padre, aunque sabía que estaba haciendo averiguaciones a sus espaldas. Le crispaba los nervios que se hubiera mostrado indiferente o, peor aún, que se hubiera reído. Como un tonto, seguía hospedado en casa de madame Rachelle, esperando que llegara el momento en que Bronwyn declarara que seguía creyendo en él. Pero el momento no llegaba y la tensión entre ellos iba en aumento.

O sí que lo sentía, pero consideraba que aquella agonía que él estaba pasando carecía de importancia. ¿Por qué? Sabía la respuesta, era fácil. Bronwyn jugaba con él. Su grandioso plan de seducirla, atraparla con su cariño y luego casarse con ella se había quedado en nada. Seducido, atrapado, amaba a una mujer que creía todas las mentiras que se habían difundido sobre él. Las creía y no le amaba lo bastante como para limpiar su honor.

Ni siquiera hacía el amor con ella, aunque ella le suplicaba conocer el motivo. Dormía en un sillón, ignorando la tentación que personificaba Bronwyn. Algo en su interior se revelaba contra ser utilizado como un capricho, contra saciar el deseo que él le había enseñado. Pero lo deseaba. Sí, lo deseaba con locura. La desdicha estaba apoderándose lentamente de él, como el fango más oscuro del río Támesis.

Una voz ronca y femenina interrumpió su melancolía.

—¿Es usted lord Rawson?

La mujer, pintada, delgada, una prostituta, sin lugar a dudas, estaba plantada delante de él con la cadera ladeada, y los brazos cruzados sobre el pecho. El hedor de los muelles viajaba con ella. Adam respondió con cautela.

—Soy lord Rawson.

La mujer arrojó sobre la mesa un puñado de papeles.

—Aquí tiene algunos de sus títulos.

Adam cogió uno de los certificados que se desprendió del húmedo fajo. La tinta empezaba a correrse y emborronaba la imagen que complementaba el certificado.

—Si yo hubiera hecho esto, creo que me habría esmerado más en mi trabajo.

—Me han dicho que esto no son títulos de la Compañía de los Mares del Sur. Me han dicho que dé con usted y le pida el dinero.

—¿Quién se lo ha dicho? —preguntó Adam.

—Ese petimetre de empleado de la Compañía de los Mares del Sur. —La mujer rió socarronamente sin separar las manos de las caderas—. Usted es un caballero elegante, ¿no es eso? Tiene mucho dinero y roba a los que no tenemos tanto. Conozco a muchos hombres como usted. He tenido clientes como usted. Que engañan a una mujer honesta que se gana un sueldo honestamente.

Adam levantó la mano.

—Pare ya con su arenga, señora.

—¿Quién me va a solucionar a mí la vida?

Pese a su tono beligerante, su expresión delataba el rencor que sentía. Se le llenaron los ojos de lágrimas. Se secó la nariz con el fleco del chal. Con la autoridad adquirida en alta mar, Adam le mandó:

—¡Enderece esa espalda! ¡Eche hacia atrás esos hombros!

Y la mujer le obedeció por instinto.

—En primer lugar, me gustaría saber quién le vendió esos títulos.

La mujer dejó caer de nuevo los hombros.

—Algún esbirro suyo, eso seguro.

—Descríbamelo, por favor —dijo sucintamente Adam—. Si es capaz de describírmelo con el detalle necesario para descubrir su identidad, le pagaré lo que se le debe.

—¡Dios mío! —La mujer se irguió de repente. Y con el respeto de cualquiera de sus marineros, preguntó—: ¿Me está tomando el pelo?

Adam buscó en el interior de su bolsillo, extrajo un puñado de monedas de oro y las arrojó sobre la mesa. La mujer se acercó, los ojos clavados en el dinero.

—Vamos, tómelo —la invitó Adam. En un veloz gesto, la mujer alargó la mano. Pero él le agarró la muñeca antes de que pudiera guardarse el dinero en el bolsillo—. Cuénteme.

—Había otra prostituta, como yo. —Miró a su alrededor—. La conozco. Le preguntaré quién se los vendió a ella.

—Ya sabe dónde encontrarme.

La soltó y se relajó en su asiento.

La mujer se apartó rápidamente, como si esperara que él fuera a cambiar de idea, pero viendo que no se movía le dijo en voz baja:

—¿No es usted?

—No.

Pronunció la palabra y se encolerizó con renovada furia.

—Entonces encontraré a ese cabrón desgraciado. —Le ofreció una sonrisa desdentada—. Mi lealtad se compra, y usted acaba de encontrar la manera de hacerlo.

Y echó a andar meneando las caderas en amplios círculos.

—Al menos las prostitutas me hablan —comentó, sin dirigirse a nadie en particular.

—También yo le hablaré.

Adam levantó la vista hacia el joven que estaba de pie junto a la mesa.

—Northrup. Me alegro de verte. Si tienes información que darme, mantente lo bastante cerca de mí como para que pueda oírte, pero lo suficiente lejos como para evitar miradas curiosas. Siéntate allí —dijo, señalándole una mesa próxima.

Northrup titubeó, acongojado por la conciencia típica de un joven. Era evidente que deseaba reírse de la opinión pública, pero por otro lado temía el trato que estaba recibiendo Adam.

Adam insistió.

—No compartiré mesa contigo.

Aliviado del peso de tener que elegir, Northrup acabó tropezando con las prisas de alejarse y sentarse en una silla pegada a la pared.

—Toma una copa —le ordenó Adam—. Di lo que quieras, pero no me mires.

—Esto es lamentable —dijo Northrup.

—No te lo discutiré —replicó Adam, arriesgándose a mirar de reojo a Northrup. El joven tenía completamente rallada la punta de sus botas nuevas, la ropa arrugada. La peluca estaba solo empolvada por zonas y había adoptado una clara postura de decaimiento. Adam le preguntó—: ¿De qué quieres hablarme?

—De todo. Todo el mundo suelta comentarios desdeñosos sobre usted, los directivos de la Compañía de los Mares del Sur andan prometiendo un dividendo que no pueden pagar, los títulos están derrumbándose...

—¿No vendiste cuando te lo dije? —preguntó Adam.

No recibió respuesta.

La camarera se acercó a Northrup para tomarle nota y dijo:

—Me ha dicho Garraway que le diga que tengo que ver su dinero antes de servirle.

Adam tensó la boca al entender aquello como respuesta a su pregunta y golpeó a la insolente chica con el bastón.

—Yo pagaré la factura del señor Northrup. Tráele lo que te pida.

La camarera chilló y se giró, rabiosa hasta que vio quién la había tratado de aquella manera. Sonrió entonces con malicia y le garantizó:

—A Garraway tampoco le hace muy feliz tener tipos como usted sentados en su cafetería.

Aguijoneándola con la punta del bastón, Adam dijo:

—Ni acepto mensajes enviados a través de su furcia. Si Garraway desea que me marche, que venga él a decírmelo.

Cuadrándose, la camarera replicó.

—No soy ninguna furcia.

Adam no dijo nada, sino que se limitó a mirarla.

La chica lo soportó solo un momento, a continuación hizo un gesto como queriendo protegerse del diablo y susurró:

—Haré lo que me dice, solo para que deje de mirarme con esos ojos. —Retrocedió—. Pare ya, pare.

Adam siguió mirándola fijamente hasta que la camarera echó a correr hacia la barra.

—Estúpida imbécil —comentó. Northrup rió con disimulo y se secó con un pañuelo de encaje un hilillo de sudor que le caía por la frente. Adam siguió al ataque—. Compraste títulos de la tercera suscripción de la Compañía de los Mares del Sur, ¿no?

—Sí. —Northrup levantó la cabeza—. Y antes de que me lo pregunte, sí, los compré a crédito. Como todo el mundo.

—Bien, si todo el mundo entregó en prenda novecientas libras para adquirir títulos que ahora valen cuatrocientas, deberías correr a hacerlo también. —Adam no pudo reprimir el comentario sarcástico, pero le supo mal en el instante en que lo dijo. Northrup se levantó y Adam le ordenó—: Siéntate, chico.

—No lo haré, no soy un chico —dijo Northrup con una ferocidad que desmentía su aparente calma.

—Siéntate, por favor, Northrup —dijo Adam, corrigiendo su actitud. Northrup vaciló de manera visible y Adam repitió—: Por favor.

Northrup tomó asiento.

—Tendrás que perdonar mi falta de cortesía. Llevo tanto tiempo sin que nadie me hable que he perdido los modales que exige la sociedad educada —dijo Adam, medio en broma.

—Nunca los tuvo —refunfuñó Northrup.

—Cierto. —Adam sacó un pañuelo del bolsillo y se lo llevó a la nariz cuando pasó por delante de ellos un miembro de los bajos fondos especialmente maloliente—. ¿Compraste títulos de compañías que han sido declaradas ilegales?

—Sí. Consideré acertado diversificar. Pensé que me protegería en caso de que el precio de los títulos de la Compañía de los Mares del Sur cayera de manera drástica. —Ferviente como un pastor el día de colecta, Northrup siguió explicándose—: Así que ya lo ve, le creí cuando dijo que acabarían cayendo.

Adam se frotó para aliviar la tensión de las sienes.

—¿No caíste en la cuenta de que cuando bajara el precio de las compañías declaradas ilegales, todos los compradores, no solo tú, se verían obligados a vender los títulos de la Compañía de los Mares del Sur para satisfacer sus obligaciones?

—Si tan evidente era, ¿por qué sir John Blunt declaró ilegales esas compañías? —preguntó Northrup.

—Porque no entiende cómo funciona el crédito. Comprar con descubierto es un concepto novedoso, y debemos gestionarlo con precaución. Maldita sea, Northrup —Adam aporreó la mesa con los nudillos—, ¿por qué no vendiste cuando te lo dije?

El resentimiento de Northrup salió a relucir.

—Porque *me lo dijo* usted. No me dijo *por qué*, e imaginaba que yo era más listo que usted.

Adam se recostó en su asiento y extendió las piernas.

—Ambos hemos aprendido algo, ¿no es así? Mira, Northrup, si piensas seguir en el mercado financiero, tendrás que recordar unas cuantas verdades. El hambre y la avaricia son conceptos similares, pero el hambre puede saciarse. Convierte en hambriento, no en avaricioso.

En la trastienda del local empezaron a oírse los característicos sonidos de una riña. Unos cuantos bofetones, los chillidos de la camarera y Garraway salió resoplando poco después y se acercó a la mesa de Adam. Serenándose, anunció:

—En ningún momento le dije a esa idiota que trabajaba para mí que dijera una palabra, milord.

Adam enarcó una ceja.

—¿No?

—No, y más le vale que retire de su cara esa expresión altiva. No niego haberlo dicho, sino que simplemente niego habérselo dicho a ella. —Se secó la cara con un mugriento pañuelo que sacó del delantal—. En estos momentos usted me perjudica el negocio. Pero Garraway's lleva setenta años abierto y lo estará cien años más, de modo que supongo que no me importa perder unos cuantos clientes por su culpa. De todos modos, tampoco es que fueran muy buenos clientes.

Por primera vez en bastantes días, Adam sonrió.

—Gracias, Garraway. Eres un caballero distinto a cualquier otro.

Un par de pies subían por la escalera con paso exultante; un par de manos abrieron la puerta de la habitación. Resplandeciente y triunfante, Daphne gritó:

—Tus padres están abajo.

Bronwyn levantó la cabeza del manuscrito gaélico que en su día significara tanto para ella y que ahora le suponía tan solo un monótono examen. Su espléndido y nuevo mundo se estaba desintegrando y no comprendía por qué.

—¿Me has oído? —insistió Daphne—. Han venido tus padres.

—¿Mis padres? —La expresión de satisfacción de Daphne llamó la atención a Bronwyn, que repitió—: ¿Mis padres? —Se le hizo un nudo en la garganta y se llevó la mano al vientre en un gesto de angustia. Sus padres no sabían dónde estaba. Con cautela, preguntó—: ¿Qué padres?

—Rafferty Edana, conde de Gaynor, y su esposa, lady Nora. —Daphne sonrió bobamente—. Quedarse aquí arriba refunfuñando no servirá para que desaparezcan, te lo aseguro. Tu padre amenaza con llevársete de aquí para darte una reprimenda.

—¿De verdad? Papá siempre echa bravatas y grita. Pero siento defraudarte, sus amenazas acabarán en nada. —Bronwyn se levantó y, con una calma desesperante, apiló las hojas de la traducción—. ¿Está Rachelle con ellos?

Le preocupaba Rachelle. La francesa estaba últimamente muy distante, pensativa. Los visitantes del salón habían menguado de manera considerable.

La voz de Daphne se elevó después de esa alusión a Rachelle.

—Sí, está con ellos, escuchando los lamentos de tu madre por la pérdida de tu reputación.

—Eso sí que es muy de mamá.

—No eres la única que está preocupada por Rachelle, ¿sabes? —le espetó Daphne en tono desafiante.

Sin comprender qué le decía, sin escucharla en realidad, Bronwyn murmuró:

—Por supuesto que no.

Alisó la blusa a rayas de seda y se cubrió el pecho con un chal. Tal y como a Adam le gustaba, lo utilizaba para protegerse de miradas masculinas.

Adam. Dios. Adam era lo peor de todo. La mención de Henriette le había vuelto loco aquella terrible noche. Le había relatado las últimas palabras de la moribunda y le había respondido a gritos. Desde entonces, la oía sin escucharla. La miraba sin verla. Dormía en su habitación sin tocarla.

Mirándose en el espejo, se secó con suaves toques el sudor que le cubría el labio superior y la frente. Cogió el tarro del color para aplicárselo a la tez. Pero antes de rozar la piel, se detuvo. Dejó el carmín y miró con determinación su reflejo en el espejo.

—Me verán tal y como soy.

—Te encerrarán en tu habitación a pan y agua —dijo Daphne, mofándose, poniéndose furiosa al ver que sus pullas no conseguían erosionar la compostura de Bronwyn.

—Eres una cosilla odiosa, Daphne. —Bronwyn alisó la sencilla falda lisa—. Algún día acabarás haciendo daño de verdad con tu curiosidad.

Daphne se quedó blanca, demasiado joven aún como para esconder su consternación, y Bronwyn aprovechó para lanzarse sobre ella.

—¿Fuiste tú la que avisó a mis padres acerca de mi paradero?

Con las manos cerradas en puños, los brazos rectos, Daphne respondió:

—No fui yo.

—Anda, vamos. Pones cara de culpable.

—Siento no haber pensado en ello, pero no. —Daphne sonrió con tensión—. No fui yo.

Bronwyn no sabía si creer o no a la chica. Lo más probable era que de haberlo hecho lo hubiese reconocido tranquilamente, pero ¿qué importancia tenía, de todos modos? El daño ya estaba hecho. Después de coger el abanico de marfil, la cajita de los parches y el bolso, se dirigió a la puerta. Daphne empezó a bajar las escaleras, pero entonces Bronwyn chasqueó los dedos.

—Baja tú, voy a buscar el pañuelo, que me lo he olvidado. —Sonrió de un modo agradable para responder al gesto de impaciencia de Daphne—. Para poder secar mis lágrimas de arrepentimiento.

Esperó a que Daphne descendiera el tramo completo de escaleras y volvió corriendo a la habitación. Se acercó al espejo y se pellizcó las mejillas hasta dejarlas resplandecientes.

Bajar corriendo las escaleras mejoraría también su color, pero se negaba a hacer gala de su ansiedad. De este modo emprendió la marcha, calmada y serena, recordando constantemente que era la intachable Cherie, no la vulgar Bronwyn. Tal y como había visto hacer a su madre en innumerables ocasiones, se detuvo al llegar a la puerta del salón. Su madre lo hacía para permitir que la estancia saborease su belleza. Bronwyn lo hizo porque necesitaba un instante para armarse de coraje, aunque nadie se enteraría de ello, se juró para sus adentros.

En el salón, lord Gaynor estaba apoyado contra la pared, las manos hundidas en los bolsillos de la chaqueta, sin disimular su impaciencia. Lady Nora y lady Holly estaban sentadas a ambos lados de Rachelle, sujeta libros idénticos escoltando a una dama valiente; Daphne pululaba detrás de ellas. Las nobles bebían el té y charlaban educadamente mientras esperaban.

Su padre fue quien la vio primero.

—¿Bronwyn? —Lord Gaynor se enderezó. Y se quedó boquiabierto. Con una mirada rebosante de amor y orgullo, exclamó—: ¡Ah, Bronwyn, estás preciosa!

—Papá. —Bronwyn abrió los brazos y se fundieron en un apasionado abrazo—. ¡Papá! No me había dado cuenta hasta ahora de cuánto te echo de menos.

—Mi niña. Mi Bronwyn. —Le cogió la cara entre las manos para verla mejor—. ¿Qué te ha pasado? La atmósfera de Londres debe de sentarte bien.

Bronwyn rió y tragó saliva.

—Creo que sí.

—Suéltala, Rafferty, y déjame mirarla —ordenó lady Nora.

Lord Gaynor se apartó un poco de Bronwyn y la hizo girar con un paso de baile.

—¿Has visto lo que han hecho con nuestro oscuro duendecillo? Se ha convertido en un hada.

Lady Nora miró a Bronwyn con ojos expertos. Dejó la taza en la mesa y se levantó para rodearla mientras su hija contenía la respiración. Llevándose un dedo a los labios, lady Nora examinó el atuendo de su hija, su cabello, sus uñas largas... y esbozó una sonrisa.

—Maravilloso. Vaya transformación.

Abrazó con sumo cuidado a Bronwyn y le estampó un beso en la frente.

—Ya te lo dije, mamá. —Holly se inclinó hacia delante, sus ojos brillantes—. Si apenas la reconocí de entrada.

Lady Nora rió con indulgencia.

—Soy su madre. La habría reconocido independientemente de las circunstancias, pero es una sorpresa espléndida. —Y dirigiéndose a Bronwyn dijo—: Y tú te preguntabas si eras hija nuestra. Es evidente que tu rostro así lo demuestra.

Ruborizándose, Bronwyn miró a Rachelle.

—No lo habría conseguido sin Rachelle.

—El toque de una mujer francesa —concedió lady Nora sin ninguna malicia—. Debería haberte enviado a Francia hace años. Nadie sabe más que ellos cómo acentuar la belleza de una mujer. —Movió la cabeza—. Cuando pienso en tantos años desperdiciados...

—No se ha desperdiciado nada —intervino Rachelle—. Nuestra Cherie es lo bastante inteligente como para haberlo conseguido por sí misma. Lo que sucede es que no le importaba lo suficiente.

—¿Qué no le importaba lo suficiente? —Lady Nora rió como una campanilla—. Por supuesto que sí. Más de una vez recuerdo haber sido testigo de su desdicha cuando veía a todas las sirenas irlandesas y se encontraba tan distinta.

Rachelle la corrigió con firmeza.

—Le importaba porque a usted le importaba. Pero por sí misma, le era indiferente... o no le importaba lo bastante. No hasta que tuvo motivos para ello.

Lady Nora ignoró el comentario con un leve gesto de una mano con perfecta manicura.

—Sea cual sea el motivo, es un placer poder dar la bienvenida a Bronwyn a la manada. Y un alivio, un auténtico alivio —se secó una lágrima inminente—, saber que está sana y salva.

Las lágrimas de Bronwyn no eran tan fáciles de contener como las de su madre. Quería a sus padres, adoraba su alegría, sus ganas de vivir.

—Me alegro tanto de volver a veros —sollozó.

Lord Gaynor replicó enseguida:

—Y más me alegraré de llevarte de nuevo con nosotros.

Bronwyn apartó la cara del pañuelo, las lágrimas secándose en sus encendidas mejillas.

—No, papá, no vendré con vosotros.

Hubo intercambios de miradas, estrategias que se pusieron en marcha al instante.

—¿Cómo conociste a madame Rachelle? —preguntó lord Gaynor, el recelo tensando sus palabras.

Inocente como el rocío sobre la rosa, Bronwyn le dio unos golpecitos a su padre en el pecho.

—¿Recuerdas, papá, cuando estábamos de camino de casa de lord Rawson y Olivia y yo nos ausentamos de la posada? Te dijimos que habíamos estado en el salón de Rachelle y no nos creíste.

Pasmado, lord Gaynor se balanceó sobre los talones. Miró a Rachelle, y esta asintió, sin necesidad de decir nada.

—Qué los santos nos guarden, ¡hablabas en serio! —Miró a Bronwyn y estalló en carcajadas—. Me engañaste con la verdad. Anda que no eres astuta.

Bronwyn le sonrió, y aprovechando que su hija había bajado la guardia, le preguntó:

—¿Y qué tipo de lugar es este salón? Me cuesta creer que sea respetable.

—Es respetable, papá —respondió Bronwyn—. Rachelle no permite que el menor indicio de notoriedad mancille su salón.

—¿Ni siquiera esos rumores de asesinato? —insistió su padre.

Su padre había llegado más preparado de lo que se imaginaba, pensó desanimada Bronwyn.

—Esos rumores son una mentira. Lo sé mejor que nadie.

Algo en su expresión, o en la persona de Rachelle, o la simple creencia de que nadie podía ser capaz de matar a su propia hija, acabó convenciendo a lord y lady Gaynor.

Atacando entonces desde otro flanco, lady Nora dijo:

—Tu reputación estará arruinada.

—¿Cómo? Holly apenas me reconoció cuando estuvo en el salón. Mi querida hermana Holly —Bronwyn la miró furiosa—, que juró no contarles a mamá y a papá dónde estaba.

Se oyó la puerta principal cerrarse de un portazo y unos pasos resonando en el vestíbulo. El nuevo lacayo tomó la palabra. Le respondió una voz profunda y resonante, y Bronwyn se encogió de miedo al reconocerla.

Holly se inclinó hacia delante y se agarró al brazo del sillón.

—No pensaba hacerlo, pero cuando papá me contó que...

Lord Gaynor le indicó con un gesto que se callara y miró hacia la entrada. Bronwyn temía que también él hubiera reconocido aquella voz masculina. Los pasos se dirigieron al despacho. Bronwyn se puso tensa.

Intentando redirigir la inminente explosión, Rachelle intervino:

—Lord y lady Gaynor, mi casa es de lo más respetable. Nadie se ha aprovechado jamás de ninguna de mis chicas mientras han vivido bajo mi techo. Todas ellas son castas.

Con una extraña sensación de mal presagio, Bronwyn vio la figura de Adam enmarcada por la puerta. Sus ojos captaron pensativos toda la escena y se le encogió el corazón al oír que Daphne anunciaba triunfante:

—Lord Rawson está viviendo aquí.

Rachelle se volvió hacia su joven discípula.

—La traición es algo muy feo, Daphne, e imperdonable.

Las mejillas de esta perdieron repentinamente el color y se encogió de miedo. Extendió las manos, suplicando comprensión en silencio, pero Rachelle le dio la espalda.

—¿Qué está viviendo aquí? —preguntó lord Gaynor con una peligrosa calma.

Nadie dijo nada.

Le correspondía a ella, comprendió Bronwyn. Adam nunca provocaría su desgracia declarándose su amante, y ella no se atrevía a contárselo a su padre, que había adoptado una postura peligrosa. Sus ojos entrecerrados examinaban a Adam y vio que no daba la talla. Bronwyn tosió para aclararse la garganta y dijo, mintiendo:

—No es lo que piensas.

Lord Gaynor volvió la cabeza y la miró entonces a ella.

—¿Y qué es lo que pienso?

Había respondido con voz afable, pero Bronwyn no se dejó engañar. Estaba tan furioso como un padre podía llegar a estarlo, un padre cuya hija favorita había caído en desgracia. Entonces ella levantó la mano.

—Vive en esta casa, pero...

Con un rugido propio de un cañón, lord Gaynor se giró hacia Adam.

—Le hago responsable. Ha arruinado a mi hija, a mi pequeña. Creía admirarlo, lo consideraba el mejor de todos mis yernos, pero ha hecho caer en lo más bajo a la familia Edana.

Adam levantó las manos.

—Lo repararé según usted me exija.

—¡Se casará con ella! —vociferó lord Gaynor—. No se piense que saldrá de esta sin devolverle la reputación servida en una de esas bandejas doradas que utilizan sus sirvientes.

—Lord Gaynor, estaría encantado de casarme...

—Papá, no puedes obligarme a casarme...

La voz de campanilla de lady Nora ordenó:

—¡Silencio! —Utilizó un tono tan enfático que todo el mundo obedeció. Las miradas se volvieron hacia ella, que permanecía sentada muy erguida—. Lord Rawson no puede casarse con Bronwyn.

La tez de lord Gaynor adquirió un marcado tono púrpura.

—¿Qué?

—¿Qué quieres decir? —preguntó Bronwyn.

—Oh, calla, mamá —le suplicó Holly.

—Lord Rawson no puede casarse con Bronwyn —insistió lady Nora—. Está prometido con Olivia.

Bronwyn pensó que no la había oído bien. Sabía que no la había oído bien. Adam jamás haría una cosa así. Buscó con la mirada la cara de su madre. Tenía que ser una muestra de humor por parte de una mujer especialmente carente del mismo.

Pero lady Nora estaba mirando fijamente a lord Gaynor y diciendo:

—No podemos tolerar un escándalo así. Primero anunciamos que lord Rawson se casa con nuestra hija Bronwyn. Luego que ha habido un error y que se casa con nuestra hija Olivia. Está prometido con

Olivia desde que Bronwyn se fugó. ¿Te imaginas qué diría la gente si anunciáramos que nos hemos vuelto a equivocar?

Adam nunca se habría prometido con Olivia. Bronwyn lo sabía. Su padre se había vengado de ella por su huida, nada más. Se volvió hacia su padre, esperando que sus ojos estuvieran mirándola con su característica chispa.

Pero no. Entonces su padre dijo:

—¿No crees que nuestra relevancia es suficiente como para fingir que jamás realizamos ese segundo anuncio?

—Aquí tenemos un padre orgulloso. —Lady Nora meneó un dedo en dirección a lord Gaynor y se dirigió a Bronwyn—: ¿Has oído lo que tu padre pretende hacer? ¿No te parece absurdo?

Bronwyn asintió, aturdida. Sus padres estaban hablando, le hablaban a Rachelle, a ella, pero no entendía su idioma. Se levantaron. Le dieron un beso en la mejilla, dispuestos a marcharse, por lo que imaginó que se había llegado a algún tipo de acuerdo respecto a ella. Pero seguía sin entender nada. Holly y sus padres se dirigieron a la puerta.

Ella miró a Holly y movió los labios:

—Por favor.

Los grandes ojos azules de Holly se llenaron de compasión y negó tristemente con la cabeza.

Era verdad.

Bronwyn cogió una silla y se apoyó en ella, intentando mantener el equilibrio y superar la oleada de dolor que la abrumaba. Cuando abrió los ojos, se encontró una intensa mirada gris clavada en ella. Adam seguía en la puerta, todavía con su coraza de indiferencia.

Le acababan de destrozar el corazón y él se mostraba indiferente.

Con los ojos fijos en él, se arrancó el pañuelo que, por solicitud de Adam le cubría el escote, y lo rasgó. La seda emitió un sonido silbante. Lo arrojó al suelo. No podía contenerse. No era una persona adulta. Levantó el pie y lo pisoteó. Lo machacó contra el suelo. Saltó sobre él y luego echó a correr hacia la escalera, y se detuvo a mirar a Adam de arriba abajo. Sorbió por la nariz en un gesto de desdén. Chasqueó los dedos, le puso una mano en el pecho y lo apartó. Subiría a la habitación y recogería sus cosas. No, subiría a su habitación y no saldría de allí. Se encerraría y ya le dejarían la comida delante de la puerta para que ella la cogiera.

No, subiría a su habitación y se vestiría para bajar al salón y encandilaría a todo el mundo, y a Adam le dolería...

Adam dejó que pisara el primer peldaño antes de decirle:

—Recuerda, por favor, que no quieres casarte conmigo.

Bronwyn no le lanzó a propósito la cajita de los parches, sino que salió volando de su mano a toda velocidad. Adam la esquivó y ella gritó:

—¡Maldito seas!

Recogiendo la falda por encima de la rodilla, corrió escaleras arriba. No sabía si Adam la seguía, pero confiaba en que lo hiciera. Confiaba en que lo hiciera porque cuando el siguiente objeto saliera de su mano, acertaría en el blanco. Juró que acertaría.

Cuando irrumpió en la habitación, encontró a la doncella recogiendo ropa.

—¡Vete de aquí! —gritó, sujetando la puerta para que pudiera salir. La pasmada chica salió corriendo por su lado y Bronwyn cerró de un portazo justo cuando Adam ponía la mano. Entonces empujó la puerta con el hombro, pero él logró abrirla sin apenas esfuerzo.

El abanico salió disparado de su mano y estableció contacto con la frente de él.

Apareció de inmediato una gota de sangre, que Adam se palpó con el dedo. La miró sorprendido y cerró con fuerza la puerta a sus espaldas.

—Eres una pequeña arpía.

Desbordada de dolor e ira, ella le replicó a gritos.

—¿Cómo pudiste hacerme esto?

—Sé lógica, Bronwyn. —Sonrió de oreja a oreja, mostrándole la dentadura—. Tú no quieres casarte conmigo.

—No tengo por qué ser lógica. —Se cruzó de brazos y le dio la espalda—. Viniste a casa de Rachelle conociéndome, sabiendo que estabas prometido con mi hermana —¡mi hermana!—, y aún así me sedujiste...

—Tú *me sedujiste* —dijo él corrigiéndola, exasperantemente tranquilo.

—Y me gustó.

—Naturalmente.

Reconocerlo no sirvió para tranquilizarla. Se giró en redondo dispuesta a enfrenarse de nuevo a él.

—¿No te da vergüenza?

—No.

Dio la vuelta a la llave en la cerradura, la sacó y se la mostró.

Bronwyn inspiró hondo el sofocante ambiente.

—Si te piensas que puedes pervertirme cada vez que te apetezca, acabarás teniendo un triste despertar.

Adam replicó muy sorprendido:

—¿Pervertir? Antes no lo llamabas así.

Bronwyn sacudió la cabeza.

Sopesando la llave en la mano, Adam tomó una decisión. Con un giro de muñeca, la guardó en la cajonera.

—*Puedo* pervertirte siempre que me plazca. Es lo que estás deseando desde hace tres semanas, ¿no es así?

—¡Eso será tú! —Respirar hondo no conseguía aplacar su ira. De hecho, solo le servía para arrepentirse de haber destrozado su chal de seda, puesto que sus pechos se tensaban contra el pronunciado escote, un detalle que a Adam no le pasó precisamente por alto. Tampoco intentó esconderlo—. ¡Dos semanas y media! Y solo te deseaba cuando te creía libre de cualquier compromiso.

Sin despegar la mirada de su seno, Adam se despojó del chaleco.

—Ya te dije que haría cualquier cosa para conseguir que te casases conmigo, y una intensa vida nocturna me pareció suficientemente convincente.

—Cualquier cosa, pero no romper el compromiso con mi preciosa hermana.

—¿Quieres que me eche atrás? —Avanzó hacia ella, acechándola, deshaciéndose entretanto del corbatín—. Una conducta así es impropia de un caballero.

Lo abrasó ella con una mirada de desdén.

—¿Desde cuándo te preocupa tu reputación de caballero?

Con una sonrisa ofensiva, él replicó:

—Dudo que a tu hermana le guste convertirse en el centro de un chismorreo de este calibre.

—Oh, ya entiendo. —Demasiado enfadada como para mostrarse cautelosa, se mantuvo firme hasta que lo tuvo pegado a ella y se vio obligada a ladear la cabeza para poder mirarlo a la cara—. Ahora resulta que eres considerado con Olivia. Supongo que esperarías meterte también en su cama, ¿no?

Adam estaba a punto de cogerla pero, de pronto, se detuvo y dejó caer los brazos.

—No tengo ningún interés por Olivia. Tú, precisamente, eres quien mejor debería saberlo.

—Olivia es una sirena irlandesa. Olivia es encantadora como el sol naciente. He visto a los hombres caer rendidos a sus pies a la primera mirada. —Hizo una mueca—. ¿Pretendes que me crea que no la deseas?

—Eres una mujer estúpida. Caí rendido a sus pies a la primera mirada, y me levanté a la segunda. —Rió, una carcajada breve y amarga—. No creas que puedes engañarme. Utilizas este compromiso como excusa para decirme que te deje tranquila.

—¿Dejarme tranquila?

—Créeme, lo entiendo.

—¿Entender qué?

—Siempre supe que cuando descubrieses mi historial familiar te quedarías horrorizada. Intenté mantenerte al margen de esta mancha familiar. ¿Por qué una mujer desearía compartir su vida con el hijo de un criminal?

—¿Tu padre? —Empezaba a comprender sus divagaciones—. ¿Estás hablando de la historia que me contaron el viejo Sawbridge y Daphne? ¿Eso de que estás falsificando los títulos de la Compañía de los Mares del Sur?

—Es la historia que cree todo Londres.

Incrédula, levantó la mano como si con ese gesto pudiera detener aquella riada de palabras.

—¿Es ese el motivo que me das para ya no desearme?

—¿No desearte? —La agarró por la mano que acababa de levantar y la llevó a su entrepierna—. Te deseo tanto que me duele incluso.

Ella apartó rápidamente la mano del calor y la dureza y la cerró en un puño.

—Estás loco si piensas que voy a tragarme una historia tan poco convincente como esa. Tal vez me desees en este momento, pero a la que caiga la noche te habrás quedado saciado y seguirás a la tuya. No es más que una excusa para abandonarme.

Adam enarcó las cejas.

—¿Una excusa? ¿Para abandonarte? ¿Y por qué tendría yo que querer hacer eso?

—Porque no soy tan bonita como mis hermanas —respondió Bronwyn, exasperada por su intencionada estupidez.

—Qué tontería. Eso sí que es una excusa para abandonarme *a mí*.

—Muy gracioso —replicó ella con exasperación—. ¿Por qué tendría que querer yo abandonarte?

—Porque soy hijo de un falsificador y un posible falsificador —rugió Adam—. ¿No has oído lo que dice la gente?

—Lo he oído. —Se levantó el cabello que le caía sobre los hombros y se abanicó la nuca con la mano—. He oído muchas memeces.

—Si mis antecedentes no significan nada para ti, ¿por qué prestaste tan poca atención cuando llegó a tus oídos el rumor de que era un falsificador?

Bronwyn extendió los brazos.

—¿Qué esperabas que hiciera?

—Cuando Judson relató la historia del esposo de madame Rachelle, le diste un bofetón. Le gritaste. Lo echaste. —Bajando la vista, continuó—: Pero a mí no me dedicaste absolutamente nada de esa justificada indignación.

—Judson pretendía hacerle daño de verdad a Rachelle. Ella dirige un salón. Es extranjera. Esos rumores podrían hacerle daño... y se lo han hecho. A ti no podría pasarte eso. —Pinchándole, deseosa de avergonzarlo, le dijo en tono burlón—: De haber sabido que te pondrías como un niño por esto, le habría dado un puntapié a Sawbridge y un tirón de pelo a Daphne. ¿Te habría hecho feliz con ello?

Con unos aires de superioridad insufribles, Adam respondió:

—Al menos, cuando hubiera ido a Change Alley y me hubiera rehuido la más baja escoria, habría tenido el consuelo de que mi amante me respaldaba.

—¿Tu amante? —Deseosa de arremeter contra él, se inclinó hacia delante hasta que el vestido reveló un exceso de su cuerpo y declaró—: Ya no soy tu amante.

Adam la agarró por el escote del vestido y, en un gesto triunfante, rasgó el tejido hasta la cintura.

—Eso ya lo veremos.

Bronwyn bajó la vista hacia el sencillo corsé de lino que los restos de su fina blusa habían dejado al descubierto. Aquello era increíble. No podía creer que hubiera tenido aquel descaro.

—¿Te crees el único que puede...?

Lo agarró por las solapas de la camisa y tiró. Salieron volando botones hacia todas direcciones y sonrió, tensa.

Pero su sonrisa se esfumó cuando vio que él hundía la mano en un bolsillo del pantalón y extraía un estuche de cuero largo y fino. De él sacó un cuchillo de competente aspecto y lo agitó, diciendo:

—Un marinero nunca va desarmado por la vida.

Sus ojos entrecerrados no la amedrentaron, aunque sí le provocaron un vuelco en el corazón. Adam nunca le haría daño. Eso lo sabía. Del mismo modo que sabía que su dignidad se vería afectada si entraba en una pelea con él.

O eso se dijo, al menos.

Se quedó inmóvil mientras él la despojaba del cinturón, el *pannier* y las enaguas, rasgando los accesorios con el cuchillo. Cayeron al suelo, a sus pies, y rabiosa, Bronwyn dijo:

—Imagino que ahora estarás feliz.

—Todavía no.

Con mano firme, rajó el corsé por la altura de una ballena hasta abrirlo por completo. Hizo una muesca en la camisa a la altura del pecho y acto seguido, después de insertar el dedo en el agujero que había creado, tiró del tejido hasta rasgarlo.

Lo único que había salido indemne del naufragio hasta el momento eran las medias. Ignorando el alivio que le proporcionaba el aire en contacto con la piel, permaneció sin moverse sobre lo que quedaba de su mejor vestido y dijo en tono desdeñoso:

—Ya has demostrado ser un hombre de verdad. Veamos ahora si eres capaz de permanecer quieto mientras ejerzo mi venganza.

Sonrió ofendido y le pasó el cuchillo, sujetándolo por el filo. Bronwyn lo aceptó como la reina que recibe un tributo.

—Confía en la mujer que sujeta incorrectamente un cuchillo —dijo él en tono burlón.

Bajó la vista hacia la mano que sujetaba la empuñadura y apreció la tensión de los dedos.

—Confía en el hombre —replicó Bronwyn en el mismo tono—, que teme enseñar a una mujer cómo sujetar un cuchillo.

La hizo girar, de tal modo que la espalda de ella quedó pegada al torso de él, y la envolvió entre sus brazos.

—Dámelo.

El calor abrasó a Adam cuando ella le depositó el cuchillo en la mano.

Entonces dio media vuelta al arma y la cogió con agilidad.

—Así. ¿Ves cómo tengo colocados los dedos?

—Lo veo, lo veo —respondió ella, airada.

Se secó con el hombro el sudor de la frente y luego la mano en la destrozada camisa. Cogió el cuchillo e imitó el gesto de Adam.

Él no emitió ninguna palabra de elogio, solo un gruñido.

Fastidiada por su indiferencia, Bronwyn lo provocó.

—¿Quieres enseñarme alguna cosa más?

Intentó cogerle el cuchillo y, en un momento de locura, Bronwyn luchó por su posesión.

—¿Quieres aprenderlo a tirar? —gruñó él—. ¿O no?

Ella lo soltó.

—Sujeta la hoja con la punta de los dedos. Mantenla en equilibrio. Apunta. Y cuando lo lances, no lo hagas como una mujer. —Su tono de voz indicaba un desdén por la capacidad femenina—. Echa el brazo hacia atrás y asegúrate de dar en el blanco. Ten. Inténtalo.

Sujetar el filo con la punta de los dedos era bastante más complicado que sujetarlo por la empuñadura. Afiladísima, la punta se hundió en su dedo índice como si este fuera de mantequilla. Apretó los labios para contener el dolor y movió la mano hasta conseguir imitar la forma en que él lo había cogido. O eso creía.

—Así no. —Le cambió los dedos de lugar—. ¿Lo ves? Así. Sabrás que estás haciéndolo bien cuando lo sientas como una extensión del brazo.

Lo dudaba.

—Veamos cómo te preparas. —Se apartó de su lado—. Y recuerda: no lances como una mujer.

De haberlo tenido delante, se habría empleado a fondo con el arma. Pero al no ser así, echó el brazo hacia atrás y lo lanzó con todas sus fuerzas. Bronwyn observó sorprendida cómo volaba el cuchillo por la habitación, se clavaba en la cajonera y allí se quedaba, temblando por el impacto.

Y también ella se quedó temblando. La satisfacción por lo conseguido la llevó a volverse hacia él trazando una pirueta.

Adam miró el cuchillo y le dijo luego, con una expresión inescrutable:

—Te has olvidado apuntar.

Gritándole no conseguiría nada, pero sabía cómo acobardarlo. Se acercó con paso majestuoso a la cajonera, sacó el cuchillo clavado en la madera y se acercó a él con los mismos andares.

—Ahora me toca a mí desnudarte.

Sus habilidades nada tenían que ver con las de él, y el cierre lateral del pantalón perdió todos los botones atropelladamente. Bronwyn se vio obligada a reconocer que Adam ni se encogió cuando cortó la costura que recorría su entrepierna... aunque también era posible que le diera más miedo moverse, pensó con regocijo. De rodillas delante de él, cortó los botones de la rodilla y tiró del ceñido pantalón. Levantó entonces la vista, más allá de la confirmación de su pasión y de su estómago, para contemplar un torso cubierto por los blancos restos de la camisa. Desde aquel ángulo parecía un dios, intrépido, imperioso, exigente. Su mirada recorrió los músculos que se ondeaban como el océano bajo su piel, repasó la columna de su cuello y se clavó finalmente en sus ojos.

Aquella furia bárbara se transformó en un instante.

Capítulo 15

Como el destello de un relámpago en la soleada tarde, Adam recordó de repente. Recordó qué le atraía de ella. Recordó cuánto tiempo hacía que no se abrazaban. Recordó lo estupendo que era hacerle el amor.

Bronwyn separó los labios; la lengua asomó para lamerlo como la niña a la que acaban de ofrecerle una golosina. Había caído también víctima del rayo.

Sus manos ascendieron, acariciándole las pantorrillas, los muslos. Le abrasó un placer intenso, repentino. La cogió por las muñecas para apartarle las manos. La protesta de Bronwyn cayó en saco roto, puesto que él acabó arrastrándola y poniéndola en pie.

Sus enaguas eran blancas, estaban hechas girones y suponían un obstáculo. Un obstáculo desesperante. El deseo de Adam ardía descontrolado. Se las arrancó con tanta premura que las oyó rasgarse, y el sonido le recordó la escena vivida en el salón.

Bronwyn se había arrancado el chal, el símbolo de su acuerdo, y recordar aquella calumnia solo sirvió para incrementar su impulsividad. La hizo volverse hacia la cama, pero el cuerpo de ella se convirtió en un eje sobre el que girar y el que acabó cayendo de espaldas al lecho fue él. La colcha blanca proyectaba cuadraditos de luz de sol que se contorsionaban al son de su refriega. El calor de aquel halo brillante se filtró en sus nalgas mientras intentaba apuntalarse sobre un codo, pero Bronwyn saltó sobre él antes de que le diera tiempo a incorporarse.

Olvidó el motivo por el que deseaba estar al mando de la situación. Deslizándose para conseguir sentarse con los hombros apoyados contra la pared, descubrió que la visión que ella le proporcionaba aplacaba un anhelo para activar luego otro. El aroma, el sabor de aquel perfume de naranja, flotaba por el aire y lo inundaba cada vez que respiraba. Bronwyn susurró su nombre, solo «Adam», pero con un deseo implícito tal, que se estremeció de júbilo.

Entonces se arrastró por encima de él y lo hizo suyo. Sus cuerpos se fundieron hasta que él formó parte de ella, aún sin dejar de ser Adam. Sin comprenderlo, sin reconfortarlo, reparó sus lágrimas, curó sus heridas.

Fue un acto sin delicadezas que lo endulzaran. Él la sujetó por las caderas para levantarla y adoptar aquel ritmo salvaje que ella ya conocía. Estaban pegados el uno al otro, tan cerca que la exhalación del jadeo de ella rozaba constantemente la mejilla de él. Ella cerraba los ojos, los abría, los cerraba, como si el placer que le proporcionaban todos sus sentidos la superara.

—Corre, corre —le instó ella, y la euforia de él aumentó con aquel gruñido de impaciencia.

Abarcó con las manos su redondo trasero. La luz del sol perfilaba sus curvas, convertía en diamantes las gotas de sudor que habían aparecido entre sus pechos. Las ligas le rozaban la parte lateral de las caderas, pero la sensación no era de malestar, sino que formaba también parte de la fricción que estaba devorándolo.

El esfuerzo de levantarla, de mecerla, empezaba a hacer mella en sus bíceps. Ella luchaba por un movimiento veloz; él se debatía para ralentizarla, y rió a carcajadas viéndola apretar los dientes, echar la cabeza hacia atrás, arañarle los hombros con las uñas.

Abrió ella los ojos un instante y le lanzó una mirada furiosa.

—Demasiado… —murmuró—. Hace demasiado calor.

Vio que ella buscaba moderarse, y decidió incitarla a alcanzar el frenesí. Con la cabeza inclinada, capturó un pezón con la boca y lo chupó hasta hacerla gritar. Cuando percibió la oleada en el interior de su cuerpo, la renovada humedad, el avenimiento de la tormenta, la mordió levemente.

Ella gritó, sufrió espasmos, se vino abajo por un breve instante.

—Más —le ordenó él.

—No puedo. —Le castañeteaban los dientes por la tensión—. No puedo —insistió, mientras él seguía haciendo rodar las caderas bajo el peso de ella.

La necesidad le empujaba, bloqueando cualquier tipo de pensamiento y liberando un instinto que condujo a Bronwyn de un orgasmo a otro. Un líquido salpicó el torso de él; no sabía si sudor o lágrimas. Lo único que sabía era que cuando la liberación se apoderó de él, no logró reprimir un grito de regocijo.

Bronwyn se marchitó sobre él. Abrazándola, se deleitó en la armonía provocada por aquella oleada de placer físico. Era una armonía ficticia, era consciente de ello, puesto que no habían solventado nada de su apasionada pelea anterior. Nada, excepto que con el crisol de su pasión se habían fundido en una sola entidad.

Pero por ahora, bastaba con eso.

La abanicó con una almohada que sacó de debajo de él, pero ella le susurró:

—No.

—¿Qué?

—No. —Suspiró y restregó la cara contra el torso de él, como el gatito que busca consuelo—. Está más fresco.

Adam miró por la ventana. El sol se había esfumado, había sido borrado del cielo por una embestida de nubarrones. El calor había menguado por fin. Abajo, la ciudad se apresuraba para huir de las primeras gotas de lluvia. Se oían, a lo lejos, los gritos de un hombre enfadado, y giró la cara de Bronwyn para que lo mirara.

—¿Tu padre?

—Sí.

—¿Subirá?

—Si no lo ha hecho ya, no creo que lo haga. Supongo que mi madre y Rachelle se lo habrán impedido.

La boca de Adam esbozó aquella sonrisa que tanto había echado de menos ella en las últimas semanas.

—No te he besado —reflexionó él.

—No lo has hecho —concedió ella.

—Una grave negligencia.

—Fácilmente rectificable.

Le incitaba: con su hablar irónico, con el calor de su cuerpo tan pegado al de él, con el tímido brillo de sus ojos.

¿Tímido? ¿Después de retozar de aquel modo? La miró con más atención. El rubor cubría hasta el último centímetro de su piel, hasta el último centímetro visible… y eran muchos. Riendo entre dientes, recostó el cuello de ella en su brazo, acercó la boca a la suya, y en el momento en que las primeras gotas de lluvia alcanzaban el sediento suelo, inició la larga y lenta seducción de una mujer ya seducida.

Poco a poco fue permeando una tarde gris, húmeda y dulzona que trajo consigo el primer frescor otoñal. Adam encendió las velas con Bronwyn observándolo con la mejilla apoyada en una mano doblada. Era curioso recordar el terrible calor de solo unas horas atrás.

—Mucho calor —dijo Adam.

Bronwyn giró la cabeza sobre la almohada, lo bastante como para taparse un único ojo. Con aquel pequeño ajuste, tuvo de pronto la sensación de haber bloqueado los fragmentos de su vida que tanto le inquietaban. La habitación tenía un aspecto distinto. Adam, que deambulaba inquieto, también tenía un aspecto distinto. No quería pensar, pero sabía que estaba obligada a comentar lo que estaba pasando.

—Estás nervioso.

—Estoy pensando.

Pensando en su imposible situación. Pensando en las cosas en que ella temía pensar. Pensando en Olivia. Se tapó el otro ojo.

—Ayer —dijo él—, descubrí una pista, una posible grieta en esta conspiración.

¿Conspiración? ¿Su compromiso era una conspiración?

—Robert Walpole cree que en el mundo financiero está pasando algo muy extraño.

Ella sufría por la situación personal en la que estaban inmersos, y él pensaba en Robert Walpole y su estúpido mundo financiero.

—¿Y cómo lo sabe? —dijo Bronwyn—. Todo es muy extraño.

—Cree que está pasando algo aún más extraño —le aclaró—. Ha oído rumores que le han dejado perplejo y me ha pedido que me sirva de mis contactos para encontrar la fuente.

Se le escapó una risilla. ¡Qué momento más inoportuno había escogido aquel hombre!

—¿Pasa algo? —preguntó él.

—No. —Se esforzó por contenerse—. No. ¿Qué… qué has descubierto?

—Que Walpole tiene razón y no la tiene. Que aquí hay algo más que una simple manipulación financiera. Que hay alguien que quiere poder.

Eso la empujó a sentarse, a alejarse de la seguridad que le brindaba la almohada. El poder generaba avaricia, generaba peligro, y Adam era el blanco de todo ello.

—¿Qué tipo de poder?

—Poder por encima del rey, pienso. Poder en el Parlamento. En el seno del gobierno hay un vacío, y Robert quiere llenarlo. Tiene capacidad suficiente para llenarlo, es el mejor hombre para ello. —Se mojó la cara con agua y buscó a tientas la toalla—. Si pudiera encontrar el origen de esta conspiración, sería de gran ayuda para él.

Con timidez, Bronwyn sugirió:

—¿Y no piensas que podría estar relacionado con el asesinato de Henriette?

Dejó por un instante de secarse la cara y se volvió hacia ella.

—¿Henriette?

—La hija de Rachelle. —Dobló las piernas y las enlazó a la altura de las rodillas—. Si haces memoria, recordarás que te conté que había sido asesinada por alguien que dijo que mataría a un hombre haciendo caer sobre él un título.

—No, no lo recuerdo.

Y antes de que se acordase de la fatídica noche en que se lo comentó, Bronwyn le dijo:

—¿No crees que también podría tener algo que ver con esta conspiración?

—¿Matar a un hombre haciendo caer sobre él un título? —repitió pensativo—. Una forma muy curiosa de expresarse.

—Henriette era francesa. —Se quedó mirándolo fijamente, pero se dejó distraer por el placer que incitaban en ella sus largas extremidades y sus magros músculos—. Creía que Walpole se sentía seguro en el país. ¿Cuándo te pidió que le ayudaras?

—Hace meses. A finales de abril.

—¿Abril? ¿En abril y aún no has averiguado nada?

Una mirada de soslayo de Adam la abrasó por completo.

—Robert quería que abordase el asunto personalmente, pero mi vida privada lleva mucho tiempo impidiéndomelo.

Bronwyn recordó hasta qué punto lo había distraído, y se sintió adulada por haberlo conseguido.

Mirándola a través del espejo, se tocó levemente la barbilla.

—Podrías sonreír. He estado bailando a tu son y descuidando mis deberes hacia el país.

Ignorando la conciencia que con tanta mordacidad había hablado, recogió su melena y la dejó caer para que le cubriese el pecho.

—Jamás te pediría que descuidases tus deberes hacia Inglaterra.

Adam cogió un candelabro y lo enfocó hacia su pelo plateado.

—Por supuesto que no.

Un escalofrío delicioso le recorrió a Bronwyn la espalda al verlo avanzar hacia ella, candelabro en mano.

Dejó la lámpara en la mesita y le dijo, en tono acusador:

—La culpa es tuya. Tú tienes la culpa de que haya desatendido mis deberes, y la culpa de que lo recuerde. —Se desperezó, tensando la musculatura de brazos, pecho y estómago. Con un gruñido, flexionó muslos, pantorrillas, y se llevó la mano a la vieja herida, como si quisiera protegerla—. Con una confianza bastante irracional, sé cómo solucionar este misterio. Tú me haces fuerte.

El ardoroso tributo la dejó sin respuesta.

Tampoco él dio la impresión de esperarla. Le atrajo el perfil flexible de la espalda de ella y la acarició en toda su longitud con el cuidado con que se acaricia a un gatito.

Ronroneando, Bronwyn saboreó la oleada de vitalidad que le recorrió las venas.

—Ven a la cama, te calentaré.

Recorrió con la mano su costado, encantada al ver que se le ponía la piel de gallina.

Adam se desplazó para apoyar una rodilla en el colchón y liberar el peso de su perjudicada pierna.

—Sospecho que tienes también otros motivos.

Bronwyn bajó la vista hacia el muslo de él, se inclinó hacia delante y estampó un beso en la antigua herida.

—¿Te dolió mucho?

—Era como fuego. —Recorriendo con el dedo el perfil de los hombros de ella, añadió—: Aquel cirujano asqueroso pretendía amputarme la pierna.

Bronwyn hizo una mueca de dolor y negó con la cabeza.

—Pero no, no se lo permití, aunque aún guardo en el interior algún que otro pedazo de cubierta. Me molesta de vez en cuando.

—Ya lo he notado —replicó ella—. ¿Te apetece que te bese mejor la herida?

—Lo que me apetecería es descansar. —Ante una declaración tan imperiosa, se quedó boquiabierta y lo miró con la conmovedora expresión de reproche del cantante callejero que descubre que ha sido engañado—. Qué demonios, ya descansaré más tarde. —Se dejó caer en la cama y permitió que ella lo cubriera con la sábana—. Después de que me hayas matado. Porque esa es su intención, ¿verdad?

Bronwyn no lo negó, y con voz ronca le aseguró:

—Lenta, muy lentamente.

—¡Mi hermana! —Se dio la vuelta, cogió un puñado de vello del pecho de él y tiró de raíz para despertarlo—. ¿Qué haces prometido con mi hermana?

Él le apartó las manos.

—Ay, maldita sea.

—Esa no es respuesta.

Volvió al ataque y él se defendió.

—¿Es necesario hacer esto nada más despertarse?

Miró a su alrededor protegiéndose los ojos de la luz del sol que se filtraba entre un breve interludio de nubes.

—Sí. —Se sentó en la cama cruzada de brazos—. Es necesario.

—De acuerdo. —Se incorporó fatigado—. Lo haremos. —Rascándose la cabeza, dijo—: Tal vez sería mejor que te preguntase antes por qué estás tan enfadada.

—Jamás me acostaría conscientemente con el prometido de mi hermana —replicó ella, haciendo alarde de los elevados ideales que habían iniciado su ataque.

Los ojos grises de él se mofaron de su arranque de furia.

—Pues acabas de hacerlo.

—Ha sido un error —dijo ella, protestando.

—No ha sido un único error. Sino varios errores. A lo largo de varias y largas horas. —Ella apartó la cabeza y él la obligó a mirarlo de nuevo cogiéndola por la barbilla. Sus palabras y su mirada le atravesaron a ella el corazón—. Tal vez deberías preguntarte por qué abandonas de tan buena gana tus principios cuando estás hambrienta y los recuerdas con tanta indignación cuando te sientes saciada. —Echando el labio inferior hacia fuera, Bronwyn se negó a responder y él apartó la mano—. Mi compromiso con Olivia se mantendrá hasta el día en que me pidas que lo invalide.

—¿Y cómo quieres que te pida que lo invalides? —Agitó los brazos como las aspas de un molino—. Soy su hermana.

La mirada de Adam la abrasó por un instante antes de abandonar la cama, dejando caer con fuerza los pies al suelo.

Estaba disgustado con ella. La satisfacción de la noche se había disipado por completo. Se comportaba como si la injusticia fuese de ella, y en el fondo del corazón la atenazaba una idea inquietante. ¿Estaría equivocada? Cierto, ella le había abandonado, había querido que tomase a Olivia en su lugar, pero, en el fondo, nunca había creído que acabara haciéndolo. El Adam que había conocido llevaba una máscara, dura, frágil, fría. Pero la noche del solsticio de verano, bajo la luz de la luna, la había convencido de la sinceridad de su pasión, de la pasión que sentía por ella, por Bronwyn. ¿Habría lanzado por la borda un amor que podía durar toda una vida simplemente por culpa de su estúpido orgullo?

Adam se miró en el espejo, cogió un cepillo y se lo pasó por el pelo, dándole cierta apariencia de decoro antes de sujetárselo a la nuca.

—¿Se ve civilizado? —preguntó simplemente para entablar conversación.

Ella se cubrió con la sábana hasta el cuello. El frío de la estancia no se limitaba solamente al ambiente.

—Ni mucho menos. Pareces un marinero con una fina capa de lustre.

Él intentó forzar una sonrisa, pero el reflejo del espejo no mentía. Viendo que no lo lograba, puso mala cara.

—¿Adónde vas? —preguntó Bronwyn—. «¿Volverás?», le habría gustado decir, pero no se atrevió a formular la pregunta.

—A Change Alley.

Con la máxima delicadeza, preguntó ella a continuación:

—¿A descubrir la verdad sobre esta conspiración?

—Sí.

—Has dicho que Walpole habló contigo del tema en abril. Estamos a veinte de septiembre. Tal vez es que no hay nada que descubrir.

Él giró como un desconocido ante un enemigo. Enseñando todos los dientes, le espetó:

—Si no hubiera nada que descubrir, ¿por qué alguien que se hace pasar por Adam Keane, vizconde de Rawson, estaría emitiendo y haciendo circular títulos falsos? —Se acercó a ella a grandes zancadas—. ¿Se te ha pasado por la cabeza que el consejo directivo de la Compañía de los Mares del Sur ha perpetrado uno de los mayores fraudes que puedan haberse cometido desde que el hombre es hombre? Han robado millones de libras a personas ingenuas y estúpidas, han arruinado buenas y malas vidas, y están conduciendo al caos al gobierno de Inglaterra.

Bronwyn reflexionó.

—De todos modos, no creo que sea una conspiración del comité.

De no haber estado tan enojado con ella, habría sonreído.

—Eres una mujer muy inteligente en lo que a las finanzas se refiere. Pero en cuestiones de corazón, eres increíblemente estúpida. —Mientras ella le miraba boquiabierta, se puso los diversos anillos que solía lucir—. Yo tampoco creo que la conspiración sea obra del comité. De tener que señalar a un hombre, diría que el culpable es John Blunt, el recién ascendido a barón.

—Pero ¿de qué va esta conspiración?

Adam se rascó la frente y respondió:

—No lo sé. En Change Alley apesta tanto a fraudulencia, que resulta difícil distinguir una conspiración de una trama.

—En ese caso, a lo mejor no se trata de nada muy grave, de nada que merezca tu atención.

—¿Acaso no has oído lo que se dice? Pues si todo lo que se dice no te parece suficiente, reflexiona sobre lo siguiente. La Compañía de los Mares del Sur ha contratado navajeros para «animar» a las demás compañías a abandonar el mercado.

Bronwyn se estremeció. Ahí estaba la razón de su preocupación, lanzada contra ella como el que lanza una migaja a un mendigo. No pudo evitar formular la ansiosa pregunta que le vino de inmediato a la cabeza.

—¿Estás poniendo tu vida en peligro?

La cara de Adam se transformó en una mezcla de beligerancia, confianza y aquel loco deleite masculino por las peleas.

—Lo dudo.

Furiosa con él por ser tan poco precavido, furiosa con Walpole por haberle exigido aquel sacrificio, le espetó:

—¿Cómo se atreve Robert Walpole a pedirte que espíes por él basándose en una simple amistad?

—¿Y por qué otro motivo tendría que hacerlo? —preguntó, su voz adquiriendo un matiz peligroso.

Levantándose de un salto, Bronwyn replicó:

—No sé, pero quiero que lo dejes.

—¿Dejarlo? ¿Dejarlo cuando estoy tan cerca? ¿Dejarlo y quebrantar la palabra que le di a un amigo? —Posó las manos en los hombros de ella y la atrajo hacia él—. ¿Por qué debería dejarlo? ¿Por qué piensas que los títulos falsificados desaparecerán de Change Alley si lo hago?

Entonces ella lo agarró por las muñecas.

—No seas tan burro.

Clavándole los dedos en la piel, él le reguntó :

—¿Te preocupa que mantener una relación con un falsificador arruine tu reputación?

Tirando para soltarse de unas manos que la sujetaban cada vez con más fuerza, Bronwyn dijo:

—Eres un estúpido. Mi reputación ya está arruinada.

La soltó como si acabara de pincharse con ella.

Una sola mirada a la expresión paralizada de Adam le sirvió a ella para saber que no había dicho lo correcto.

—No quería decir eso.

Adam cogió el chaleco y la chaqueta.

Bronwyn saltó de la cama y lo agarró por el brazo.

—No puedes marcharte así.

Sin prestarle atención, él abrió la puerta. Ella se mantuvo en sus trece, pero no logró impresionarle. No podía seguirlo escaleras abajo, iba desnuda, de modo que le gritó:

—Me refería a mi reputación moral. —Adam no se giró—. ¡Cobarde! —fue su grito de despedida.

Él se encogió de miedo, y ella se consoló con eso mientras se vestía. Adam era un hombre razonable. Reflexionaría sobre lo que le había dicho y se daría cuenta de por qué ella quería disuadirle de seguir adelante con aquella empresa. Entendería que lo que le preocupaba era su seguridad. Jamás la consideraría tan superficial como para plantearse que la reputación de él podía afectarla a ella. Y, Dios lo quisiera así, no se tomaría el insulto que acababa de hacerle, tachándolo de «cobarde», como un desafío que le empujara a ponerse en peligro.

Sabiendo que se había levantado antes que el resto de la casa, se sentó a su mesa del escritorio. Preparó el manuscrito, sus papeles. Afiló las plumas, descorchó el tintero... y se quedó mirando la llovizna que caía al otro lado de la ventana. La traducción no despertaba en ella ningún interés. Y la pluma se puso a escribir por sí sola todo lo que Adam le había confesado, todo lo que sabía acerca de la Compañía de los Mares del Sur. También acudieron a su mente las palabras de Henriette, y las escribió en la parte superior de la hoja, «Matará a un hombre con un título».

¿Qué quería decir? Había llegado ya a la conclusión de que el título podía ser —tenía que ser— un título de la Compañía de los Mares del Sur. Adam había dicho que pensaba que la conspiración giraba en torno a hacerse con el poder. Alguien codiciaba poder, y no se detendría ante nada.

Pestañeó. Avaricia, dinero, un político inglés que se declaraba contrario a los hombres que fomentaban la nefasta burbuja de la Compañía de los Mares del Sur...

Se le hizo un nudo en la garganta y se llevó la mano al cuello para aliviar la sensación de ahogo.

Robert Walpole.

Tonterías. Movió la cabeza de un lado a otro para despejarse. Si alguien quería matar a Robert Walpole, ¿por qué no lo había hecho antes? Pero... un momento, Walpole no estaba en la ciudad. ¿Verdad? ¿Verdad?

Salió de estampida de la habitación, chocando contra la pared. Se llevó las gélidas manos a su rostro ardiente y gruñó. ¿Otro ataque de náuseas? ¿Otro mareo? La noche sin dormir, aquel madrugón, la acumulación de la tensión de varias semanas... todo contribuía al estado en que se encontraba, pero ahora no tenía tiempo para ella. Subió a tientas las escaleras y llamó a la puerta de la habitación de Rachelle. La voz quejica de esta no la disuadió en absoluto, sino que la empujó a llamar con más insistencia.

—Rachelle, soy Bronwyn. —Escuchó, pero no oyó nada—. Rachelle, necesito saber una cosa.

Volvió a llamar y por fin se abrió la puerta. La mirada adormilada de Rachelle la llevó a detenerse. Respiró hondo unas cuantas veces, pero ya nada podía aplacarla.

—Perdóname por haberte despertado, pero tengo que saber una cosa.

Rachelle se ajustó correctamente el gorro de dormir y bostezó.

—Vaya prisas, niña —replicó—. Creí que te había curado de eso.

—¿Está Robert Walpole fuera de Londres?

—*Cherie*... —refunfuñó Rachelle.

—Es importante. —La pasión le había ayudado a recuperar su buena salud y continuó insistiendo—. Los chismorreos de anoche en el salón... ¿sabes si alguien mencionó que Walpole hubiera regresado?

Claramente molesta, Rachelle le soltó:

—¿Pretende que preste atención a las idas y venidas de un hombre insignificante?

—Por favor —le suplicó Bronwyn—. Usted siempre se acuerda de todo, y dice Adam que Walpole será un hombre importante.

—Lo mismo dice Walpole. Y ha convencido a bastante gente de ello, por lo que se ve. —Rachelle cerró los ojos mientras pensaba—. Walpole regresó ayer a la ciudad y recibió la visita de sus asesores financieros.

—¿Por qué?

La paz mental de Bronwyn estaba en precario equilibrio.

—Dicen que ha perdido dinero con todo lo de la Compañía de los Mares del Sur.

—¡Qué se lo lleve el diablo! ¿Cómo se atreve a caer en sus manos de esta manera? —Su indignación dejó a Rachelle boquiabierta. Tomando una rápida decisión, Bronwyn dijo a continuación—: Tengo que encontrar a Adam. Iré a Change Alley, lo buscaré, le diré... le obligaré a escucharme. ¿Podría pedir un palanquín?

—Por supuesto, *ma cherie*. —Rachelle la miró con escepticismo—. Confío en que sepas qué estás haciendo.

—No tengo otra elección —dijo Bronwyn—. Si no se lo digo a Adam, la vida de Walpole podría correr peligro.

Rachelle nunca dudaba de ella.

—Envíale una nota a Walpole —sugirió.

La fiebre del miedo se había apoderado del rostro de Bronwyn.

—La vida de Adam podría correr peligro.

—En ese caso, debes ir. Pediré el palanquín y despertaré a Gianni para que te siga corriendo. —Rachelle le dio un empujón—. Ponte una chaqueta.

Bronwyn corrió hacia la entrada y se dio cuenta de que su malestar no había cesado por completo. Su excitación, que le provocaba correr, o incluso moverse con excesivo vigor, se lo había duplicado. Con cuidado, descolgó de la percha la chaqueta de terciopelo marrón y se la puso. En el bolso llevaba dinero suficiente para pagar el palanquín y para sobornar a cualquiera que pudiera indicarle el paradero de Adam. No tenía que hacer más preparativos, excepto desterrar de su persona aquella congoja que iba en aumento y serenarse para poder enfrentarse al hombre que amaba.

Asomó la cabeza por la puerta y esperó. La lluvia caía a un ritmo deprimente. Una lóbrega brisa levantaba vapores del suelo. Se concentró en lo que pensaba decir: «Adam, sé que soy una fresca y una traidora».

No. Tal vez mejor no recordarle que la tenía por una traidora. ¿Qué tal «Adam, acabo de descubrir la clave de tu misterio»?

Fantaseó con el encuentro que iba a tener con él. Se abrazarían. Se explicarían, todo iría bien...

Pero ni siquiera en su fértil imaginación era capaz de visualizarlo. Lo más probable era que Adam se mostrara frío. Nadie podía mostrarse más frío que él. Incluso desde donde estaba podía percibir el frío de su desagrado.

Se acercaba un carruaje cubierto, que acabó deteniéndose frente a la puerta. Pintado de un blanco reluciente, estaba decorado, además, con un ribete dorado que lo hacía parecer más grande si cabe e incómodamente llamativo. Adornando los cristales tintados, diversas muestras de arquitectura clásica italiana. Tanto en forma como en tamaño, el vehículo recordaba una casa rodante de gitanos, pero era una tipología cada vez más habitual por las calles de Londres. El *boom* de la Compañía de los Mares del Sur había aportado tanta riqueza a la gente ordinaria que todo el mundo había empezado a comprar con locura, con avaricia, sin una mentalidad práctica, sino pensando solo en la ostentación.

Esperó con impaciencia ver al invitado que viajaba a bordo de aquella monstruosidad y que visitaba la casa a horas tan tempranas.

Pero no bajó nadie. Saltó el cochero, abrió la puerta y la saludó con una reverencia y sin mediar palabra.

Claro. En lugar de un palanquín, Rachelle había pedido un carruaje y se había asegurado de que fuese un vehículo cuyo propietario hubiera regresado ya a las filas de la pobreza. Qué gesto de amabilidad por parte de su protectora tener en cuenta los efectos de la lluvia. Qué extravagante.

Bronwyn cerró la puerta de la casa, le dio la mano al cochero, subió el peldaño y se paró. El mareo la había inmovilizado y la obligó a llevarse la mano a la cabeza.

—Vamos, suba —le aconsejó el cochero sin ningún respeto, y la empujó hacia el interior.

Perturbada por el achaque y por la mala educación del cochero, pestañeó cuando la puerta se cerró con fuerza. El interior estaba oscuro debido a los cristales tintados, y cuando levantó la vista, descubrió que los colores del mundo de la antigüedad teñían el paisaje. El carruaje se puso en movimiento y cayó sentada de golpe.

Dios, se había olvidado de darle la dirección. Levantó el brazo dispuesta a dar unos golpes al techo para avisarlo, pero una oleada de náuseas la empujó de nuevo hacia el asiento.

El cochero. Ahora recordaba. Gianni le había dicho al cochero adónde quería ir.

Cerró los ojos y agradeció que el oscuro interior oliera a algo más, aparte de a olor corporal y estiércol. Esos olores la mareaban y la mezcla de aroma a polvos, perfume y tabaco resultaba casi agradable. Por tratarse de un carruaje alquilado, estaba excepcionalmente bien perfumado. Aunque…

Por encima del sonido de los cascos y las ruedas al pasar por los charcos, creyó oír el de una respiración.

¿Había alguien más en el carruaje? No, puesto que nadie había dicho nada cuando había entrado.

Qué tontería. Abriría los ojos y vería que estaba sola. Le costó más de lo que se imaginaba, pero era demasiado pronto para que la valentía empezara a fallarle. Abrió los ojos, se giró para mirar... y vio un par de ojos brillando en la oscuridad.

Con el corazón latiéndole con fuerza, se tapó la boca para amortiguar el grito.

Una enjuta mano femenina agarró a Adam por la muñeca y lo arrastró hacia un tonel.

—¿Me recuerda su señoría?

La prostituta del otro día lo miraba como una boba. Tenía el pelo empapado y de su barbilla caían gotas de agua mugrienta.

Adam forzó la vista y dijo:

—Por supuesto. ¿Tienes información?

—Por supuesto —dijo, imitando el acento de Adam.

La imitación le hizo sonreír. ¿De verdad hablaba *así*?

—Conseguí hablar con la prostituta que me vendió los títulos y me mostró el hombre que se los vendió a ella.

La sonrisa se le borró de la cara.

—¿Le has dicho algo sobre mí?

—Ni una palabra. —Se señaló el pecho con un sucio dedo pulgar y dijo, jactándose de sí misma—: Ninguna mujer logra ocupar el lugar que yo ocupo en el mundo sin tener algo de inteligencia, ¿me explico? Sabía que quería que hablase con ella sin confiarle nada. Y ahora, vamos.

Cogió el bastón con firmeza y se dispuso a seguirla. Mientras sorteaba toneles y basura, no pudo resistir la tentación de preguntarle:

—¿Y qué lugar ocupas en el mundo?

Con intensa satisfacción, la mujer respondió:

—Todavía no estoy muerta, ¿no?

Una sombría reflexión sobre la sociedad, supuso Adam.

—Y agradezco que no lo estés.

Lo condujo hacia el inicio de un muelle donde estaba atracado un mercante. Señaló entonces con el dedo.

—¿Ve esa hilera de hombres, esos que están gruñendo y hablando a gritos? ¿Ve ese patán grandullón con un pañuelo rojo al cuello?

—Lo veo.

—Pues es ese. Ese es Jims. Ese fue el que le vendió los títulos a mi amiga.

—Gracias. —Esperaba que la mujer se esfumase al instante, pero en cuanto empezó a avanzar sobre las viscosas planchas de madera del suelo, vio que le seguía de cerca—. ¿Tienes intención de presentarnos?

—Quiero mirar.

—¿Mirar qué?

—Si le conoce o no.

Adam levantó la cara hacia la lluvia y rió a carcajadas. Cuando había dejado a Bronwyn estaba enfadado, pero el enfado le había durado poco. La noche había sido larga y placentera, demasiado dulce para guardarle rencor. Había recuperado la confianza, una sensación radiante y beneficiosa. Hoy llegaría al fondo de aquella locura en la que estaba inmerso.

Los trabajadores abandonaron lo que tenían entre manos al ver que se aproximaba un caballero. Dejaron caer cajas al suelo. Los estibadores se quedaron boquiabiertos mirando cómo Adam se quitaba el sombrero de ala ancha, echaba la capa hacia atrás y asentaba las manos en sus caderas. Transformado en un desafío viviente, se aproximó a Jims y esperó. El grandullón miró hacia uno y otro lado.

—¿Milord? ¿Desea alguna cosa?

—¿No me conoces? —le preguntó Adam.

Perplejo y nervioso, Jims encogió sus impresionantes hombros.

—Yo... ¿debería conocerlo, milord?

—Eso me han dicho. —Por el rabillo del ojo vio que se aproximaba un auténtico batallón de prostitutas. Escuchó los murmullos que despertaba el relato de la fulana que le había dado el soplo, vio que los estibadores aguzaban el oído para enterarse de qué pasaba.

—¿Es usted un pastor reformista? —preguntó Jims—. Porque no tengo nada de qué avergonzarme.

Adam rió entre dientes, divertido ante la fastidiosa inquietud que tenía delante, seguro de su inminente victoria.

—No soy ningún pastor reformista y tu moral, o tu falta de ella, me trae sin cuidado. Simplemente intento solucionar el tema de mi identidad. Veamos, mírame bien. ¿Estás seguro de que no me conoces? ¿No me reconoces? ¿No me has visto nunca?

Incómodo aún, Jims respondió:

—No.

—Pero conoces mi nombre.

—No.

—Me han dicho que sí. —Cogió aire y anunció—: Soy Adam Keane, vizconde de Rawson.

Una amplia sonrisa cruzó el tosco rostro del estibador.

—No es usted.

Comprendiendo el significado de aquella negativa, las prostitutas sofocaron un grito. Adam mostró los dientes en una enfebrecida sonrisa e insistió:

—Lo soy.

Jims resopló con fuerza y se secó la cara con la manga.

—No, no es usted. Lord Rawson es un tipo más bajo, lleva peluca —hizo un gesto envolviendo la cabeza— y tiene la cara más jodida que he visto en mi vida.

Adam se desprendió del disfraz de altiva confianza en sí mismo y agarró con fuerza y repugnancia su bastón.

—¿Qué tipo de cara?

—Cubierta con un pegote de polvos y dibujada con colores.

Adam indicó una altura con la mano.

—Una cosa así con tacones, elegante y…

—Calvo —remató Jims—. Calvo como un huevo. Un día que soplaba el viento desde el río, se le levantó la peluca y le vi la calva…

—Judson —rugió Adam—. Ese hijo de puta de Carroll Judson anda usurpándome la identidad.

Capítulo 16

*S*entado en el rincón, casi delante de ella, Carroll Judson dijo:

—Una afortunada coincidencia, que usted y yo vayamos en la misma dirección.

Bronwyn se llevó la mano al corazón para ralentizar los terribles latidos.

—Me ha asustado usted, señor Judson.

—Imposible —negó Carroll Judson.

Su voz sonó profunda, inequívocamente masculina, zalamera.

«¿Qué hace usted aquí?», tenía la pregunta en la punta de la lengua, pero el sentido común le impidió preguntárselo. Había estado observándola desde que había entrado en el carruaje y no había dicho nada. No le gustaba en absoluto; tampoco le gustaba aquel hombre, pero en aquellos momentos estaba atrapada.

—No me había dado cuenta de que estaba aquí. Una tontería, lo sé, pero llevo un día de locos y había aprovechado el momento para descansar... —Se mordió el labio para acallar su nervioso discurso—. Me han alertado tantas veces de los peligros que entraña viajar sola por las calles de Londres, que este encuentro es una afortunada coincidencia. ¿Cómo es que está en mi carruaje?

—Es mi carruaje.

Lo dijo en un tono tan enfático, que Bronwyn volvió a balbucear.

—¿Sabía que necesitaba un transporte? ¿Se lo ha dicho el lacayo?

—Me lo dijo Gianni, efectivamente. —En la penumbra, distinguió la brillante dentadura de Judson esbozando una sonrisa—. El lacayo de madame Rachelle y yo mantenemos un estrecho contacto.

Bronwyn no quería comprender sus intenciones, ni le gustaba cómo sonaba su voz.

—Va de camino a Change Alley, ¿verdad? —preguntó tentativamente.

—¿Por qué lo cree?

—Porque allí es dónde quiero ir. Si tan en contacto está con el lacayo, seguramente le habrá contado...

—Me da igual dónde quiera ir —replicó Judson.

Ansiaba poder ver a aquel hombre, vislumbrar algo más que el destello de sus ojos y sus dientes. Deseaba no haber recordado en aquel momento el último encuentro que había tenido con él, el bofetón que le había dado. No le extrañaría que aquel hombre la llevara a la parte más sórdida de la ciudad y la abandonara allí a merced de navajeros y borrachos.

—En ese caso, ¿podría detener el carruaje para que pueda buscar otro medio de transporte?

—Eso es prácticamente imposible. —Se acercó a ella y Bronwyn se echó hacia atrás, un escalofrío recorriéndole el cuerpo de manera instintiva—. He dicho que mantenía estrecho contacto con el lacayo de madame Rachelle. ¿No le gustaría saber por qué?

—Lo dudo.

—Pues a mí me apetece contárselo. —Rió a carcajadas con aquel mismo tono profundo y desprovisto de toda pasión—. Porque soy yo quien pago su nómina.

La sensación de náuseas volvió de nuevo.

—¿Por qué motivo?

—Tiene instrucciones de mandar aviso a mi alojamiento, alojamiento muy próximo a casa de madame Rachelle, siempre que usted decida salir. —El aliento de Judson le calentó la cara—. Quería asegurarme de que aceptase mi hospitalidad.

Bronwyn apartó la cara.

—Creo que un bofetón no merece la venganza de un secuestro.

—¿Un bofetón? —Sonrió con satisfacción—. ¿Un bofetón? Me infravalora, querida. No la he secuestrado por esa insignificante defensa que hizo de su amiga. No, no, qué va, en absoluto.

No lo había negado. Acababa de repetir la palabra que ella le había soltado. Secuestro. Aquel hombre estaba secuestrándola. ¿Por qué?

La acarició con una mano cubierta con un suave guante de piel. Le habría gustado escupirle, pero las náuseas eran demasiado fuertes. Cerró la boca, intentó relajar los nudos que atacaban toda su musculatura y respirar aire que no estuviera contaminado por el aliento de aquel hombre. Se dio cuenta de que Judson estaba jugando con su paciencia. Quería que ella le preguntase, que le sonsacara, que le interrogara acerca de sus planes. ¿Y qué otra elección le quedaba? Tenía que distraerle para poder abrir la portezuela. Saltar al suelo adoquinado le daba miedo, pero el miedo que le inspiraba Carroll Judson era aún mayor.

—Entonces, ¿por qué me ha secuestrado?

Utilizó de nuevo la palabra, expresamente. Se desplazó un poco para que la falda pudiera esconder el avance de su mano hacia el pomo de la portezuela.

—No por su fortuna, claro está.

Echó la cabeza hacia atrás y soltó una risotada en honor a su ingenio.

Ella también rió, aunque con escaso convencimiento.

—No, nadie me quiere por mi fortuna. ¿Será, quizás para solventar una rencilla con lord Rawson?

—Ah, sí, lord Rawson. Mi querido y viejo amigo Adam. —Cogió el pañuelo y se sonó—. Se le ve muy encariñado con usted... es todo un dividendo. Al principio, temí estar haciéndole un favor quitándola de en medio.

¿Quitarla de en medio? La mano detuvo su avance. Conmocionada, el latido del corazón empezó a retumbar con fuerza en sus oídos, percibió el pulso en la garganta.

Él no se dio cuenta, aparentemente.

—Mi mayordomo dijo que era usted bastante vulgar. Luego madame Rachelle empleó sus mágicas artes, Adam cayó en la trampa y comprendí que esta vez podría...

Le dio a la puerta con el hombro, cargó todo el peso a sus espaldas. Cedió... pero solo hasta cierto punto. Rebotó hacia el interior y cayó del asiento al suelo.

—... ganar.

Terminó la frase con una confianza pasmosa.

Bronwyn se retiró el pelo de la cara y levantó la vista. No se había movido, su intento de huida hacia la libertad no le había alterado. Mirándose los dedos enguantados, dijo:

—Le he pedido al cochero que sujetara la puerta con una cuerda.

Mejor que se instale bien o se perderá la sorpresa que le tengo preparada.

Haciendo acopio de toda la dignidad posible, subió de nuevo al asiento. Fisgoneó por el minúsculo espacio de ventana sin decorar intentando adivinar la ruta, pero las casas y las tiendas pasaban con tanta rapidez que no logró identificarlas. Descansó la frente en el frío cristal y se dio cuenta de que estaba limpio. Nada que ver con el humo y los escupitajos que encontraría en un carruaje alquilado.

—Aún no me ha respondido al porqué.

Y mientras su boca articulaba la frase, una sensación de alarma se apoderó de ella.

Acababa de reconocer la calle, la habría reconocido por mucho que se negara a creerlo. Seguro que estaba equivocada. Seguro que era algún truco de luz. Era imposible que, en la esquina, estuviera viendo una posada llamada The Brimming Cup.

Pero ahí estaba. Un lugar sencillo y ordinario donde nunca debería haberse hospedado. Un lugar donde había irrumpido en una habitación, donde había salvado a una mujer de morir sola y donde se había iniciado una cadena de acontecimientos que habían acabado conduciéndola a la situación en la que ahora se hallaba.

Muy poco a poco, se giró hacia Carroll Judson. Tenía un espejo plateado en la mano y estaba empolvándose la cara con una almohadilla de piel de borrego. La débil luz se reflejaba en sus facciones, iluminándolas con una blancura artificial.

Pero no parecía un monstruo. Parecía un dandi, un chismoso, un loco. ¿Qué era lo que había dicho Adam de él? ¿Qué era una rata bien alimentada? ¿Qué era hijo de un padre corrupto?

Ni siquiera Adam sospechaba qué escondían los procaces recovecos del alma de Judson. Bronwyn se tapó la boca para contener las náuseas que le provocó el recuerdo de la magullada cara de Henriette, su cuerpo retorcido.

Judson bajó el espejo.

—Pues sí. Ahora ya lo sabe.

—¿Nos detenemos aquí?

La mano amortiguaba el sonido de sus palabras, y la retiró con cuidado.

—Cuando el posadero vio la sangre en la habitación, demostró tener escrúpulos ciertamente inconvenientes. —Hizo un mohín con sus labios pintados de rojo—. Y buena vista para el chantaje. Me temo que desconoce mi verdadero nombre; tampoco sabe dónde vivo. A pesar de mi tendencia nostálgica, me temo que tendremos que ir a mi apartamento.

—Sigo sin entender nada.

—Tonterías, por supuesto que lo entiende. Todo el mundo dice que es usted muy inteligente.

Fue incapaz de evitar una respuesta sarcástica.

—Si fuera inteligente, no estaría ahora donde estoy.

Él suspiró en un gesto exagerado de paciencia.

—¿Qué es lo que no entiende?

—Por qué me ha secuestrado. Ni siquiera sé quién mató a Henriette.

Confiaba aún que negara haber conocido a Henriette. Pero el corazón le dio un vuelco cuando Judson replicó:

—Henriette podría habérselo dicho.

Ansiosa por tener aire fresco aflojó el cierre de la chaqueta.

—De habérmelo dicho, a estas alturas estaría usted en la cárcel.

—Cierto. —Hizo una mueca de comprensión—. Aunque me temo que ahora tendrá que cargar la culpa de su eliminación sobre las amplias espaldas de Adam.

—¿Sobre las espaldas de Adam?

—¿Sabe? Cuando me enteré de que era usted su prometida, me eché a reír, querida, simplemente a reír. —Después de una risotada etérea destinada a ilustrar sus palabras, siguió hablando—: Adam es un cateto. Sabía que la ignoraría, que incluso la mandaría a paseo. Sabía que jamás se rebajaría a hablar con usted, y que nunca prestaría atención a su cháchara cuando le comentara lo de aquel asesinato.

—¿Admite que fue un asesinato?

—Por supuesto que fue un asesinato. ¿De qué podría calificarlo, si no? —Bronwyn carecía de respuesta y él dejó aquel detalle de lado—. Ese asesinato carece de trascendencia. He visto cosas peores.

Ella lo miró fijamente, asqueada por su jovial despreocupación ante la sangrienta muerte de Henriette.

—Nunca entenderé lo que le hizo usted a Adam. En casa de madame Rachelle bebía los vientos por usted, la cortejaba y mostraba todos los signos de un hombre locamente enamorado. Querida, me sentí traicionado. —Viendo que ella objetaba, insistió—: ¡Sí traicionado! Confiaba en que la personalidad de Adam me mantuviera sano y salvo, pero usted lo ha convertido en un caballero.

—Lo siento —replicó débilmente Bronwyn.

—Debería sentirlo. —Se abanicó con el pañuelo—. Adam, con su autorización para vender títulos, sabe demasiado sobre la Compañía de los Mares del Sur. Usted sabía demasiado sobre Henriette. Una combinación volátil. Estaba obligado a tomar una decisión.

Perspicaz por pura necesidad, Bronwyn preguntó:

—¿No fueron sus celos los que decidieron sobre el asunto?

—¿Celos? ¿De usted?

—De Adam.

—¿De Adam? —Sus labios se cerraron en una fina línea—. ¿Por qué tendría que tener celos de Adam?

—En casa de madame Rachelle se comparó usted a él, y él no se sintió en absoluto halagado.

Judson se enderezó en el asiento y levantó la barbilla.

—Pues debería haberse sentido halagado. Me muevo en los círculos más altos de la sociedad. No tengo necesidad de tratar con comerciantes ni con chusma para obtener las mejores cosas de la vida.

—Adam no tiene necesidad de esconder la vergüenza de su cara detrás de ninguna máscara.

Apartó el espejo y la miró ansioso entrecerrando los ojos.

—¿Máscara?

—Sí, una máscara de polvos, de pintura, de pelucas, sedas y rasos, para esconder la degeneración.

Le tocó la mejilla. Los polvos cosméticos se despegaron y ella le mostró el dedo para enseñarle el resultado.

Ese único gesto valió para desmoronar su fachada de superioridad. Judson arrojó el espejo al suelo, que se rompió en mil pedazos, hizo ademán de sujetarla por las muñecas y falló, dejando un vestigio de feos arañazos. Bronwyn bajó la vista hacia la sangre que empezaba a brotar, lo miró entonces a él. Aquello había sido una advertencia, y debía tenerla en cuenta.

—Está usted muy pálida —declaró él.

Con una voz de niña asustada, replicó ella:

—Me ha hecho daño.

Se hinchó de orgullo. De hecho, se hinchó de orgullo como el niño que acaba de descubrir que ya es hombre. O como el hombre que solo consigue sentirse hombre infligiendo dolor. Tenía que salir de allí, pero ¿cómo?

—Si tuvo que... —dudó, y se decidió por utilizar el término que él había empleado— eliminar a Henriette, ¿por qué lo hizo con un método tan espantoso? —Sabía que no debería hablar sobre Henriette, pero el destino de la chica francesa le ocupaba todos sus pensamientos—. ¿Por qué no hacerlo de un disparo y ya está?

—¡Querida señora! Eso no habría sido en absoluto interesante. Lo entiende, ¿verdad? —Viendo las gotas de sudor en la frente de Bronwyn, agitó el pañuelo para darle aire. Y con lo que parecía sincera preocupación, le preguntó—: No irá usted a desmayarse, ¿verdad?

—No —respondió de inmediato ella. Pero comprendiendo que la debilidad podía jugar a su favor, dijo—: Tal vez. No sé.

Cerró los ojos y se derrumbó sobre el asiento.

Con un movimiento acompañado del crujir de la seda, él se sentó a su lado y le dio unos golpecitos en la mejilla.

—Oh, vaya, va a desmayarse. Así no tendrá ninguna gracia.

La sensación de náuseas aumentó al sentir el contacto.

—No pienso desmayarme, pero me estoy poniendo mala.

Retrocedió él de un salto.

—¿Mala?

—Voy a vomitar —dijo ella sucintamente.

Y tal y como esperaba, Judson gritó:

—¿En mi carruaje?

—¿Tengo acaso elección?

No respondió, pero abrió los ojos porque quería observar su reacción. ¿Sospecharía que era un ardid? Por supuesto que sí. Era demasiado listo. Pero sabía que estaba muy pálida. El miedo estaba haciéndole transpirar mucho y eso también era un síntoma. Y si no la dejaba salir, por Dios que se pondría lo bastante mala como para...

Judson dio unos golpes en el techo del carruaje.

—¡Para! —vociferó—. Detén el carruaje y déjanos salir.

—Los títulos han perdido más de doscientos puntos en cinco días.
—Como un niño caminando junto a su padre, Northrup iba dando saltos al lado de Adam, metiendo los pies en los charcos sin ser consciente de ello—. Mire toda esa gente. Londres ha caído presa del pánico. Innumerables familias se enfrentan a la bancarrota y la ruina. Empiezan a oírse voces sobre rumores de suicidios.

Adam refunfuñó, inspeccionando el interior de la oscura y ruidosa cafetería.

—¿Acaso no quiere saberlo? —gritó Northrup.

—Era lo que me esperaba. ¿Ha visto alguien a Carroll Judson? —La rabia de Adam acabó estallando—. ¡Maldito sea ese hombre! Cuando no tengo ganas de verlo, no puedo evitar encontrármelo. —Agarró a Northrup por el brazo y tiró de él hasta llegar a la calle, donde había menos gente y menos mirones—. Veamos, Northrup...

—Están llamándole, señor. ¿No los oye?

—Por supuesto que me llaman. Se comportan como sabuesos acorralando a un zorro. Me tienen por el culpable de la falsificación de los títulos y de haberles provocado la desgracia. —Limpiándose los puños de la porquería que había dejado en ellos su visita a los muelles, Adam volvió a intentarlo—. Veamos, Northrup, quiero que...

Se acercó una chica que le tiró de la manga.

—¿Lord Rawson?

—Buena mujer —dijo Adam con impaciencia—. Nnunca he tenido nada que ver con sus títulos. Y ahora, será tan amable de...

—No, milord, no es eso. —Le sonrió con descarada admiración—. Vengo del salón de madame Rachelle.

Adam le retiró la capucha para verle la cara. La lluvia había amainado y dado paso a un día oscuro envuelto en nubarrones, pero la reconoció de lejos.

—Daphne, ¿no?

Los ojos de la chica brillaron con una expresión de decepción que Adam no alcanzó a comprender.

—¿Me recuerda?

—Por supuesto. Acabo de llamarla por su nombre —dijo con impaciencia—. ¿Qué hace aquí?

Daphne se quedó boquiabierta y hurgó en el interior de su bolsito.

—Tenga. —Le arrojó un pedazo de papel y dio media vuelta, para desaparecer rápidamente entre el gentío.

Adam se quedó mirándola.

—Qué chica más rara.

Abrió el mensaje y leyó el contenido. Escuchó vagamente que Northrup le llamaba y comprendió que su expresión revelaba sus emociones. Pero en aquel momento le daba igual. En aquel momento ni siquiera sabía dónde estaba.

—¿Señor? —Northrup agarró a Adam por el hombro—. ¿Se encuentra bien, señor?

—Han descubierto al lacayo de madame Rachelle haciendo la maleta para abandonar la casa justo después de que acompañara a Bronwyn hasta un carruaje cubierto.

Northrup no entendía nada.

—¿Bronwyn? ¿Bronwyn Edana, su prometida?

Sin apenas ser consciente del creciente recelo de Northrup, Adam se limitó a asentir.

—¿Qué hacía ella en el salón de madame Rachelle?

—Vive allí, ya lo sabes —respondió con impaciencia Adam.

—No lo sabía —dijo indignado Northrup—. Lo único que sabía era que podía localizarle a usted en esa casa, pero jamás imaginé encontrar allí a una dama de la condición de Bronwyn.

—No es un prostíbulo, hombre, es un salón. ¿Y qué importa lo que ella hiciera allí? Lo que ahora importa es que ha abandonado la casa en circunstancias muy sospechosas. —El hormigueo en los dedos de las manos y los pies le dio a entender que había recuperado las sensaciones. Una recuperación que llegó acompañada por una oleada de rabia, una recuperación que no deseaba—. Se supone que Bronwyn había salido a buscarme.

Northrup miró a su alrededor, como si esperara que apareciese de la nada en cualquier momento.

—Dios mío. ¿Cree que estará en alguna de estas cafeterías?

Por el tono en que lo dijo, parecía peor que la posibilidad de encontrarla en un burdel.

—No. —Adam arrugó la nota. Se dio cuenta de que estaba sujetando el papel como si contuviese el secreto para transformar cualquier metal en oro—. Rachelle ha sospechado porque, supuestamente, el lacayo tenía que acompañarla. Madame consiguió convencerlo —Adam alisó la preciosa nota para volver a leerla—, no explica cómo, para que confesara la verdad.

—Está asustándome, señor.

—Bronwyn ha sido secuestrada por Carroll Judson y madame insiste en que regrese de inmediato al salón, puesto que cree saber dónde están. —Adam miró a su alrededor en busca de una cara amiga, de un rayo de luz, de un poco de esperanza. Northrup seguía a su lado. A pesar de su tosquedad y su impaciencia, la lealtad de aquel joven era incontestable y Adam le estuvo agradecido por primera vez. Lo cogió por el codo—. ¿Me acompañarás?

Northrup se quedó boquiabierto.

—Pero…

—Tal vez te necesite —dijo simplemente Adam, y Northrup respondió tal y como él sabía que lo haría.

—Por supuesto, lord Rawson. Si me necesita, allí estaré.

Tambaleante, Bronwyn avanzó por el oscuro callejón, apoyándose con una mano en la mugrienta pared de un edificio y desabrochándose la capa con la otra. Judson la observaba desde el interior del carruaje. Caminaba con los hombros caídos, la cabeza gacha; de vez en cuando gemía con la intensidad suficiente para que el cochero que la vigilaba se quedara rezagado. Y mientras caminaba, inspeccionaba el suelo. Sabía qué quería; sabía que, con tiempo, podía encontrarlo. Confiaba en que fuese suficiente para distraer a su vigilante mientras emprendía la huida.

—No dejes que se aleje demasiado —gritó Judson—. Mantente pegado a ella.

El fornido cochero se acercó un poco más, pero Bronwyn ya había localizado lo que andaba buscando. Había visto su salvación y nadie iba a impedírselo. Utilizando un talento de actriz, que ni siquiera sospechaba que tenía, vomitó. El cochero se quedó atrás.

—Se está alejando demasiado. —Sin interés alguno por su malestar, excepto que pudiera ensuciar el interior del carruaje, Judson dijo en un arrebato de determinación—: Regresad. Regresad ahora mismo.

Bronwyn aceleró el paso. Su vigilante refunfuñó por tener que andar más deprisa. Su objetivo de abarcaba todo su campo visual, si pudiera acercarse a él lo suficiente... Notaba el aliento del hombre pegado en su nuca, pero entonces se detuvo y se desplomó en el suelo. El hombre la cogió por el brazo en el mismo momento en que ella sumergía los dedos en la suciedad de la calle, daba media vuelta y le arrojaba a la cara un puñado de excrementos de caballo. Recientes, apestosos, humeantes, se le quedaron pegados a la barba.

Se despojó velozmente de la capa y la dejó en manos de su perseguidor. Los *paniers*, voluminosos y pesados, realizaron algún que otro malévolo intento de hacerla tropezar. El corsé le impedía respirar; deseaba chillar, gritar pidiendo ayuda, pero tenía que consagrar el aire de sus pulmones al esfuerzo de escapar. El robusto cochero jadeaba detrás de ella. Bronwyn se concentró en no torcerse los tobillos con los adoquines que le estaban magullando la planta de los pies. Las babuchas de cuero levantaban barro que le salpicaba las pantorrillas y dobló la esquina derrapando.

Vacía. En aquella pesadilla personificada acababa de tropezar con la única calle desierta de Londres. Como rostros carentes de expresión, los almacenes cerrados la miraban sin ofrecerle auxilio. Bajo la luz de aquel día tenebroso, no lograba distinguir las puertas marrones de los muros marrones, y pasó sin darse cuenta por delante de más de una antes de desviarse y ejercer presión sobre unos paneles de madera.

Cedieron e irrumpió en una sala gigante abarrotada de cajas.

—¡Auxilio! —gritó, adentrándose en la oscuridad—. ¡Qué alguien me ayude!

No hubo respuesta, pero oyó un nuevo portazo que anunciaba la entrada del cochero. Se escondió detrás de una columna; y lanzó un grito cuando esta —un hombre enorme, el hombre más alto que había visto en su vida— se movió para impedirle el paso. El sonido resonó de manera turbadora y el cochero echó a correr hacia ella.

Le gritó a la columna:

—¡Ayúdeme! —La columna no respondió, y dijo entonces—. Por favor, Adam Keane, el vizconde de Rawson, le pagará por...

El cochero la rodeó por la cintura y la levantó en volandas. Ella pataleó y chilló:

—¡Suélteme!

Con la lentitud de un elefante domesticado para divertir, el ocupante del almacén les bloqueó el paso.

—¿Qué estás haciendo con la chica, Fred?

Su hablar era tan perezoso como sus movimientos, pero consiguió detener al cochero.

—Oakes, ¿eres tú?

El impresionante hombre reflexionó su respuesta y después de una dolorosa pausa, asintió:

—Sí, soy Oakes.

El cochero apartó los *panniers* y utilizó la ropa de Bronwyn para protegerse de ella y alejarse.

—Oakes, si piensas en lo que te conviene, desentiéndete de ella y hazme caso a mí.

—No, no, no —gritó Bronwyn agitando los brazos.

Los pesados pasos de Oakes lo situaron entre ellos y la puerta.

—No da la impresión de que la muchacha quiera ir contigo.

—Me pagan para llevármela —replicó Fred en tono cortante. Oakes no se movió, y con una voz de forzada camaradería, Fred dijo—: Somos colegas, ¿no? Soy un hombretón de los muelles, tú eres un hombretón de los muelles. Sabes que nunca haría nada que no fuese ético.

—¡Mentiroso! —chilló Bronwyn.

Fred la estrujó por las costillas, clavándole en la carne las ballenas del corsé, dejándole los pulmones sin aire.

—Soy tan honorable como el día es largo. Y esta señora está... loca. Sí, está loca como un conejo en luna llena. Estoy ayudando al caballero que la lleva de vuelta al manicomio.

Bronwyn estaba asfixiada y entonces, para su consternación, el hombretón se hizo a un lado.

—Por favor —boqueó con su última pizca de aire, pero Fred avanzó implacablemente hacia la puerta.

Había ahora un par de personas caminando por la calle, pero, satisfecho con la historia que había inventado, Fred empezó a gritar:

—¡Dejad paso a esta loca! —Las acaloradas protestas de Bronwyn no sirvieron de nada, solo para despertar la curiosidad de los transeúntes mientras Fred seguía arrastrándola y cargando con ella de vuelta al carruaje. Consciente del revuelo, Judson la esperaba con una sonrisa satisfecha y una cuerda. En poco tiempo, la ataron y la obligaron a subir de nuevo al carruaje.

La angustia de Adam quedaba patente por las arrugas que se formaron en las comisuras de su boca mientras leía el pliego de papeles que madame Rachelle había encontrado en el escritorio de Bronwyn.

—¿Será ese desgraciado de Judson el responsable… de todo esto?

Muy seria, madame Rachelle asintió:

—¿De qué es responsable Judson? —preguntó con impaciencia Northrup.

Adam no apartó sus ojos de Rachelle.

—¿Es él quien hace cumplir esas leyes arbitrarias a favor de la Compañía de los Mares del Sur? ¿Es él quien está tramando el asesinato de Walpole? —Todos y cada uno de los músculos de su cuerpo se tensaron en su intento de negar, de alejar, la verdad—. ¿Cómo es posible que no me haya dado cuenta?

—Tal vez viera solo aquello que esperaba ver —sugirió madame Rachelle.

Arrastrado por su desdicha, Adam le espetó:

—¿Y acaso usted fue más perspicaz?

La voz de madame Rachelle sonó etérea, turbada.

—Ha sido una experiencia humillante. Había pensado en otros sospechosos del asesinato de Henriette, e incluso cuando Judson me acusó de aquel modo, imaginé que simplemente estaba repitiendo los chismorreos.

—¿Acaso Judson no tiene carácter? —preguntó Northrup.

Ignorándolo, Adam dijo:

—Judson era desagradable incluso de niño.

Rachelle aporreó la mesa con fuerza.

—Y entonces, ¿por qué no sospechó de él antes de que matase a mi hija?

El calor de su rabia alcanzó por fin a Adam y le obligó a responder con perversa calma.

—Quería ser justo. Sabiendo que tanta gente me había juzgado por los actos de mi padre, me negué a hacer lo mismo con Judson.

—¡Justo! —Rachelle levantó los brazos en un arrebato de exasperación gala—. Si de pequeño ya era un niño depravado...

—No era depravado. Era cruel, como lo son tantos niños, y maleducado. Pero si me hubiese conocido a mí de pequeño, imagino que se habría llevado la misma impresión.

—A mí me resulta inimaginable —intervino Northrup.

Adam reconoció la presencia de su antiguo secretario por primera vez.

—Soy bueno con los puños, pero tener un sentido erróneo de la justicia no excusa mi actual estupidez.

Desesperado y ansioso, Northrup preguntó:

—¿Y qué piensa hacer?

—No tendría que caber la menor duda, ¿no es eso? Estamos en Inglaterra. Es un país verde y precioso. Me tiene el corazón más robado que cualquier mujer. —Rachelle rió descortésmente, y Adam pensó que la odiaba. Odiaba a cualquiera capaz de verla con la claridad con que lo veía aquella mujer—. Si Walpole muere asesinado, el país que amo, el país que tanto anhelé durante mis largos viajes, sufrirá. Mi fortuna podría sufrir también. Pero si Bronwyn muere asesinada...

—Los papeles volaron al suelo—. ¿Cómo es posible que se me haya pasado por alto?

—Ha estado distraído —observó Rachelle.

—¿Está intentando excusarme?

Adam fijó en ella su torturada mirada.

—Un hombre enamorado es el ser más vulnerable del mundo.

—¿Enamorado? —La voz de Northrup chirrió de indignación—. Un hombre enamorado jamás podría hacer lo que lord Rawson le ha hecho a Bronwyn Edana. Ha destrozado su reputación, la ha puesto en la senda del peligro. Incluso ahora, cuando ella corre el riesgo de morir asesinada o incluso de algo peor, nos habla de su fortuna. —Northrup se acercó a Adam agitando los puños—. No tiene por qué casarse con usted. Me casaré yo con ella, si es necesario.

Adam se quedó mirando al pálido y amedrentado Northrup, defendiendo a la mujer que calificaba de amiga.

—No puede casarse contigo —replicó sin alterarse.

—¿Y por qué no?

—Porque os mataría a los dos antes de permitirlo.

—Tal vez no tendría necesidad de matarla a ella —dijo indignado Northrup—. Es posible que Carroll Judson haga ese trabajo por usted.

Adam se quedó blanco, y cuando Northrup lo cogió por el codo, lo comprendió. Pese a sus belicosas amenazas, sentía hacia Adam el apego que un sabueso siente por su amo.

—No quería decir eso, señor. Estoy seguro de que Bronwyn estará bien. —Adam se limitó a mirarlo y Northrup tartamudeó—. Por si no lo recuerda, defendí su derecho a ser una mujer culta. Aunque tenga usted la sensación de que debe ocuparse ante todo del asunto de Walpole, yo estoy seguro de que Bronwyn será más astuta que Judson.

Rachelle se acercó a Adam y dijo:

—Llega un momento en que cualquier hombre tiene que tomar una decisión: amar y abrirse por completo, o negar esa parte de sí mismo y hacerse fuerte hasta convertirse en un ser inasequible para todo el mundo.

—Bronwyn no me ha dejado decidir. Estoy atado de pies y manos...

Reprimió su dilema. ¿Qué hacer? ¿Ir en busca de Bronwyn, cuya vida corría peligro? ¿O ir en busca de Walpole y alertarle del peligro que le acechaba?

Una decisión, reflexionó sombríamente Adam, que nunca había querido tomar. El destino de su amor estaba en sus manos. El destino de Inglaterra estaba en sus manos. No tenía alternativa, imaginaba, pero ¿cómo podría afrontar las consecuencias de su omisión?

Capítulo 17

*A*dam cogió ambas manos de madame Rachelle.

—¿Irá a avisar a Walpole del peligro que corre?

Rachelle no se mostró sorprendida ante tal decisión. De hecho, se lo tomó con tanta calma que Adam incluso se preguntó hasta qué punto se conocía a sí mismo.

Rachelle le apretó las manos, transmitiéndole con el gesto toda su fuerza.

—Por supuesto, pero ¿qué le hace pensar que me escuchará? Todo el mundo conoce su desdén hacia los extranjeros, y muy especialmente hacia los franceses, y yo no solo soy francesa, sino que además soy mujer.

—No desprecia a las mujeres, ni mucho menos —le aseguró Adam.

—Pero tampoco se las toma en serio.

Northrup se interpuso, retorciendo su corbatín como si fuese a estrangularse de nervioso que estaba.

—Déjeme ir a mí, señor. Yo le convenceré.

—Imposible —dijo Adam, poniendo mala cara—. Necesito que tú te encargues de buscar a Bronwyn.

—¿Yo? ¿Y qué hará usted?

La paciencia de Adam estaba llegando a sus límites, pero consiguió explicarse.

—Si yo la busco y tú la buscas, entre los dos cubriremos el doble de terreno.

Satisfecho al verse incluido en los planes de Adam, Northrup le respondió con una radiante sonrisa.

Entre el caos reinante en el escritorio de Bronwyn, Rachelle logró encontrar una pluma y el tintero sin tapón. Luego cogió un trozo de papel.

—Escríbale una nota a su amigo Walpole.

—No tengo tiempo —dijo Adam.

—Aunque sea breve; yo ya le pondré al corriente de los detalles.

La mirada de Adam se topó con una sólida compostura femenina. Cogió la pluma, maldijo entre dientes, redactó una concisa nota explicativa y se la entregó a Rachelle, que se marchó diciendo:

—*L'amour et la fumée ne peuvent se cachet.*

Adam se rascó de mala gana la frente.

—No estoy de humor para acertijos franceses.

—Ha dicho «Ni el amor ni el humo pueden esconderse». —Northrup se plantó delante de Adam—. ¿Dónde quiere que inicie mi búsqueda?

—Empezaremos juntos. —Adam se arremangó con una expresión de sombría satisfacción—. Con el lacayo.

Al menos, la puerta del carruaje ya no estaba sujeta con cuerdas, pensó apesadumbrada Bronwyn. ¿Por qué debería estarlo si ella tenía las manos atadas tan fuerte que incluso la piel estaba inflamada del roce? Los hombros seguían doliéndole como consecuencia del rudo trato al que la había sometido Fred al atarle las manos a la espalda. Y ver la sonrisa satisfecha de Judson le resultaba insoportable.

—Sigo sin comprender por qué me ha secuestrado. ¿Qué puedo saber yo que le interese?

Judson se mostraba atónito ante su supuesta estupidez, aunque Bronwyn no estaba segura cuánto de su actitud era asombro sincero y cuánto era pura burla.

—No sé qué sabe. ¿Es que no lo entiende? No podía correr el riesgo de que Henriette se lo hubiera contado todo. Y su intimidad continuada con Adam ha servido para poner la rúbrica a su destino. Por lo que sé, lo envió usted a Change Alley a meter la nariz y formular preguntas.

—No fui yo —negó Bronwyn. Lo miró a los ojos—. Fue Robert Walpole quien lo envió.

El rostro de Judson sufrió una serie de transformaciones: odio, diversión, preocupación. Se pronunció finalmente:

—Walpole es extremadamente listo.

—Y usted no lo es lo suficiente.

Perdiendo el interés en Bronwyn, Judson reflexionó.

—Robert Walpole, ¿eh? ¿Qué ha descubierto Adam para Robert Walpole?

¿Debía revelarle a Judson sus sospechas y hacerle creer que también Adam lo sabía? ¿O hacerlo lo empujaría a actuar antes de que ella pudiera contárselo a Adam? Pero no tuvo tiempo para seguir pensando, puesto que Judson dijo entonces:

—Mire, ya hemos llegado.

Al otro lado de las ventanas se veía un barrio de elegantes casas y Bronwyn le preguntó:

—¿Tiene un apartamento en esta parte de la ciudad?

—Lo alquilé con solo mostrar la cantidad de títulos de la Compañía de los Mares del Sur que poseo. Naturalmente, la propietaria anda ahora algo preocupada, pensando que mis títulos no valen nada.

Suspiró con satisfacción y se recostó en el asiento a la espera de que Fred abriese la portezuela.

—Los títulos están cayendo.

—Volverán a subir. —Rió con una despreocupación excesiva—. Tengo contactos. Lo sé.

—Qué bendición —dijo ella, arrastrando las palabras, y él saltó entonces sobre ella.

De entrada pensó que pretendía hacerle daño y, olvidando que estaba maniatada, intentó rechazarlo. Pero Judson se limitó a meterle en la boca un pañuelo limpio, un gesto que comparado con lo que se había imaginado, le pareció tan inocuo que le dejó hacer. Un error, comprendió luego, cuando la condujo, sin poder hablar ni apenas respirar, hacia un apartamento perfectamente amueblado.

Judson despidió al cochero antes de retirarle la mordaza y sonreírle con gran elegancia. Pese a todo lo que sabía de él, a Bronwyn le costaba aún comprender su vileza.

—El padre de Adam Kean fue colgado de la horca con la soga de seda que se reserva para los aristócratas, ¿lo sabía? —Se dio unos golpecitos en el pecho—. *Mi* padre escapó de ese destino. *Mi* padre abandonó Inglaterra a tiempo.

—¿Acaso los magistrados no lo habrían colgado con la soga de seda?

—Una chica muy perspicaz —dijo, aun sin quererlo—. No, no habría tenido soga de seda. Pero éramos ricos. Teníamos mesas cargadas de comida, criados que se peleaban por cumplir mis órdenes. Los Keane no eran ricos. Recuerdo haber visto a Adam Keane vestido con harapos, viviendo en una casucha. Me reía de él.

Bronwyn se imaginó la reacción de Adam siendo víctima de las burlas de un espantapájaros como Judson.

—¿Y qué sucedió para que cayera de ese pedestal?

—Una acusación de falsificación completamente inventada.

Sorprendida, Bronwyn preguntó:

—¿No fue ese el cargo que condujo al padre de Adam al patíbulo?

—El fallecido lord Rawson implicó a mi padre. Fue incapaz de mantener el pico cerrado, incapaz de caer sin apuntar de manera aleatoria con el dedo.

Mostrándose expresamente obtusa, volvió a preguntar:

—Pero ¿no habrían exculpado los tribunales a su padre si de verdad era inocente?

—Mi padre invirtió algo de dinero en negocios de Rawson, y eso le implicó. ¿Cómo iba a saber que Rawson eran tan patán que acabarían pillándole?

Demasiado astuta como para acusar al padre de Judson de mala conducta, dijo:

—¿Y cómo se lo hizo su padre para amasar esa fortuna de la que habla?

—Ocupaba un cargo de juez mercantil en la peor zona de Londres.

—Ah. —Lo comprendió de inmediato, pero como su intención era que la soltara, siguió hablando en tono sumiso y sin acusarlo—. ¿Podría desatarme?

Judson ladeó la cabeza, pensándolo.

Ella se encogió para parecer más menuda de lo que en realidad era y esbozó una sonrisa afectada.

—Un juez mercantil es un personaje muy importante.

—La gente no se da cuenta de lo importante que llega a ser. ¿Sabe usted cuántos aristócratas se quejan argumentando que los jueces mercantiles no son justos con los campesinos?

Abrió un cajón de una mesita y revolvió el interior, sacando cremas para la tez, polveras y papeles.

La empuñadura del cuchillo que sacó estaba exquisitamente ornamentada, pero la hoja brillaba con una intensidad que dejaba patente que no era decorativa. Atrajo los ojos de Bronwyn igual que un imán atrae el hierro. Justo la noche anterior, Adam había cogido un cuchillo, se lo había acercado a la piel y ella había disfrutado. Ni por un momento se le había pasado por la cabeza que pudiera hacerle daño, puesto que la fe que tenía depositada en él superaba con creces los límites impuestos por el sentido común. Empezaron a sudarle las manos calibrando el contraste entre su hombre fuerte y sencillo y aquel lechuguino elegante y asesino. ¿Dónde estaría Adam? Deseaba tenerlo a su lado de tal manera que empezó a fantasear pensando en su sabor, su olor, el contacto con su piel.

—¿Se encuentra mal? —preguntó Judson.

Ella le miró con ojos secos y ardientes.

—¿Qué?

—Parece enferma. —Acarició con el pulgar el filo del cuchillo—. Enferma de amor.

La atenta mirada de Judson la impulsó a seguir fantaseando. Pero esta vez pensó en la facilidad con que aquel cuchillo, en manos de Carroll Judson, podría hundirse entre sus omoplatos. En lo feliz que se sentiría haciéndolo. Pero no quería darle ideas; le dio la espalda sin evidente inhibición y dijo:

—Me cuesta imaginarme a la gente quejándose de los jueces. ¿Quién sino ellos para mantener el orden en los bajos fondos de la ciudad? Y a bajo precio, además.

—Tiene razón, tiene razón.

Judson cogió la cuerda que la tenía maniatada y le hizo levantar las manos. Sus omoplatos se tensaron y los tendones de la espalda se quejaron. Gimoteó, pensando que era un espacio de tiempo demasiado breve para prepararse para morir.

Pero de repente sus manos quedaron en libertad.

Poco a poco y con mucho dolor, las colocó sobre su regazo. El regreso del riego sanguíneo fue como tener mil agujas pinchando bajo la piel. Se despojó de los guantes y los dejó en el sillón. Por algún motivo desconocido, le apetecía mirarse las manos, desnudas y sin adornos. Eran unas manos bonitas, largas y esbeltas, con diminutas pecas flotando sobre una piel dorada. Estiró los dedos. Hizo rodar las muñecas en suaves círculos y masajeó la zona enrojecida por el roce de las cuerdas. Resultaba gracioso estar tan absorta con la observación de sus manos, casi como si estuviera viéndolas por primera vez... o por última.

Pero Judson la ignoraba, puesto que seguía fanfarroneando sobre su malvado padre y lo bien que desempeñaba su espantoso trabajo.

—Todas las multas que imponía por actividades criminales iban a parar a sus bolsillos. Todo el dinero que se recogía cuando un criminal era condenado a la cárcel y todo el dinero por el pago de fianzas, también. Así fue cómo mi padre conoció a Rawson, y con toda la bondad de su corazón permitió que ese hombre trasladara a su familia a una casucha en los confines de nuestra propiedad. Poco se imaginaba él la perfidia que personificaba aquel desagradecido granuja.

—Entiendo. —Y así era, más de lo que él se imaginaba, y se preguntó por su audacia. ¿Confiaba en que se sometiese sumisamente a su tiranía? No era un hombre voluminoso, ¿esperaba que ella no presentase pelea? Se volvió y descubrió el filo del cuchillo junto a la mejilla, pegado al hueso del pómulo. Con cuidado, miró hacia delante, manteniendo en todo momento el arma dentro de su visión periférica—. ¿Así que cuando su padre se exilió al continente le obligó a irse con él?

—Lo acompañé encantado. —Se encogió de hombros—. Mejor eso que el destino de un marinero.

—¿Mejor asesinar que trabajar? —Le miró fijamente. Sujetaba el cuchillo como un navajero, la hoja mirando hacia arriba, la punta enfocada hacia ella. Y aquello no hacía más que subrayar el contraste entre Adam y la bestia que tenía enfrente—. Tiene un sentido de la ética bastante extraño.

—La ética es para los ricos, querida, no para aquellos que tienen que buscarse la vida desde los catorce años.

Bronwyn, siempre segura en el seno de su familia, se quedó sorprendida.

—¿Su padre murió teniendo usted catorce años?

—Se casó con una mujer con dinero, que me encontraba repugnante. —Se acarició la ceja pintada con el dedo—. Tuve que hacerme mayor de repente. Viví en las calles de Roma. Aprendí italiano, sobre todo la palabra en ese idioma que significa «monstruo». Trabajé en una cocina. Trabajé en el campo. Trabajé como un esclavo. Sobreviví gracias a mi ingenio. Con los años, he escalado en la sociedad y juré que jamás volvería a trabajar con las manos.

—¿Trabajar con las manos? —Bronwyn extendió los dedos delante de ella y los observó con incredulidad—. Ha estado matando gente.

Judson bajó la vista hacia el cuchillo, como si hubiera olvidado que estaba sujetándolo.

—Así es. Y soy muy, pero que muy bueno, en ello.

—No es un lacayo —dijo con desdén Northrup—. Es el ayuda de cámara de Carroll Judson. ¿No le reconoce? Siempre andaba detrás de Judson por Change Alley, cuidando de su vestimenta y gorjeando elogios a su maquillaje. Eres Gianni, ¿verdad?

El lacayo emitió un borboteo y Adam aflojó la presión que ejercía con la mano sobre el cuello del hombre. Le costó, puesto que él deseaba estrangularle con todas sus fuerzas, pero la compostura de Northrup fue el elemento perfecto para desbaratar sus salvajes inclinaciones.

De hecho, mientras Gianni se tambaleaba, Adam cayó en la cuenta del buen equipo que habían formado Northrup y él. Decidido a sacar el máximo partido de aquella unidad, observó a Gianni rebotar contra la mesa de la cocina, para acabar estampándose contra la puerta cerrada de la despensa.

—Habla, sinvergüenza —rugió, pero Gianni no respondió, sino que se llevó las manos a las marcas que le habían dejado impresas en el cuello los dedos de Adam y así permaneció hasta que este hizo ademán de abalanzarse de nuevo sobre él.

Obedeció al instante.

—Soy Gianni.

—Y estás muerto —dijo Adam—. Si Bronwyn sufre algún daño, te descuartizaré con mis propias manos.

—Lord Rawson —le reprobó Northrup—. La intimidación no nos llevará a ninguna parte. Existe una forma mejor de hacer estas cosas. Primero le ofreceremos un soborno. Luego le amenazaremos.

Adam miró furioso a su educado y joven secretario y al afable ayuda de cámara.

—Me doy por enterado.

Gianni resolló.

—Los ingleses son unos bárbaros.

La determinación de Adam falleció de muerte súbita en cuanto escuchó aquel comentario denigrante y Northrup se vio obligado a detener su avance interponiendo su brazo.

—Gianni, no podré controlar más a lord Rawson si no hablas con educación.

Dominado, Gianni asintió.

—Bien, ahora hablemos de dinero… —empezó a decir Northrup.

—Nunca podrán ofrecerme una cantidad suficiente para obligarme a traicionar a mi amo. —Gianni se enderezó, su gesto dramático como el de un cantante de ópera—. Su riqueza es inmensa.

Northrup y Adam rieron entre dientes al unísono.

—¡Lo es! —se jactó Gianni, sacando pecho—. Mi amo tiene línea directa con cualquier información relacionada con los títulos de la Compañía de los Mares del Sur. Tiene garantías de que…

Con un tono meticulosamente comedido, Adam le preguntó:

—¿Con quién tiene esa línea directa?

El italiano se quedó más mustio bajo la gélida mirada de Adam que bajo cualquier amenaza previa de violencia.

—Con alguien muy importante de la Compañía.

—¿Y qué cuenta esa misteriosa persona? —preguntó Adam.

—Que como recompensa por sus servicios —Gianni cogió aire, pero no dio la impresión de encontrar en el ambiente la sustancia necesaria para respirar—, el señor Judson será debidamente informado cuando llegue el momento adecuado para vender sus títulos.

—El momento de vender los títulos ya ha pasado —dijo Northrup, claramente sorprendido ante esa ignorancia.

Con expresión alarmada, Gianni replicó:

—No, no, el señor Judson tiene garantías.

Northrup le preguntó entonces:

—¿De verdad piensa Judson que los títulos volverán a subir?

Gianni asintió y Northrup adoptó una expresión de tristeza.

Adam rió.

—Pobre imbécil.

Más que el sarcasmo de Adam, lo que acabó convenciendo a

Gianni fue la cara lastimera de Northrup, y su convicción se hizo patente en su rostro.

—Bueno. Estamos destruidos una vez más.

—Él está destruido —le corrigió Adam—. No es necesario que tú también lo estés.

—No pienso traicionarlo. —Los ojos castaños de Gianni brillaron de indignación—. Son imbéciles si piensan que voy a hacerlo. Hace años que estamos consagrados el uno al otro. El señor Judson es todo lo que tengo en este mundo.

—No tienes por qué traicionarlo —dijo Northrup, apaciguándolo—. Lo único que nos interesa a nosotros es la señorita Edana. Solo tienes que decirnos adónde se la ha llevado.

—¿Y echar a perder lo único que le da placer en esta vida? —Gianni suspiró, exasperado—. No puedo hacerlo.

La paciencia de Adam se quebró como el tronco alcanzado por el fuego. Se abalanzó sobre Gianni. Y Northrup no hizo nada para impedírselo, pero cuando se oyeron los gritos de una mujer, cambió de dirección y se lanzó hacia ella como un ángel vengativo.

Daphne llegaba con un hombre del brazo, un hombre enorme, el hombre más enorme que había visto Adam en su vida. Encogida bajo el fuego abrasador de la mirada de Adam, Daphne lo empujó para que avanzara.

—Lo siento —balbuceó—. Lo siento. Haría cualquier cosa para hacer marcha atrás. Prométame que no se lo contará a Rachelle.

—Pero ¿qué tontería está contándome? —rugió Adam.

Le temblaba la barbilla, tenía los ojos llenos de lágrimas.

—Nada. Nada, pero he traído a este hombre para que le ayude. Hable con él.

Se recogió las faldas y salió corriendo, dejando a Adam totalmente perplejo. Miró al gigante en busca de una explicación. El trabajador de los muelles se encogió de hombros y sus espaldas se agitaron como montañas en pleno terremoto. Con voz grave, dijo:

—Yo tampoco entiendo a esa chica.

Viendo que no hablaba más, Adam le preguntó, exasperado:

—¿Qué quiere?

—Una dama de alcurnia me dijo que localizara a Adam Keane, vizconde de Rawson.

—¿Y usted es? —le instó Northrup.

Decidido a relatar la historia a su manera, dijo:

—¿Es alguno de ustedes lord Rawson?

—Yo —respondió Adam—. ¿De qué joven dama me habla?

El hombretón cambió el peso del cuerpo al otro pie y se tocó el sombrero.

Adam siguió esperando, hasta que dijo:

—¿Una dama rubia?

Un solo gesto de asentimiento valió como respuesta. Adam lanzó una mirada triunfante a Northrup y vio por el rabillo del ojo que Gianni abandonaba la estancia.

—¡Cógele! —gritó.

Northrup echó a correr. El gigante echó a correr. Toparon entre ellos y cayeron al suelo con el gigante encima. Ignorando el sentido gruñido de Northrup, Adam salió corriendo tras el astuto italiano. Pero Gianni era más joven, más rápido, no había sufrido en su cuerpo las consecuencias de una bala de cañón y, antes de que él alcanzara lo alto de la escalera, había desaparecido.

Adam volvió cojeando a la cocina y cogió al gigante por la camisa.

—¿Qué sabes de esa joven dama?

Sin preocuparse por la amenaza implícita de aquellas palabras, el hombre respondió:

—No me fiaba del hombre que se la llevó, ¿sabe?

Armándose de paciencia, Adam asintió.

—La seguí para ver que no sufriera ningún daño. —El hombretón lo miró entre mechones de grasiento pelo—. Me llamo Oakes.

—Aquí no hay nadie, señor.

Adam se acarició el hombro que acababa de utilizar a modo de ariete y reafirmó a su secretario:

—Cierto, Northrup, aquí no hay nadie. —Cogió un guante arrugado que había quedado abandonado sobre un sillón—. Pero ha estado aquí, tal y como nos ha contado Oakes.

La puerta del apartamento de Judson en Curzon Street había quedado entreabierta, la cerradura rota por los dos hombres que, desolados, contemplaban la estancia. El dolor que asolaba su alma cogió por sorpresa a Adam, que esperaba encontrar a Bronwyn allí. Había llegado dispuesto a salvarla, a acabar con Judson si le había hecho algún daño, a finalizar de una vez por todas aquella pesadilla. Había ido directo hacia aquella dirección, sin vigilar los callejones que habían ido cruzando, y ahora no sabía qué hacer.

—¿Cree que ha sido acertado poner a Oakes en alerta para que busque también a Judson? —preguntó Northrup preocupado.

—Londres es una ciudad muy grande. —Adam tamborileó con los dedos sobre una mesa, desbordada por el desorden que Judson había dejado a su paso—. Dudo que Oakes encuentre a Judson.

—Pero si lo consiguiera, e hiciese lo que ha amenazado con hacer, creo que un hombre tan simplón como Oakes llevaría las de perder.

—Si encuentra a Judson y hace lo que ha amenazado con hacer, yo garantizaría personalmente su seguridad. ¿Crees que Judson podría haber dejado por aquí alguna pista que pudiera indicarnos su siguiente destino?

Adam manoseó la amplia colección de polveras y los papeles.

Con agudo sarcasmo, Northrup dijo:

—Por supuesto, señor. Estoy seguro de que Judson nos ha dejado un mapa para que conozcamos su paradero.

Adam cogió un papel y se quedó mirándolo.

—Tal vez sí.

—¿Ha encontrado un mapa?

Northrup había perdido su anterior ingenuidad, observó Adam.

—No es un mapa. Pero sí un plano de la casa que Walpole posee en la ciudad.

—Dios mío. —Northrup se quedó paralizado—. Hasta el momento no creía a Judson capaz de atreverse a matar a Robert Walpole.

—¿Por qué, si no, habría hecho este dibujo? —Viendo que Northrup no tenía respuesta, Adam preguntó—: ¿Cuánto rato debe de hacer que Judson ha salido de aquí con Bronwyn?

—No tengo ni idea, señor. —Northrup se agachó para tocar el brazo del sillón donde habían encontrado los guantes de Bronwyn—. No hace mucho, calculo.

—¿Por qué lo dices?

Northrup movió la cabeza con preocupación y Adam volvió a ponerse nervioso.

—¿Qué hay ahí? —Adam vio la mancha cuando se inclinó sobre el lugar que había estado inspeccionando Northrup. Una mancha marrón sobre el brocado verde de la tapicería que brillaba, húmeda aún. Cuando Adam la tocó, su piel se tiñó de rojo. Sangre. Se le erizó el vello de la nuca y una tenebrosa sensación de calma se apoderó de él—. ¿Dónde pueden haber ido?

Su voz sonó tan gutural, tan similar a la de un animal atacado por la locura del verano, que ni siquiera la reconoció.

Le pareció que Adam le hablaba desde muy lejos, como si estuviera en el interior de un túnel, en la oscuridad. Pero Northrup estaba a poco más de medio metro de él.

—El portero lo sabrá, lord Rawson, y los porteros no son tan leales como el amigo Gianni.

—Dios quiera que sea el caso de este portero.

La sensación de calma seguía inundando a Adam y congeló sus emociones en cuanto se puso en marcha.

Adam no tenía ni idea, ni le importaba, si el portero respondió a la moneda que Northrup le ofreció o a su mirada amenazadora. La cuestión es que el hombre proporcionó la información sin rechistar. Esbozando una mueca engreída, dijo:

—Hará una media hora que pedí el carruaje del señor Judson.

—¿Le acompañaba alguien? —preguntó Northrup.

—Iba con una mujer.

—¿Qué aspecto tenía?

El portero se rascó la frente y observó, acongojado:

—La memoria me falla de vez en cuando.

Northrup le soltó otra moneda.

El portero se embolsó la moneda de plata sin mirar su cuantía.

—Iba cubierta con un velo tupido.

—Dios mío —soltó Adam. Había visto la cara de Bronwyn cubierta de cosméticos, escondida bajo una peluca, su cuerpo estrangulado por corsés, pero jamás la había visto esconderse bajo un velo. ¿Le habría hecho tanto daño Judson que ni siquiera quería correr el riesgo de que se le viera la cara?—. ¿Se encontraba bien la dama?

El portero reconoció el buen corte de las prendas de Adam y respondió con un respeto que parecía sincero.

—Supongo, señor. Aunque el señor Judson la obligó a subir un poco a la fuerza al carruaje. El señor Judson ató luego la puerta con una cuerda y ella golpeó el cristal con mucha energía.

—¿Y se quedó simplemente contemplando la escena? —rugió Adam.

—Mi papel no incluye entrometerme en los asuntos de la nobleza —respondió sin emoción el hombre.

Northrup intervino antes de que Adam le echara la caballería por encima.

—¿Adónde fueron?

—No lo sé, señor. —Northrup le mostró el destello de una moneda de oro, pero el portero la rechazó—. Hay cierta información que no puede ser comprada.

Northrup seguía sujetando la moneda entre dos dedos, al alcance de los avariciosos dedos del portero.

—¿Eso quiere decir que conoce el destino de Judson?

—Si tuviese que contar el destino de los ocupantes de los apartamentos pondría en riesgo mi reputación.

Adam se colocó el bastón bajo el brazo y cerró los puños.

—Lo que corre riesgo es su salud si no nos da la información que le estamos pidiendo.

El portero miró de reojo el dinero, tentador y a su alcance. Miró los puños de Adam, a punto y muy cerca de él. Y les dijo todo lo que querían saber.

La desierta carretera iba de Londres al fin del mundo y resultaba una extraña vista a través de los cristales tintados. La lluvia llenaba los surcos y hacía difícil que Judson pudiera maniobrar el carruaje, por lo que volvían a estar con la ciudad enfrente. La caja tembló cuando este desmontó y Bronwyn se estremeció esperando su llegada.

No había vuelto a llamar al cochero, puesto que no confiaba en Fred, le había dicho, con la fe ciega que tenía depositada en Gianni. Tampoco la había maniatado. Pero le había demostrado su nervuda fuerza obligándola a subir al carruaje, y había hecho una demostración tan eficiente de su poderío, que la desesperación se había apoderado de ella. La mataría, arrojaría su cuerpo en un lugar tan remoto que solo podría encontrarlo un pastor, y ella no podría hacer nada para impedirlo. Presentaría batalla, por supuesto. Era demasiado orgullosa, llevaba en sus venas demasiada sangre irlandesa para no hacerlo, para claudicar sin presentar batalla. Pero era consciente de que solo podía salvarla un milagro.

La portezuela traqueteó mientras Judson retiraba la cuerda del pomo y Bronwyn se preparó para recibirlo. En el instante en que se abrió la puerta, se abalanzó sobre él con todas sus fuerzas. Esperándose el ataque, la empujó de nuevo hacia dentro. Intentó agarrarla por las manos, pero no lo consiguió. Bronwyn intentó meterle los dedos en los ojos, y tampoco lo logró, consiguiendo solo rozarle la cara y arañarle la mejilla. A continuación le arreó un puñetazo en la nariz, que él le devolvió con un gancho en la barbilla que la llevó a golpearse la cabeza contra la pared del vehículo. Cayó al suelo. Los oídos le silbaban, el dolor la superaba.

Perplejo, Judson se llevó la mano a la mejilla. Mirándose los dedos como si no pudiera creer la mancha de sangre que veían sus ojos, dijo entre dientes:

—Arpía. Puta barata. —Se sentó y se llevó la mano al pantalón—. Voy a darte más de lo que te mereces.

—No. —Decir, aunque fuese una sola palabra, le provocaba dolor, pero tenía que hablar—. No se merece ser hombre.

—¿Qué? —Se bajó el pantalón y quedó al descubierto—. ¡Mira!

—¡No! —Rechazándolo, rechazándolo todo, Bronwyn cerró los ojos con fuerza, pataleó, agitó los brazos—. ¡No, no! Usted no es nada. Puede pegarme, pero no podrá violarme.

Siguió dando patadas contra el asiento hasta que el silencio de Judson se filtró en su conciencia.

Solo el repiqueteo de la lluvia y el sonido de la brisa que soplaba al otro lado de la puerta rompían aquella tenebrosa quietud, hasta que él susurró:

—¿Cómo puedes decir eso?

Bronwyn se tapó los ojos con la mano hasta que una explosión de pólvora estalló tras sus párpados.

—Es usted un pobre hombre. Es un hombre penoso.

La lástima pareció convencerle, puesto que se subió el pantalón y lo abotonó.

Cuando estuvo segura de que se había vestido, se enderezó en el asiento. Se frotó la mandíbula, verificó el estado de su dentadura y confió en que Judson dijera algo.

Pero Judson seguía con la mirada clavada en el suelo, como si estuviera pensando.

—Has dicho que sabías que no podía violarte. ¿Cómo lo supiste?

Bronwyn se ruborizó, turbada tanto por ella como por él. Encogiéndose con impotencia de hombros, dijo:

—Simplemente lo sabía.

—¿Intuición femenina? —sugirió él.

—Supongo que podría llamarse así.

—Entonces, todo el mundo lo sabe.

—Bueno, yo...

—No existe lugar para mí aquí en Inglaterra. Aun en el caso de que mi plan tuviera éxito, no hay lugar para mí en esta isla. —Levantó la cabeza y la miró fijamente y con tanta maldad que Bronwyn se olvidó por completo de su dolor, abandonó toda esperanza—. ¿Sabes por qué maté a Henriette?

—Porque se enteró de sus planes...

—Porque dijo lo que tú acabas de decir. No con tanta educación, ya se sabe lo groseros que son los franceses, pero porque dijo lo que tú acabas de decir.

Capítulo 18

*E*sto no me gusta —susurró Northrup.

Con los hombros encogidos bajo la fuerte lluvia, estaba plantado en la calle justo delante de la casa de Robert Walpole. Sujetando las riendas de los caballos de ambos, miró inquieto a su alrededor.

—¿Por qué no? —Adam llamó a la puerta con el bastón—. Parece todo bastante tranquilo.

—Lo cual quiere decir que Judson no está aquí.

Adam clavó la mirada en los paneles de madera de la puerta, tratando de memorizar los nudos que trazaba mientras la desesperanza le recorría las venas.

—Lo sé. Pero la verdad es que no teníamos otro sitio dónde buscar y existe la posibilidad, solo la posibilidad, de que Judson llegue. ¿Podrías llevar los caballos a los establos para que no se espante y huya cuando los vea?

Apagado, Northrup dijo:

—Por supuesto, señor.

El mayordomo que abrió la puerta se alegró sinceramente de ver a Adam. Mientras este se despojaba de su empapado abrigo, el mayordomo le confesó:

—Vaya día, lord Rawson, no ha parado de entrar y salir gente de lo más rara.

—¿Ha llegado, pues, madame Rachelle?

El mayordomo detuvo sus movimientos y aspiró por la nariz.

—Es una de esas personas raras que le digo, milord.

El comentario era gracioso, pero Adam mantuvo una expresión impenetrable.

—¿Sigue todavía aquí?

—Efectivamente, señor. —El mayordomo abrió la puerta que daba acceso al salón—. Todo el mundo sigue aquí.

Adam cruzó el umbral y se encontró inmerso en bulliciosas conversaciones con escasos oyentes.

—Así que aquí están.

El señor Jacombe estaba sentado detrás de la enorme mesa del escritorio, papeles en mano, abordando el asunto de las inversiones de Walpole. Una atractiva joven, vestida solo con el corsé, dormitaba en el sofá. Había un sastre inclinado sobre su tabla de dibujo, trazando enérgicos garabatos. Solo Rachelle permanecía en silencio junto a la ventana, contemplando la lluvia.

—¿Dónde está Robert? —preguntó Adam—. ¿Dónde está Robert?

Rachelle se giró al oírlo gritar.

—Lord Rawson, gracias a Dios que ha llegado. —Corrió hacia él—. Ese idiota que usted califica de amigo se ha retirado a su guarida para trabajar a solas.

Adam se volvió hacia el mayordomo.

—Acompáñame enseguida a ver a Robert.

—Me temo que no puedo, lord Rawson. El señor Robert ha dado instrucciones de que nadie le moleste. Pero si desea esperar aquí...

Adam se dirigió de inmediato al despacho de Walpole y el mayordomo se quedó hablándole a la nada. Rachelle sonrió con afectación.

—Lord Rawson no permite que la cortesía se interponga en su camino.

El mayordomo bufó.

—Es evidente que no.

El primer impulso de Adam fue echar la puerta abajo, pero se contuvo. Era posible que Judson estuviera reteniendo a Robert a punta de pistola. Acercó el oído a la puerta de madera maciza y prestó atención, pero no oyó nada. Se arrodilló para mirar por el ojo de la cerradura, pero la estancia estaba oscura. ¿Oscura?

Al cabo de un momento comprendió que lo que estaba viendo era el tejido de la chaqueta de Walpole y no le dio tiempo de apartarse con la rapidez suficiente. Cuando este abrió la puerta, Adam cayó al suelo con completa indignidad.

Walpole se quedó mirando a su amigo, hecho un bulto a sus pies.

—Una suerte que te hayas dejado caer por aquí.

Furioso, Adam se levantó y se sacudió la ropa.

—¿Qué demonios estás haciendo?

—Trabajar. En privado, creo. —Walpole gritó al mayordomo—: ¿Están ya afiladas mis plumas?

—Por supuesto, señor, y esperando en el cajón derecho de su escritorio —respondió el mayordomo.

Walpole asintió y le preguntó a Adam:

—¿Querías pasar?

—Maldita sea, Robert. —Adam entró en el despacho—. ¿Ni siquiera puedes ser asesinado correctamente?

—Yo también me alegro de verte. —Walpole cerró de un portazo—. ¿Qué significa ese mensaje ridículo que me ha entregado la dueña de ese salón?

La exasperación se apoderó de Adam, que replicó:

—Significa, idiota, que Carroll Judson tiene intención de matarte.

—¿Ese gusano? —Walpole rodeó el escritorio y hurgó en el interior del cajón de la derecha—. Aquí están. —Dejó una pluma sobre el papel y preguntó—: ¿Debería estar preocupado?

—La bala del arma de un gusano es tan mortal como la bala del arma del pájaro que se come ese gusano… —Adam se rascó la frente—. Dios, Robert, ¿acaso no ves las estupideces que me obligas a decir?

—¿Yo? —preguntó Walpole insípidamente—. No puedo controlar lo que dices.

Adam se tapó la cara con la mano y se dejó caer contra la pared.

Riendo entre dientes, Walpole siguió insistiendo:

—¡Caramba! Cambia de cara, chico. Ya te lo he advertido mil veces. ¿Así que te crees esa sandez del asesinato?

—No solo lo creo, sino que te he escrito una nota al respecto.

—¿*Tú* escribiste esa nota?

La exasperación empezaba a poder con Adam viendo a aquel inglés, tan petulante, en su casa, en su país.

—Yo la firmé.

—No llevaba sello —observó Walpole.

Sin poder creérselo, Adam dijo:

—¿Qué no llevaba sello? Robert, he escrito ese mensaje en casa de madame Rachelle, y con muchísima prisa. —Miró a su alrededor—. ¿Adónde dan esas puertas?

—Esa que tienes al lado da al salón —respondió Walpole.

—Muchas gracias, Robert, pero aún sé de dónde vengo. Quiero saber por dónde va a entrar Judson.

Walpole le señaló una a una las puertas.

—Esa da a la biblioteca. Aquella al pasillo que va a la cocina. Esa otra da acceso a mis estancias privadas, donde una joven prostituta estaba entreteniéndome cuando tu francesita insistió en interrumpirme por esa cuestión de vida o muerte.

Walpole le lanzó una mirada furiosa, que Adam ignoró mientras comprobaba que todas las puertas estuvieran cerradas con llave.

—Imagino que lo más probable es que Judson acceda por la cocina.

—O por alguna ventana. —Encorvado, Walpole se acercó de puntillas a Adam imitando un asesino dispuesto a llevar a cabo su crimen—. O tal vez deslice veneno por debajo de alguna puerta y me pida educadamente que lo ingiera.

—El sarcasmo no resulta atractivo en un hombre de tu perfil. —Adam contempló el jardín al otro lado de la ventana—. Intenta tomártelo en serio.

Walpole se enderezó.

—Es una estupidez. ¿Por qué querrían asesinarme?

—Por tu encanto —le espetó Adam, girándose.

—¡Anímate! —le ordenó Walpole—. Soy un don nadie.

—Que, con un poco de suerte, acabará siendo alguien. Ya has demostrado en una ocasión tu valía para el gobierno. Y no me cabe la menor duda de que volverás a hacerlo.

—Nada hay más aburrido que el villano de antaño. —Walpole le dio unas palmaditas en la espalda a su amigo—. A menos que sea el héroe de antaño.

—Aunque, si ese héroe se pasa el día haciendo alarde de sus planes para dirigir el destino de Inglaterra, es posible que alguien acabe encontrándolo interesante —dijo con mordacidad Adam.

Sintiéndose aludido, Walpole replicó, protestando:

—Yo no he hecho nada de eso.

Sin ganas de reírle la gracia a su amigo, Adam dijo entonces:

—Lo has hecho, Robert. Lo confesaste una vez, y no me cabe la menor duda de que esa confesión escondía innumerables pecados.

Walpole tuvo la elegancia de mostrarse avergonzado.

—¡Oh, no lo creo! —Levantó la mano para acallar las protestas de Adam—. Pero de ser cierto, ¿no podías haber enviado a otro que no fuese esa franchute para alertarme sobre las intenciones de Judson? A un recio inglés me lo habría creído.

Adam aporreó el suelo con su bastón.

—Robert, tú solo te creerías el Segundo Advenimiento si te diera dinero a cambio. Y ahora, presta atención. Tenemos que prepararlo todo para capturar a Judson.

—¿Capturar? —Walpole carraspeó ruidosamente y se dirigió a la puerta—. Voy a decirles a mis criados que disparen en cuanto lo vean.

—¡No! —Adam saltó casi sobre él—. Por favor, Robert, Judson tiene en sus manos a Bronwyn, y necesito saber dónde la tiene escondida.

Inflado e indignado como un urogallo alterado, Walpole dijo:

—¡Ese es el verdadero motivo por el que no me creí a esa franchute! Me contó que tu prometida ha estado viviendo en un salón. ¿Es cierto entonces?

Completamente indiferente al escepticismo de Walpole, Adam respondió:

—Oh, eso. Sí, Bronwyn ha estado viviendo en casa de madame Rachelle. Tienes una enorme deuda con Bronwyn, Robert. Ella fue quien descubrió los planes de Judson.

Walpole buscó a tientas la silla dispuesto a replicar, pero luego se lo pensó mejor y quedó sumido en el silencio detrás de la mesa. Al cabo de un buen rato, tomó por fin la palabra.

—Adam, ¿qué has estado haciendo estas últimas horas? Imaginaba que a estas alturas ya habrías rescatado a la chica.

—Judson ha ido en todo momento dos pasos por delante de nosotros. Pero ahora…

Adam hizo un gesto negativo con la cabeza.

—¿Ahora qué? —preguntó Walpole.

—El portero de casa de Judson nos dijo que venía hacia aquí. ¿Por qué no ha llegado aún? ¿Se habrá detenido en algún sitio con Bronwyn para…? —Adam no pudo terminar la frase. Acababa de estar a punto de reconocer sus temores y expresarlos en voz alta los habría hecho reales—. Tengo que saber qué ha sucedido. Hagas lo que hagas, no le dispares.

—Supongo que querrás decir —abrió el cajón de la izquierda y extrajo un arma de su interior— que no dispare a matar. ¿Quieres una pistola?

—La pistola no es el arma de mi elección, lo sabes.

Adam sacó del estuche su cuchillo de marinero.

—¿Y si no aparece? —preguntó con perspicacia Walpole—. ¿Qué piensas hacer entonces? —Adam se quedó mirando a su amigo y lo poco prometedor de su expresión debió de impresionar a Walpole, puesto que dijo—: Maldita sea, Adam, no puedes estar vinculado de este modo con esa mujer. ¡Tú no!

Un crujido en la puerta de la cocina le ahorró la respuesta a Adam. Se puso tenso y llevó la mano a la empuñadura del cuchillo. Walpole, la pura imagen de la relajación, se recostó en su silla, pero con la mano escondida en el cajón donde guardaba el arma. Esperaron en silencio, en estado de alerta, y vieron el pomo girar con una lentitud exasperante. Los motivos de latón del rosetón que decoraba el pomo se quedaron grabados en el cerebro de Adam.

El deseo de matar a Judson combatía en su interior con la necesidad de saber: de saber dónde estaba Bronwyn, de saber cómo estaría, de saber si podría abrazarla una vez más.

Las bisagras chirriaron y la puerta se abrió por fin. Con los polvos de la cara húmedos aún y manchándole incluso la levita, Judson miró a Walpole, miró a Adam, y esbozó una torcida sonrisa de cordialidad.

—Jamás me habría imaginado verle por aquí, lord Rawson. —Puso un marcado énfasis en el título de Adam—. ¿He estropeado alguna fiesta?

A sus espaldas, los olores de la cocina avanzaron por el pasillo, y por la ventana abierta que había utilizado para acceder a la casa se filtraba una tenue luz. Pero no se veía a nadie más.

Adam cayó presa de la decepción. Judson estaba solo. Había sido una locura esperar que Bronwyn lo acompañara, comprendió, una locura a la que había dado rienda suelta.

Pasaron los segundos y Judson volvió a hablar, en tono burlón:

—La falta de elocuencia nunca ha sido precisamente la perdición del honorable Robert Walpole.

—Ni lo será ahora. —Walpole se había quedado perplejo al ver que la amenaza cristalizaba y se hacía realidad—. Pensaba que Adam se había vuelto loco. Jamás creí que acabara presentándose aquí.

Judson deslizó la mirada hacia Adam.

—No es más que una visita amistosa.

—Las visitas amistosas entran por la puerta —le advirtió Adam—. Y las visitas amistosas tampoco se dedican a acabar con la tinta de su tintero dibujando planos de habitaciones y despachos.

—Ha estado espiándome —dijo Judson, cerrando la mano en un puño. Y en tono de mofa, añadió—: Es usted igual que su padre.

Adam dio un paso al frente.

—¿Mi padre? Mi padre jamás cayó hasta el bajo nivel del asesinato.

—¿Asesinato? —repitió Judson con exagerado asombro—. La verdad es que no sé de qué me habla.

Adam subió la voz para amenazarle.

—Le avisé de que le haría morder el polvo del suelo, y ahora… —Con una exclamación, Walpole le hizo callar, pero Adam se dio cuenta de que había cogido el cuchillo. Respiró hondo varias veces y se obligó a relajar la mano en la empuñadura. Mientras estuviera tan tenso no conseguiría lanzar con precisión, y tanto por él, como por Walpole y por Bronwyn, tenía que acabar clavando a Judson en aquella pared.

—Así que ha venido —dijo Walpole—. ¿Y qué espera conseguir con esta locura?

—¿Locura? —dijo Judson, sus cejas pintadas enarcadas en un gesto de reproche.

—¿Pensaba que nadie se daría cuenta de que me había matado?

Walpole aporreó la mesa con el puño y Judson se sobresalto.

—¿Está nervioso, Judson? —dijo en tono burlón Adam—. Me parece que trabaja mejor solo, en la oscuridad, sin que nadie le observe y le descubra. ¿Cómo piensa matarnos a los dos?

Walpole miró furioso a Adam.

—Cierra el pico, maldita sea. Quiere matarme a mí, así que deja de interrumpir. —Volcó entonces su atención en Judson y lo desafió—: Máteme, pero debo advertirle de una cosa: estoy preparado para repeler su calumnioso ataque.

—Por lo visto, todo el mundo conoce mis planes. —Judson hundió la mano en el bolsillo sin abandonar su expresión de inocencia—. Pero siento curiosidad. ¿Por qué tendría que atacarle?

—Buena pregunta, siendo sus verdaderos enemigos los que le han precipitado al desastre económico —apuntó Adam.

—¿Y qué enemigos son esos? —cuestionó Judson en voz baja y empleando un tono dulzón.

—Los directivos de la Compañía de los Mares del Sur. Los títulos de esa compañía están cayendo en picado. Y los de usted entre ellos —le dijo crudamente Adam.

Judson sacrificó su fingimiento para hablar de economía:

—Es una falsa caída de precios, similar a la caída que se produjo en junio cuando el rey marchó del país.

Adam negó con la cabeza.

—Los directivos le han mentido. La burbuja ha estallado.

—No.

Impaciente, Walpole interrumpió el diálogo.

—¡Pero mire los hechos, hombre! ¡Los títulos han caído más de doscientos puntos en solo cinco días!

—Han manipulado el mercado para que parezca que los títulos están en quiebra —replicó Judson.

—¿Y por qué tendrían que hacerlo? —preguntó Walpole.

Judson sonrió, una sonrisa casi arrogante.

—Está usted arruinado, ¿verdad?

Pillado por sorpresa, Walpole balbuceó:

—¿Por qué? No… ¿Qué le lleva a pensar eso?

La sonrisa de Judson se esfumó.

—Usted compró títulos. Pese a todos sus elevados principios, invirtió mucho dinero.

—Sí, y los vendí. —Walpole lo miró muy serio, desafiándolo—. Los vendí por recomendación de mi amigo, Adam Keane. A punto estuve de volver a comprar, de no confiar en sus consejos, pero la suerte y una mala comunicación con el señor Jacombe me salvó de hacerlo.

Respirando con dificultad, Judson replicó:

—Eso no es verdad. Me lo habrían dicho.

—¿Por qué? —preguntó Adam, aun conociendo la respuesta—. ¿Por qué le importa tanto el estado de salud financiero de Robert Walpole?

La capacidad de control de Judson acabó rompiéndose y gritó:

—¡Porque es una amenaza! Siempre anda metiendo las narices en el Tesoro, diciéndole al rey lo que tiene que hacer, pavoneándose de que conoce la mejor manera de gestionar la fortuna del reino. Sir John Blunt es quien de verdad sabe lo que es mejor para el país. Sir John Blunt es quien debe llevar el timón de Inglaterra.

—¿Así que piensa matar a Robert por el bien de la vieja Inglaterra? —Adam soltó una carcajada, breve y amarga—. Vamos, cuénteme ahora otro cuento, por favor.

Judson le sacó la lengua, un gesto que le recordó al niño que había sido en su día.

—Se cree usted muy listo. Sir John Blunt me paga bien y seguirá pagándome cuando acceda al puesto del gobierno que debería ocupar: primer lord del Tesoro y canciller de Hacienda. —Judson desplegó el título por completo—. Sir John me ha garantizado que continuaré trabajando entre bambalinas para poner en vereda a los que no estén dispuestos a acatar sus métodos.

—Blunt no es ningún imbécil. En cuanto haya cumplido su deber aquí, lo hará deponer. No puede permitirse tener un perro rabioso como usted merodeando por todas partes. —Y antes de que Judson pudiera protestar, Adam añadió—: Blunt ya ha vendido sus títulos, lleva tiempo hartándose de vaciar las arcas de la Compañía de los Mares del Sur.

—Eso no es verdad —dijo Judson, aunque su tono suplicaba casi que acabaran de contarle una mentira.

—¿Y qué importancia tendría que yo lo hubiese perdido todo? —preguntó Walpole—. ¿Qué tiene eso que ver con sus planes?

—Pensé... —En tono desafiante, Judson rectificó—: *Pensamos* que si estaba arruinado, podría matarle y todo el mundo pensaría que se había tratado de un suicidio.

Walpole, siempre campechano y jovial, estalló en carcajadas al conocer la ridícula trama.

Judson aprovechó que Walpole se tronchaba de risa para extraer una pistola de su pródigo bolsillo y apuntarla hacia él.

Adam buscó el equilibrio de su cuchillo, apuntó y en el mismo instante en que lo lanzó, Judson gritó:

—Morirás lentamente, como Bronwyn.

El cuchillo se clavó en la pared, justo al lado de Judson, y Adam se abalanzó para cogerlo.

Judson extendió el brazo para apuntar a Adam, que se detuvo en seco.

—Si Bronwyn está viva —murmuró, su descabellada promesa equilibrando su desesperación—, le ayudaré a salir del país con dinero suficiente para poder instalarse cómodamente.

Indignado, Walpole le espetó:

—¿Pretendes recompensarlo por intentar asesinarme?

Haciendo caso omiso a Walpole, Adam continuó con toda la atención centrada en Judson y aquella pistola. La pistola no descendió, pero, como una serpiente preparándose para atacar, titubeó entre sus dos objetivos. Adam siguió tratando de engatusarlo:

—Sabe que puede confiar en mí. Y que es la única manera de salir de aquí con vida.

—¿Y si está muerta? —preguntó Judson.

Adam se echó a reír, una risa en absoluto agradable.

—En ese caso, mejor haría matándome ahora.

Walpole insistió:

—El peor crimen que podría cometer es matar a un aristócrata.

El ojo negro de la pistola se trasladó una vez más hacia él y Judson siguió avanzando hacia el centro de la habitación. La luz que entraba a través de la ventana le iluminó la cara y la imagen clavó una estaca en el corazón de Adam.

—Tiene arañazos en la cara.

Judson movió el hombro hacia arriba en un intento de esconder los delatadores arañazos.

—Tiene arañazos provocados por las uñas de una mujer.

Ante una tentación que superaba la lógica, Adam se preparó para abalanzarse sobre él. La intensidad de su impaciencia agitó incluso la atmósfera a su alrededor.

—Le dispararé —le amenazó Judson.

Adam comprendió que, o soltaba el arma, o Judson acabaría disparando.

—No puede dispararnos a los dos.

Judson y Adam siguieron mirándose a los ojos, sopesándose mutuamente en una conversación desprovista por completo de palabras.

Hasta que se abrió de repente la puerta y Northrup gritó:

—¡Señor!

Capítulo 19

Cuando Northrup se percató de lo que pasaba, se quedó pálido, boquiabierto. Judson se abalanzó sobre él y sonó un disparo. El impacto de la bala derribó a Northrup. Con retraso, Adam se arrojó en busca del cuello de Judson, pero el umbral de la puerta estaba vacío. El sonido de los tacones de Judson corriendo por el suelo entarimado resonó por el pasillo.

Adam corrió junto a Northrup y le buscó el pulso, pero la mano de este le agarró enseguida por la muñeca. Ronco por el dolor, murmuró:

—Carruaje. —Sacudió la muñeca de Adam—. Carruaje... en el callejón.

Tenía una herida en el costado que no dejaba de sangrar; Walpole se arrodilló y se sirvió de un cojín para contener la hemorragia.

—Vaya —murmuró Northrup.

—Nos ocuparemos de él.

Walpole le entregó a Adam su bastón y este no necesitó más palabras de ánimo.

Corrió por el pasillo entre sorprendidos criados, cruzó la puerta de la cocina y salió al jardín. Al final del callejón, divisó un voluminoso carruaje salpicado de barro por todas partes. El vehículo se balanceó bajo el peso de Judson, que acababa de ocupar el puesto del cochero. Adam saltó hacia el carruaje en el mismo momento en que emprendía la marcha. Falló, pero sabía que podía alcanzarlo. Judson era incapaz de conducir con presteza un carruaje tan poco manejable como aquel.

Adam echó a correr, pero Judson fustigó a los caballos. El barro le salpicaba sin cesar la cara. El carruaje dobló la esquina para salir a la calle, inclinándose hasta tal punto hacia la derecha, que Adam creyó que acabaría volcando. Pero no lo hizo. Se enderezó de nuevo y siguió escuchando el crujido del látigo. Corrió por él, pero Judson había emprendido una huida que pasaba por alto peatones y otros vehículos. Entonces él derrapó hasta detenerse y se llevó la mano al dolorido muslo.

Desesperado, murmuró:

—Judson, hijo de puta.

Se dirigió cojeando hacia el establo, maldiciendo su mala suerte, el mal tiempo y, sobre todo, a Judson. Ahora que se le había acabado la energía, era más consciente de su maltrecha pierna.

En aquel momento se aproximó un niño de aspecto asustadizo al que Adam lanzó una mirada furibunda.

—¿Milord? Tenemos su caballo en la puerta principal.

Las emociones de Adam pasaron de la rabia más oscura a la euforia. Le dio al chiquillo unas palmaditas en la espalda.

—Bien hecho. ¡Tráemelo aquí!

El chico de los establos salió corriendo, repitiendo el grito:

—¡Traedlo aquí!

Adam se encaramó al montador y cuando llegó el semental, subió a la silla y dijo:

—Muy agradecido.

Dobló enseguida la esquina y buscó con mirada ansiosa el carruaje. Pero no tuvo suerte, Judson iba muy rápido y estaría ya lejos. Pero le bastó con seguir el sendero de peatones indignados que este había derribado en su temeraria huida. Carente de la indiferencia que había permitido a Judson atropellar a niños mendigos y vendedores ambulantes, avanzó por las calles regateando y serpenteando, en dirección a Change Alley.

Adam no comprendía qué locura habría impulsado a Judson a dirigirse a Change Alley, pero no le cabía la menor duda de que iban directos al callejón adoquinado situado entre las calles Lombard y Cornhill. La histeria empezó a percibirse en el ambiente a medida que fue aproximándose al Alley. La caída del precio de los títulos había causado numerosas víctimas y carruajes, berlinas, landós y carrozas atiborraban la zona más que en los días de éxito del pasado verano. Adam se abrió paso a caballo, buscando con la mirada el carruaje de cuatro ruedas de Judson por encima de las cabezas y los voluminosos vehículos. Pero el caballo se negó finalmente a sortear un obstáculo y se detuvo ante el estrecho paso entre dos carruajes.

Desde donde estaba oía el rugido lejano de aquel hervidero de gente, aspiraba el nefasto olor húmedo que desprendía la reunión de tantos cuerpos. Vio a un predicador vociferando a los pecadores desde lo alto de un cajón, vio a Judson...

Se apoderó de Adam una sensación simultánea de alivio y aprensión. La lluvia había empeorado el aspecto de su voluminosa peluca, la cara ya no lucía su habitual disfraz de afable educación, pero era Judson. Iba de vendedor en vendedor, preguntando, y vendedor tras vendedor, negaba con la cabeza.

Sin ganas de abandonar su precioso caballo, Adam buscó una solución y la encontró en un chico de pícaro aspecto que se aproximaba a él. Fingiendo ignorarlo, esperó hasta que el muchacho alargó el brazo con la intención de cortar los cordones que sujetaban su bolso para agarrarlo por el cogote y decirle:

—Eso es una ofensa castigada con la horca.

El chico se debatió, agitando sus enclenques piernas, maldiciendo, hasta que se dio cuenta de que era inútil.

—Eh, gobernador, no pretendía hacerle ningún daño.

—Por supuesto que lo pretendías.

Volcando una mínima atención en el ladronzuelo, Adam siguió observando el avance de Judson entre la muchedumbre.

—Pero ¿me perdonará, verdad, gobernador? Si prometo que no volveré a hacerlo...

El chico se calló en seco cuando Adam lo miró fijamente.

—No me vengas con pamplinas, ladronzuelo. Pero para demostrarte mi clemencia, no te denunciaré al magistrado. —Una rápida mirada a Judson le dio a entender a Adam una desesperación que no había visto desde las encarnizadas batallas a bordo de su navío. Los gestos violentos de Judson, la indiferencia que mostraba hacia los codazos del gentío, eran indicios de una temeraria desinhibición que auguraba lo peor para Bronwyn. Solo aquellos que sentían la muerte muy cerca se comportaban de aquel modo. Con un arranque de ferocidad, Adam zarandeó al ladronzuelo—. Te daré dos peniques si me vigilas el caballo, y dos peniques más cuando regrese... si el caballo sigue ahí.

El niño dejó de retorcerse y se quedó mirándolo, embelesado.

—De acuerdo, gobernador, lo haré encantado.

—Muy bien. —Adam depositó al muchacho en el suelo, desmontó y le ofreció la recompensa prometida—. Recuérdalo, dos peniques a mi regreso —dijo sin esperar más, y cogiendo únicamente el bastón, salió corriendo. Decidió que si a su regreso el caballo había desaparecido, despellejaría a Judson.

A pie, inmerso en una maraña de duquesas y pequeños terratenientes, Adam no lograba divisar a su presa. Oyó a lo lejos a alguien gritando su nombre, «Adam Keane». Lo ignoró. Abriéndose paso entre cuerpos calientes y sudorosos, se encaminó al lugar donde había visto a Judson por última vez. La muchedumbre no se apartaba fácilmente pese a sus movimientos agitados. Frenética también, nadie toleraba más histerismo. Divisó una peluca completa entre tanta gentuza, agarró a su propietario, lo volteó... pero no era Judson.

—Maldito sea —lo maldijo injustamente Adam.

Los ojos del noble se iluminaron al reconocerlo.

—Y maldito sea usted también, lord Rawson. —Desquiciado, agarró a Adam por las solapas de la chaqueta—. Ha provocado mi ruina, con sus títulos falsos y sus falsos consejos.

Adam se apartó del hombre y con el impulso derribó al evangelista que predicaba desde lo alto de un cajón, interrumpiendo con ello su sermón. Se enderezó enseguida y oteó por encima de aquella masa de cabezas. Alguien lo llamó de nuevo por su nombre y en un tono desagradable, pero estaba tan concentrado, tan aterrado por Bronwyn, que ni siquiera le prestó atención.

¡Y allí estaba! El conocido e imponente carruaje se encontraba atascado entre otros vehículos y Judson avanzaba entre la gente hacia él. Adam se sentía empujado por todas partes. A sus espaldas, el predicador empezó a gritar:

—¡Desdichado pecador! ¡Arderás en el infierno!

Con una ironía que nadie era capaz de apreciar, él murmuró:

—Demasiado tarde, ya estoy metido en él.

Volvió a oír que lo llamaban por su nombre, «Adam Keane, lord Rawson». Y de pronto, un fuerte puñetazo le impactó en pleno pecho. Él lo devolvió sin mirar, sin mostrar respeto a nadie, cegado por la persecución que estaba llevando a cabo.

—Condenado Adam Keane.

Notó un tirón en el pelo y se sirvió del bastón para defenderse de su atacante. Replicándose como el rugir del trueno, oyó de nuevo su nombre, repitiéndose en innumerables voces, pero con un tono monocorde. Se repetía delante de él, se repetía a sus espaldas. El problema le acechaba a la vez que él acechaba a Judson.

Adam se abrió paso entre aquella masa de gente enfurecida y consiguió alcanzar los faldones de la chaqueta de Judson cuando el truhán trataba de acceder al puesto del cochero de su carruaje. Con un fuerte tirón, lo derribó y lo hizo levantar de nuevo agarrándolo por el corbatín.

—¿Dónde está Bronwyn? ¿Dónde está Bronwyn?

El rostro de Judson se contorsionó y le escupió.

—¡Eso es! —chilló una voz de mujer—. ¡Escúpele en el ojo!

Haciendo caso omiso a la mujer que lo abucheaba, Adam dijo con un rugido:

—¿Dónde está Bronwyn?

—¿Y qué le importa? —gritó Judson, sumergiendo la mano en el bolsillo, extrayendo la pistola y apuntando a Adam en la nariz—. Jamás volverá a verla.

Adam recordó la bala que había alcanzado a Northrup y no dudó ni por un momento.

—No está cargada —vociferó, y se abalanzó sobre el cuello de Judson.

Como respondiendo a la furia de Adam, la portezuela del carruaje se estampó contra la espalda de Judson, empujándolo hacia delante. Amordazada, atada de pies y manos, Bronwyn salió disparada del interior.

Adam arrojó el bastón, corrió hacia ella y llegó a tiempo de cogerla en volandas antes de que chocara contra los adoquines.

Estaba caliente, peleona, rabiosa.

Y a salvo. Una sensación de alegría, pura como el viento en primavera, se apoderó de él. La abrazó por un breve y extático instante, puesto que pisándole los pasos a la dicha llegaba un frío vendaval de terror.

Judson seguía con el arma en la mano… y tal vez, tal vez *estuviera* cargada.

Adam tenía que marcharse de allí, conducir la bala destinada a él lo más lejos posible de ella.

Pero había malinterpretado las intenciones de su enemigo. La imagen de Bronwyn estimuló a Judson. Apuntó la pistola hacia ella, hacia la impotente mujer que, incluso en aquellas circunstancias, irradiaba un aura de desafío.

Con un aullido, Adam se abalanzó sobre él, agarró a Judson por la muñeca y le levantó el brazo por encima de la cabeza.

La pistola era como un comodín en manos de Judson. La única bala que posiblemente contenía podía inclinar la suerte en cualquier dirección. Los hombres y las mujeres que abarrotaban Change Alley formaron un corrillo alrededor de la pareja enzarzada en una fervorosa pelea.

Bronwyn intentó incorporarse y golpeó sin querer a un caballero que observaba el espectáculo con unos anteojos pegados a la nariz.

—Vigile lo que hace —dijo el hombre. Le dio entonces otro golpe, y la barriga del hombre tembló de indignación—. Le he dicho que... —Abrió los ojos de par en par al ver la mordaza que la mantenía en silencio—. ¿Se lo ha hecho él? —preguntó.

Bronwyn movió afirmativamente la cabeza y el hombre exclamó:

—¡Miren! ¡Aquí está otra de sus víctimas!

Una señora vestida de color gris paloma, que por su atuendo debía de ser costurera o institutriz, cloqueó consternada:

—Pobre chiquilla. —Y alzando la voz—: Otra presa de ese hombre pérfido. Ayudadme a sacarle este paño de la boca.

Liberada de sus ataduras, Bronwyn se abrió paso hasta el centro del corrillo. Judson y Adam estaban enzarzados, peleando con todas sus fuerzas. Resultaba imposible ver las cuatro manos y, más relevante aún, resultaba imposible ver la pistola. Miró a su alrededor en busca de algún objeto con que poder golpear a Judson, pero no vio nada, excepto un círculo de caras que reflejaban cierto deleite por la escena.

Amortiguado, pero no por ello menos penetrante, se escuchó el disparo del arma y el crujido de la bala al alcanzar el cuerpo. ¿El cuerpo de quién? Tanto Adam como Judson cayeron al suelo. Primero Adam, luego Judson, después Adam se puso encima; aquello era un caos de puños, patadas, codazos, una pelea con todas las de la ley. Se veía sangre... ¿o sería barro? La pistola se deslizó por el lodo y quedó atrapada entre dos adoquines. La multitud gritaba:

—¡Acaba con ese desgraciado! ¡Destrózalo!

El dolor de la pierna estaba robándole fuerzas a Adam. Era muy posible que el disparo de Judson le hubiera dejado lisiado, matado incluso. Adam aporreó a Judson con rabiosa desesperación. Judson siguió luchando espasmódicamente hasta que Adam arremetió contra él con un fuerte cachete. Acto seguido, Adam intentó hablar a pesar de lo inflamada que tenía la boca.

—Si me ha enviado al infierno, tenga por seguro que me acompañará.

Los ojos de Judson se agitaron en un tic nervioso y empezó a berrear.

—Parece un bebé —oyó Adam que decía la gente.

De haber podido, habría incluso sonreído ante el comentario.

Le quitó la peluca a Judson de un manotazo y el tocado desapareció entre los pies de la muchedumbre. La conmoción produjo una oleada de silencio.

—La cabeza de ese tal Adam Keane está más pelada y reluciente que el trasero de un bebé —observó una mujer, maravillada.

Paralizado por la sorpresa, Adam levantó la vista hacia la boquiabierta ama de casa.

Con su verdad al descubierto, Judson se apartó de Adam y chilló:

—¡Estúpida ramera!

Adam decidió agarrar el bastón y soltar a Judson. La vara se encajó en su mano como un buen amigo, el globo ambarino destellando en su extremo. Girando rápidamente la empuñadura, le asestó un golpe a Judson en la parte inferior de la mandíbula. Judson cayó hacia atrás, impactando contra los adoquines del suelo. Abrumado a partes iguales por la sensación de victoria y por el agudo dolor, Adam se le lanzó al cuello.

La muchedumbre aulló. Bronwyn se sumó a sus berridos. Judson siguió peleando, y el sonido del gentío pasó del aprecio por una buena pelea al alarido de la venganza.

—Adam Keane está matado a ese pobre hombre —se quejó la institutriz.

—Ese no es lord Rawson —le discutió una prostituta con cara de hastío—. El que nos ha arruinado es el otro. Fue él quien me vendió los títulos en plena calle.

—¡Idiotas! El calvo no es lord Rawson —dijo una voz aristocráti-
ca—. Lord Rawson es el otro.

—Lord Rawson es el que está encima —anunció Bronwyn con
una apasionada sonrisa—. ¡El que lleva las de vencer!

Las caras se volvieron hacia ella, haciendo caso omiso a la contien-
da que se libraba en el suelo para prestar su atención a la pelea que se
desarrollaba en las alturas, que parecía más interesante.

—No lo es —insistió la prostituta—. El otro es el que vendía los
títulos.

Se hizo un gélido silencio y el aristócrata insistió:

—He coincidido con él en los tribunales.

—Y eso qué más da —entonó una voz desde atrás—. Colguémos-
los a ambos. Así seguro que acertamos.

—A la horca.

Con ansias de sangre, enloquecida por el engaño del que había
sido víctima, la muchedumbre empezó a estrechar el círculo que ence-
rraba a los dos hombres.

—Dejadlo en paz —chilló Bronwyn, pero la gente había cogido
ya a Adam por los brazos para separarlo de Judson. Bronwyn intentó
correr hacia él, pero la muchedumbre se lo impidió.

La misma voz ronca gritó:

—¡Colgad primero al rico! —Y el exaltado predicador ocupó entonces el centro del círculo—. Utilizad mi tarima para colgarlos.

—¡Colgadlos! —tronó de nuevo la muchedumbre.

Bronwyn intentó ir ganando terreno, arañando incluso a gente sin
rostro, pero Adam se alejaba cada vez más de ella. Lo subieron a la
tarima. Desapareció entonces de su vista y alguien dijo mofándose:

—Se ha desmayado.

¿Desmayado? Bronwyn se puso de puntillas para ver qué pasaba,
el pánico latiendo con fuerza en sus venas. Le costaba creerlo.

—Es un truco.

A su lado, un trabajador del muelle la oyó y soltó una bronca carcajada.

—No, se ha desmayado de verdad.

Incluso enfrentado a la horca, sabía que Adam abordaría la situación con impaciencia, que jamás se marchitaría como una flor bajo el
efecto del calor.

—¿Qué le pasa? —gritó Bronwyn.

—No es usted mucho más voluminosa que mi hija —dijo un hombretón barrigudo, levantándola en volandas como si fuese un saco de patatas y cargándosela a los hombros.

Bronwyn lo agarró por el cuello y el hombre refunfuñó, arrancándole las manos de allí.

—No la tiraré al suelo, ¿es que no lo ve?

Lo veía. Unida como en un aquelarre, la muchedumbre empezó a avanzar. Podía ver la cuerda que el joven cabecilla de ronca voz acababa de colgar de una viga sobresaliente. Veía también a Adam cubierto de sangre.

—¿Qué le ha pasado?

El hombro de su portador se zarandeó con las carcajadas.

—Ese maldito bastardo ha recibido una bala en la pierna. Le está bien empleado por causar tantos problemas.

Bronwyn cerró los puños y le aporreó la cabeza.

—Estúpido, no ha sido él quien ha causado los problemas, sino la Compañía de los Mares del Sur.

El hombretón se sacudió los golpes como si fueran picaduras de mosquito.

—Todo el mundo sabe…

Bronwyn le tiró del pelo hasta obligarle a echar la cabeza hacia atrás para mirarla a la cara.

—Todo el mundo se equivoca. Y ahora, lléveme hasta él.

—Mire usted, damisela…

—En eso tiene usted razón, soy una dama. —Le atizó un puntapié en las costillas—. Le pagaré si me ayuda.

—No tengo por qué aguantar esto.

Intentó depositarla en el suelo, pero ella continuó tirándole del pelo hasta casi hacerle salir los ojos de las órbitas.

—Puedo pagarle, y lord Rawson puede pagarle.

Apartando a la gente a codazos, el hombre se dirigió con toda intención hacia una pared, decidido a quitársela de encima.

Adam estaba sobre la tarima, las rodillas juntas, la mirada sombríamente fija al frente. Ignoraba la soga. Ignoraba los hombres que sacudían los puños hacia él, las mujeres que exigían su dinero o su vida. Ignoraba también a Judson, embarrado y lloriqueando. Lo único que veía era a Bronwyn, montada sobre las espaldas de alguien.

Qué sabor más amargo. Ella había aportado a su vida cierta ilusión de normalidad. Él se había transformado en uno de esos tipos que tanto despreciaba, en un soñador. Durante unas breves y dulces semanas había creído que era posible ignorar la historia de su familia. Pero, con la misma facilidad, y gracias a sus antecedentes familiares, Judson había logrado convencer a todo Londres de que él era el culpable, y eso era algo que jamás debería haber pasado por alto.

¿Y qué le había aportado él a Bronwyn? Había destruido su virtud, la había arruinado de tal manera que jamás podría casarse. De estar esperando un hijo, la apartarían para que lo criara sola. Por su culpa, había sido víctima de un secuestro y de abusos. Y ahora estaba inmersa en la muchedumbre, siendo testigo de cómo moría en la horca.

La mirada de Bronwyn atravesó la multitud y tropezó con un hombre enorme, el hombre más enorme que había visto en su vida. Se tensó, forzó la vista y se la jugó.

—¿Conoce a un hombre llamado Oakes?

Su portador se quedó helado.

—¿Oakes?

—Oakes.

—En Londres debe de haber muchos Oakes.

—Pero solo uno tan grande como ese y que trabaje en un almacén cerca del puerto. ¿No lo ve allí entre la gente aproximándose a lord Rawson?

Señaló al hombre en cuestión... ¿sería realmente Oakes?

—¿Oakes? —repitió su portador—. ¿Conoce Oakes a Rawson?

—Es amigo nuestro —le confió Bronwyn, ascendiendo la simple coincidencia a una relación hecha y derecha. Vio detrás de Oakes una serie de figuras vestidas de gris y se preguntó si...

Una arenga en el improvisado patíbulo le hizo volver de nuevo la cabeza hacia delante, hacia su amado. No estaba muy lejos de Adam. De hecho, se encontraba lo bastante cerca como para poder apreciar bien lo terriblemente magullado que estaba. Lo bastante cerca como para que él pudiera mirarla en el momento en que le pusieron la soga en el cuello. Sus ojos, tan grises, tan intensos, estaban hablándole, pero en aquel momento de privación no lograba comprenderlos. Tenía el pecho aplastado por el dolor. Sabía que su corazón debía de estar allí, pero su organismo se hallaba preso de tanta angustia que sabía que aquella parte de ella había dejado de existir. Que en su interior solo había espinas, agujas y un enconado dolor que arrasaba con todo.

El predicador vociferó:

—Este es Adam Keane, vizconde de Rawson. Nos ha arrastrado a todos a la ruina. ¡Declaro que debemos colgarlo!

Le respondió un rugido de asentimiento.

La prostituta que estaba junto al portador de Bronwyn movió la cabeza en sentido negativo.

—Ese no es el hombre que me vendió los títulos falsos. Es el otro.

—¿Qué?

El portador de Bronwyn se volvió con tanta rapidez que casi la hace caer.

La prostituta repitió:

—Que ese no es…

—Maldita sea. —El portador observó entonces a Oakes, que seguía acercándose. Miró la cara traspuesta de Bronwyn. Recordó el impulso que le había llevado a cargársela encima. Y apartó a la gente que tenía delante abriéndose paso con sus fornidos brazos—. Salid de aquí, apartados, estamos a punto de ahorcar a quien no es.

La turba abucheó al hombre que cargaba con Bronwyn, dispuesta a acabar con él por entrometerse en el acto. Por el otro lado, un amenazador Oakes estaba a punto de alcanzar al cabecilla. Las sombras cubiertas de gris se dispersaron alrededor de la tarima, creando un estrecho cordón.

Los ayudantes tensaron la soga que rodeaba ya el cuello de Adam. El predicador vociferó:

—¡Todos los estafadores deben perecer!

Pero no vio el peligro hasta que Oakes subió a la tarima con un único paso de gigante. Cuando Oakes se irguió, el cabecilla se vio obligado a echar la cabeza hacia atrás, y más atrás, y más atrás. Retrocedió varios pasos y en un gesto digno de una comedia, acabó cayendo de la tarima.

La voluble muchedumbre se rió a carcajadas.

Oakes se volvió hacia los hombres que tan alegremente se habían ofrecido para ejercer de verdugos y rápidamente abandonaron la tarima como las pulgas saltan de un perro que cae al agua.

—¡Es Oakes! —gritó alguien—. Oye, Oakes, ¿acaso quieres colgarlo tú?

Oakes le lanzó una mirada furiosa.

Dispuesto a dejar correr una víctima para pasar a la otra, gritó:

—Pues entonces colgaremos al otro.

Pero el otro había desaparecido misteriosamente en manos de las figuras vestidas de gris.

—¡Oakes! —chilló Bronwyn—. Cójame.

El hombre que la portaba la ayudó a lanzarse en brazos de Oakes, y de Oakes se lanzó sobre Adam que, con una poco prometedora mirada, se derrumbó sobre ella.

—Ayúdeme a quitarle esta soga —dijo Bronwyn.

Adam se había quedado inconsciente y lo depositaron con cuidado en el suelo. Por el lugar por donde había entrado la bala había una herida abierta y Bronwyn improvisó un torniquete con su chal para detener la hemorragia. Levantó la vista; la multitud se había disipado, con la excepción de unos pocos que seguían rondando por allí por macabra curiosidad. Entonces hizo acopio de toda su frialdad para utilizarlos, ordenándoles que levantaran a su amado y lo transportaran al carruaje de Judson. Había decidido requisarlo. Estuviera dónde estuviera, Judson se lo debía.

Oakes corrió con grandes zancadas a su lado, manteniendo a los hombres a raya con su simple presencia.

—¿Adónde vamos, milady?

—A casa de madame Rachelle.

—De acuerdo. —Oakes hizo un gesto de asentimiento—. Una mujer astuta, aun siendo franchute.

Mirando boquiabierta al gigante, Bronwyn le preguntó:

—¿La conoce? Vayan con cuidado con Adam. —Cogió la mano muerta de Adam antes de que chocara contra la carrocería de la puerta del carruaje y miró a los hombres con el ceño fruncido—. No es un saco de patatas. Déjenme pasar a mí primero, para que pueda descansarle la cabeza en mi regazo.

Lo colocaron con cuidado en el asiento. Bronwyn se encogió de miedo cuando le subieron las piernas y preguntó:

—¿Alguno de ustedes sabe conducir el vehículo?

Nadie dijo nada y Oakes acabó cogiendo por el pescuezo a uno de ellos.

—Este podrá llevarnos.

—¿Llevarnos? —dijo Bronwyn.

—La acompañaré para que pueda llegar sin problemas. —Oakes lanzó una mirada furiosa al hombre que acababa de ser nombrado cochero, que se encaramó a su puesto como si le ardieran los pantalones. Entonces le dio instrucciones y entró en el carruaje, ocupando el asiento de enfrente de Bronwyn. Y como si acabara de formularla, le respondió entonces su anterior pregunta.

—Madame Rachelle me ha mandado venir. Tiene a Judson y esa franchute sabrá cómo hay que tratar a escoria como él.

Bronwyn se mordió las uñas mientras Oakes depositaba a un inconsciente Adam en la cama de Rachelle.

—¿Quieren que llame a un médico? —preguntó Oakes.

—¿Acaso quiere matarlo? —le espetó Daphne—. Ya ha perdido bastante sangre y lo único que conseguirían sus médicos ingleses es que sangrara más. —Se arremangó—. Déjenmelo a mí. Yo lo sacaré de esta.

«Eso no te lo crees ni tú», le habría gustado decir a Bronwyn. Pero delante del enfermo, la temeraria francesa merecía un respeto.

Y, por lo visto, Oakes era de la misma opinión, puesto que dijo:

—Me voy, pues.

—¿Adónde? —preguntó Bronwyn.

—A casa.

—¿Y dónde está su casa? Me gustaría recompensarle por su ayuda.

—No. —Negó con la cabeza y mantuvo el gesto—. Ayudo a la gente para que luego me trate bien.

—¿Y lo hace? —preguntó Bronwyn.

—Sí. —Se acercó con grandes zancadas a la puerta—. Nunca nadie ha intentado pegarme ni nada por el estilo. Cuiden bien a su señoría.

Sus últimas palabras resonaron por el pasillo y las mujeres se volcaron en su complicada tarea.

Bronwyn miró a su alrededor.

—¿Enciendo las velas?

—Todas las que encuentres, *s'il vous plaît*. Necesitaré luz.

Daphne extrajo de una bolsa negra un montón de relucientes instrumentos y fue depositándolos en la mesita de noche. Bronwyn tembló cuando cortó con las tijeras el pantalón de Adam y aparecieron la piel y la musculatura enrojecidas.

—Deja ya de lloriquear. —Daphne se lavó las manos en la palangana que, a tal efecto, habían preparado junto a la cama—. He estudiado para hacer esto, he hecho prácticas. Si te ves incapaz de ayudarme sin desmayarte, pediré que venga otra.

—¡No! —exclamó Bronwyn—. Yo te ayudaré.

Daphne sonrió, aun con seriedad.

—Me lo imaginaba. La bala ha tocado solo la parte superficial de la pierna y ha dejado intactas las zonas más relevantes. —Miró fijamente a Bronwyn—. Supongo que te alegrarás de ello, *mademoiselle*.

Sin ruborizarse, Bronwyn le devolvió la mirada con la misma intensidad.

Satisfecha al ver que Bronwyn mantenía la compostura, Daphne señaló la herida.

—La bala ha entrado por la parte delantera de la pierna y ha salido por atrás. Y eso es bueno.

—¿Salió por atrás? —preguntó Bronwyn, aturdida—. ¿Tiene otra herida en la parte posterior?

—¿No te has dado cuenta? —se mofó casi Daphne—. Pero ¿es que no sirves para nada práctico en este mundo? —Siguió hablando sin esperar respuesta a su hipotética pregunta—. Podría coserlo enseguida...

—¿Piensas coserlo?

—¿Y cómo quieres si no arreglar esto?

Daphne movió la mano en un gesto que abarcaba la pierna.

Bronwyn tosió para aclararse la garganta.

—No lo sé.

—Podría coserlo enseguida, pero en el interior de la herida hay fragmentos de tela del pantalón. Habrá que quitarlos o empezará a supurar. Es posible *que monsieur le Vicomte* se agite cuando empiece a tocarle para limpiar la herida.

—Está inconsciente —observó Bronwyn.

Con rápida eficiencia, Daphne cogió un paño y lo extendió sobre la frente de Adam.

—El dolor tiene el poder de devolver al paciente a la vida, y quiero hacerlo bien.

—¿Porque es tu primer paciente con herida de bala?

—Porque se te llevará de aquí para que no vuelvas jamás —declaró Daphne con un fervor que casi asusta a Bronwyn—. Te has creído que puedes llegar y hacerte con el corazón de mi madre, pero sé que cuando te hayas marchado, Rachelle volverá a acordarse de mí.

—Rachelle no es tu madre —replicó Bronwyn.

—No, pero me quiere como si lo fuese. —Levantó la cabeza y la miró, furiosa—. Es todo lo que tengo en este mundo.

Se hizo el silencio, hasta que Bronwyn preguntó por fin:

—¿Dónde está Rachelle?

—Ella y las demás están encerrando a Carroll Judson en la despensa del sótano.

—Qué Dios las bendiga.

Bronwyn realizó un amago de sonrisa entre unos labios tan tensos que estaban incluso blancos. Cogió con firmeza las muñecas de Adam.

Daphne mezcló agua con coñac para lavar la herida y retiró a continuación los fragmentos de hilo y de tela. Con la ayuda de un fórceps, empezó a adentrarse en la musculatura. Adam se retorció y gimió, y Bronwyn depositó el peso de su cuerpo sobre él para contenerlo.

Daphne sujetó la pierna de Adam entre las de ella para mantenerlo quieto. Movía sin parar las manos, la frente arrugada. Respiraba de forma audible y de pronto murmuró algo, sorprendida.

—¿Qué sucede?

—Aquí hay algo.

Temiendo la respuesta, Bronwyn preguntó:

—¿Ha alcanzado el hueso?

—*Non*. No es un fragmento de hueso, pero está suelto.

—Sé que tiene fragmentos de la cubierta de un barco.

El comentario llamó la atención de Daphne.

—Por eso cojea. Le explotó muy cerca una bala de cañón y...

—Entiendo. —Daphne introdujo un dedo junto al fórceps—. Cuando *Monsieur le Vicomte* se recupere, me lo agradecerá.

Aquella charla locuaz tranquilizó a Bronwyn aun a pesar que la lenta tortura estaba devolviéndole la conciencia a Adam.

—Ahí está. —Daphne sujetó en alto un fragmento teñido de rojo—. Buscaré más.

Mareada, Bronwyn apartó la vista, pero vio de refilón la pierna, que parecía realmente la carne en exposición en casa del carnicero. Respiró hondo, pero el olor a sangre y fango la obnubiló por completo. Se tambaleó, mareada, pero un murmullo desde la cama la obligó a bajar la vista.

Adam estaba despierto.

La dicha la inundó de frenética energía y la sensación de mareo se esfumó de repente. Adam la miraba como si fuese una desconocida. Estaba muy pálido. Debajo de la camisa, su torso respiraba agitado, buscando desesperadamente oxígeno.

—¿Adam?

—¿Está despierto? —preguntó Daphne.

—Sí, pero no dice nada.

Daphne abandonó la pierna que tan fascinada la tenía y se acercó a la cabecera de la cama. Le palpó entre el cabello.

—No hay ningún golpe. —Le abrió los párpados y observó el ojo—. ¿Sabe usted quién es?

—Sí, y lo que es peor, sé quién es usted. ¿Acaso no puedo permitirme un médico de verdad?

La sensación de alivio de Bronwyn se reflejó en una carcajada y en un prolongado suspiro.

Daphne se apartó, sin encontrarle la gracia.

—Es usted un desagradecido, monsieur.

Bronwyn se serenó recordando el esmero que había demostrado Daphne hasta el momento.

—Lo eres, Adam. Daphne ha hecho todo lo que podría haber hecho un médico, y más aún, sospecho.

—Me está haciendo tanto daño como cualquier condenado médico que me haya metido la mano encima hasta la fecha —reconoció Adam. Dudó un instante y preguntó—: ¿Perderé la pierna esta vez?

—¡No! —exclamó Bronwyn, pero él no le prestó atención.

—No —respondió con firmeza Daphne—. Ni siquiera creo que

se le infecte. La pólvora ha explotado tan cerca de la pierna, que ha limpiado la herida al mismo tiempo que la producía.

Adam la miró a la cara y asintió, complacido con su competencia y su sinceridad.

—Puede continuar.

Daphne se volcó de nuevo en la pierna mientras Bronwyn servía una copa enorme de brandy. Deslizó el brazo por debajo de los hombros de Adam para sujetarlo mientras bebía; acto seguido, él volvió a recostarse.

Bronwyn ignoró tenazmente las manipulaciones de Daphne, pero fue incapaz de ignorar los gruñidos de Adam mientras esta hurgaba cada vez más al fondo, o su forma de retorcerse y de agarrarse a las sábanas.

Al final, acabó explotando:

—¿Es necesario vapulearme de esta manera, mujer?

Daphne levantó la cabeza y exclamó, triunfante:

—¡La tengo!

—¿El qué?

Bronwyn le mojó a Adam la frente con un paño húmedo mientras Daphne explicaba exultante:

—He localizado la astilla que tanto dolor le causaba. ¡Mire! —Le puso el fórceps en las narices. Sujeta entre las mandíbulas de acero, destacaba un goteante fragmento de madera, envuelto en una sustancia viscosa—. ¡Se acabó la cojera!

Adam agarró a Daphne por la muñeca, y acercó la mano para ver de cerca la astilla.

—Ha conseguido usted lo que ningún otro doctor pudo lograr. Se lo agradezco. Bronwyn, mira…

Con un suspiro que la condujo a la inconsciencia, Bronwyn resbaló de la cama para caer al suelo. Daphne emitió un sonido de indignación y se dispuso a ayudarla, aunque Adam se lo impidió.

—No. No querrá estar aquí con un hombre que odia todo Londres, y no quiero que esté aquí. Déjela. Déjela tranquila.

Capítulo 20

Adam había conseguido sentarse por primera vez en muchos días. Tenía buen color y se movía con una facilidad que dejaba verdaderamente asombrada a Bronwyn.

Y se había convertido en un desconocido.

No completamente en un desconocido. Bronwyn reconocía a aquel Adam, lo recordaba de cuando se habían conocido. Su boca esbozando siempre una sonrisa poco sincera. Irradiaba hostilidad. En cierto sentido, de alguna manera, se había convertido en el Adam del principio. Se había recluido detrás de una máscara tan rígida y tan fría como la que pudiera llevar Carroll Judson, y no alcanzaba a comprender por qué.

Lo único que sabía es que la lucía muy bien. Que la lucía con la facilidad que aportan muchos años de práctica.

Acarició el tejido aterciopelado del brazo del sillón con el dorso de la mano. La luz que caía sobre él resaltaba su belleza. Intentando mantener la compostura, admiró el tejido evitando la mirada de Adam.

—Está todo dispuesto para que te traslades mañana a Boudasea Manor.

—Bien.

La réplica resultaba poco reconfortante, pero tenía que intentarlo. Quería hablar con él, estar con él como había estado antes.

—Madame Rachelle tiene a Judson encerrado en la despensa.

Adam enarcó con elegancia una ceja y respondió arrastrando las palabras:

—¿En la despensa?

—Es la estancia que tiene la mejor cerradura de la casa. —Esbozó una leve sonrisa—. Lo va a ver cada noche, para asegurarse de que esté cómodo y bien alimentado.

—Cabría imaginar que estuviera impaciente por verlo en la cárcel, donde estaría incómodo y mal alimentado.

—En absoluto. —Alisó el terciopelo verde en el otro sentido hasta que apareció la cara más oscura—. Allí cabe la posibilidad de sobornar a los carceleros, dice Rachelle, de conseguir un entorno agradable y buena comida, y con dinero suficiente, escapar incluso.

—Entiendo. —Movió las manos, que hasta el momento habían descansado sobre las sábanas, para tocarse la barbilla—. ¿Por qué no mantenerlo aquí, en ese caso, y atormentarlo tal y como él ha atormentado... a otros?

Incapaz de contenerse, Bronwyn dijo:

—¿Cómo yo? —Adam tensó la expresión y ella perdió los nervios—. Quiere que esté sano, en el mejor estado posible para sobrevivir las penurias que le tiene destinadas.

—¿Y qué penurias son esas?

—No lo sé. Dice Rachelle que él será quien lo decida.

—Interesante —replicó y entrecerró los ojos.

—Tu madre quería venir a Londres, pero al final le pareció que serían demasiadas emociones.

—Dios, sí. —La mención de su madre avivó su mirada—. No le permitas que ponga su salud en riesgo. Ella es todo lo que tengo.

Bronwyn sabía reconocer un cuchillo afilado cuando lo veía. Y ahora lo veía claro, puesto que sus palabras la apuñalaron con toda la intención.

—Tienes bastante más que eso.

—¿Te refieres a mi compromiso?

Un paso en la dirección correcta, decidió Bronwyn.

—Exactamente.

Adam realizó un intento de sonrisa.

—Olivia no debería exponerse a los malignos aires de Londres.

Los dedos de Bronwyn se clavaron en el terciopelo, destrozando el motivo que con tanto esmero había creado.

—Oh, Olivia ni siquiera quiere venir. Ni siquiera cuando le dijeron que estabas mal, y eso que le encanta cuidar enfermos. A mí no, ya lo sabes. Me pone mala. No logro entenderme con los inválidos.

—¿De verdad? Pues has sobrevivido a tu mal trago sin apenas un gemido. Te secuestraron, te ataron, te amordazaron, te utilizaron como peón en una maniobra terrible.

Parecía como si estuviera acusándola, pero Bronwyn se negó a sentirse culpable por haberse recuperado de la espantosa experiencia sin sufrir cicatrices.

—Sí.

—Estuviste presente cuando Judson y yo peleamos a muerte.

—Sí. —Tenía que intentar explicarse, hacerle ver que habría dado la vida por él—. También estuve presente cuando la turba se hizo contigo. Obligué a aquel hombretón a conducirme hasta delante de todo. Me harté de patearlo para tratar que interviniera. Hice todo lo que estuvo en mis manos por rescatarte —titubeó al ver su severa expresión—, pero la muchedumbre pudo conmigo.

Rechazó sus ansiosas súplicas con un mínimo gesto de indiferencia.

—Jamás esperaría que una mujer menuda pudiera impedir un linchamiento como aquel. Lo que me preocupa eres tú. —Con tanta seriedad que incluso parecía que le importara, preguntó—: ¿Estás bien?

Bronwyn asintió, sin estar muy segura de la fiabilidad de aquel tono de voz.

—¿Te hizo daño?

—¿Judson? —dijo con voz ronca—. Lo intentó.

—¿Te violó?

Así de simple. El marinero había cogido el puesto del caballero y Adam no camufló su pregunta con ningún tipo de adorno. Ella también sería simple.

—No. Lo intentó... —No había respondido con la dureza que le habría gustado. El recuerdo de la pelea en el asiento del carruaje la llevó a atragantarse. Deseaba consuelo. Deseaba arrojarse en brazos de Adam y llorar, pero aquel gélido hombre sentado en la cama no mostraba ni el más mínimo asomo de compasión. Experimentó una oleada de náuseas y bajó la barbilla para respirar hondo y poder terminar—. Lo intentó, pero fue incapaz.

Adam no se encogió, ni se movió. Las emociones de Bronwyn no significaban nada para él.

—¿Fue por eso que llegó con retraso a casa de Walpole?

—Supongo que sí. —¿Y no tenía nada más que decir? ¿Le daba

asco que Judson hubiera intentado forzarla? ¿La había convertido en una mujer sucia para él? Se levantó y se sujetó al respaldo de una silla para soportar el mareo—. Tengo que irme. Tengo muchas cosas que hacer.

Adam la observó dirigirse al vestidor, buscando casi a tientas la puerta, encontrarla, accionar el pomo y salir de la habitación. Le podía el remordimiento, pero se mantuvo firme en su decisión. No implicaría a Bronwyn en su exilio de la sociedad, aunque engañarla le estuviese resultando tremendamente difícil. Ella le conocía mejor que nadie. Le conocía demasiado bien. Se había convertido en la mujer que su madre siempre había deseado para él.

La máscara que llevaba puesta, tan conocida, que en su día había formado parte inseparable de él, había dejado de encajarle. La mirada de Bronwyn la estaba agrietando. Sus fragmentos amenazaban con caer y revelar su verdadero semblante, pero no podía permitir que sucediera.

¿Qué tipo de hombre sería capaz de someter a la mujer que amaba a la censura de la sociedad? Él no. Siempre había sabido que la inocencia no servía como argumento de defensa, pero había sido necesaria una turba de Londres para hacérselo comprender. Incluso ahora aún se encogía recordando aquella tarima en pleno Change Alley, la soga en el cuello, Bronwyn montada sobre un hombretón de los muelles. No había vitoreado su desgracia, lo sabía, pero había estado a punto de ser testigo de ella. Había visto el desprecio de la muchedumbre, de los caballeros y los transeúntes.

Creía quererlo, y sin vanidad sabía que así era. Físicamente encajaban a la perfección. Le había dicho a su madre que quería ser el padre de su primer hijo. Le había dicho a Bronwyn que utilizaría cualquier método, incluida la pasión, para mantenerla a su lado. Se había dicho a sí mismo que la había seducido simplemente para doblegarla a su voluntad. No le importaba esconderle la verdad a su madre, pero escondiéndosela a Bronwyn sabía que estaría escondiéndose de sí mismo.

La quería. La quería incluso más que a sí mismo, la quería de noche, la quería a la luz de las velas. Anhelaba sentir su cabeza apoyada en su hombro, su aliento en el oído.

Pero en aquel lugar donde le acechaban todos sus demonios, sabía que prefería herirla ahora que apartarla de él cuando ella se diera cuenta de hasta qué punto lo odiaba la sociedad. Cada día estaba más recuperado, y cuando se viera capaz de hacerlo, huiría del lado de Bronwyn como el cobarde que en realidad era y no volvería a verla jamás.

Había tenido una vida ardua, y eso había acabado convirtiéndole en un hombre fuerte. Haría lo correcto…, pero qué duro era tener que dejar fuera de su alcance la estrella más brillante de su firmamento.

La escena del vestíbulo de Boudasea Manor podía rivalizar con los actores aficionados dramáticos más terribles que Adam hubiera visto en su vida. Su madre lloraba abrazada a él mientras lady Nora secaba lágrimas invisibles de unas mejillas artificialmente enrojecidas. Lord Gaynor le dio una palmada en la espalda a Adam y le dijo:

—Me alegro de verle, hijo mío —mientras una llorosa Olivia se agarraba a Bronwyn con una desesperación desmesurada.

Bronwyn tranquilizó a su hermana dándole palmaditas en la espalda mientras supervisaba el transporte del equipaje escaleras arriba.

—Pasad enseguida al salón para relajar un poco las piernas. Tengo un brandy exquisito esperando. —Lord Gaynor guiñó el ojo—. Nos ha dado un buen susto a mi esposa y a mí con esa pequeña enfermedad.

—Estoy seguro. —Adam observó con ironía a lord Gaynor, que guiaba la comitiva, ordenaba quién se sentaba dónde, servía las bebidas y dejaba claro quién era el anfitrión en su propia casa. Mab, se fijó, dejaba hacer a Gaynor, y se preguntó por qué. ¿A qué estaría jugando su madre?

—Pero por fin nos sentimos aliviados de tenerlo con nosotros. —Lord Gaynor sonrió cariñosamente a su esposa—. Lady Nora y yo temíamos que los primeros invitados a la boda fueran a llegar antes que usted.

Adam vio las pequeñas olas que levantaba su copa de brandy y notó que le temblaba la mano. Después de dejar la copa en la mesa, se giró para dirigirse a lord Gaynor mientras su madre le presionaba la mano.

—¿Invitados a la boda?

—Podrías haberlo dejado descansar un poco antes de contarle la sorpresa —le reprobó lady Nora. Y dejando de lado el consejo que acababa de dar, dijo—: Hemos planificado toda la boda, Rafferty y yo, hemos fijado la fecha y ordenado el vestido. Se casará con nuestra Olivia de mañana en una semana. ¿No le parece sobrecogedor?

—Es justo la palabra que habría escogido. —Aquello era un chiste. Un chiste de un mal gusto impresionante, pero un chiste, sin lugar a dudas—. ¿Mab?

Mab respondió a su reproche con otro reproche.

—Cuando me enteré de que habías resultado herido, el corazón se me detuvo por un breve momento. Y cuando estuve recuperada, descubrí que los Edana se habían hecho cargo de todo lo relacionado con la boda, hasta el último detalle.

Se quedó boquiabierto, horrorizado por la deserción de su madre.

—Pero Mab...

—Y tal y como han observado, los motivos para celebrar el enlace siguen vigentes, igual que cuando Bronwyn llegó a esta casa para convertirse en tu esposa. —Mab le sonrió como una mujer que conoce el destino y ha acabado resignándose a su funcionamiento—. Lo que tú necesitas es una desposada impecable que te ayude a incorporarte a la alta sociedad. Y lo que los Edana necesitan es dinero.

—Mab, todo esto ya lo hemos hablado y decidimos que...

Que Bronwyn era la mujer perfecta para él. ¿Qué demonio malevolente habría hecho cambiar de idea a su madre? Miró a Bronwyn en busca de apoyo, pero solo encontró a Olivia. La bella hermana Edana jamás le había parecido desgarbada hasta aquel momento. Se movía con torpeza, como un pájaro que no acaba de decidirse a emprender el vuelo. Agitó las manos, se mordió el labio e hizo jirones su pañuelo como su hermana había hecho más de una vez.

—¡Olivia! —El tono brusco de lady Nora le llamó la atención—. Cuéntale a tu prometido lo feliz que te sientes por compartir con él los ritos matrimoniales.

Olivia intentó hablar, pero por mucho que sus labios se movieron, no emitió sonido alguno.

Lady Nora proporcionó el diálogo.

—Está emocionada.

Desbordado por la lástima, Adam protestó:

—Dudo que en una semana pueda convertirme en un marido como Dios manda. Tal vez…

—Tendrá toda una vida por delante para llevar a cabo sus deberes maritales —le dijo lady Nora con timidez.

—Además, el otoño está ya muy avanzado —añadió lord Gaynor—. Estamos en octubre y lady Nora y yo deseamos ver a nuestra Olivia instalada antes de instalarnos en Londres para la Temporada. De modo que cuando lady Nora sugirió que aprovecháramos la primera fiesta de la nueva Temporada, no pude más que mostrarme de acuerdo. Naturalmente.

—Naturalmente. Pero creo que infravalora hasta qué punto me aborrece la alta sociedad. —La sonrisa de Adam se hizo más pronunciada, pero sus labios estaban llenos de tensión y abandonó finalmente cualquier intento de mostrarse diplomático—. Nadie asistirá a la boda.

Lady Nora hundió las mejillas con un movimiento de succión, un practicado gesto de superioridad.

—Por supuesto que vendrá gente. Infravalora la influencia que mi esposo, mis hijas y yo tenemos. Y —levantó la mano para acallar sus protestas—, por mucho que la sociedad lo desapruebe, siempre existe el factor curiosidad. Vendrán, sea por el motivo que sea. —Miró a su alrededor—. ¿Dónde está Bronwyn? No he podido ni saludar a mi propia hija.

Bronwyn estaba desaparecida y Olivia tartamudeó:

—Se ha ido arriba. A lo mejor está cansada por el viaje.

—Más probablemente estará cansada de su familia —dijo Mab—. Pobre chica, tener que volver así a casa.

—No puedes esconderte de mí eternamente. —Olivia se plantó delante de Bronwyn, pañuelo en mano—. Soy tu hermana. Te quiero.

Bronwyn apoyó con firmeza la espalda en el banco de piedra artísticamente situado bajo un tejo. Los colores otoñales del jardín, en su transformación de fragmentos vivos de la creación al mortecino aletargamiento del invierno, resultaban reconfortantes. Con el frío del respaldo clavándosele en la espalda, respondió:

—Lo sé.

Removiendo con el pie la gravilla del caminito, Olivia dijo:

—No soporto este distanciamiento entre nosotras. Eres mi mejor amiga. Eres la única persona que me comprende.

Bronwyn rió, una carcajada breve y amarga.

—No te entiendo. Creía entenderte, pero no.

Olivia le tendió la mano.

—¿Qué quieres decir?

Filtrándose a través de las hojas, el sol salpicó el encantador rostro de Olivia como si la naturaleza hubiese decidido elogiar la belleza de la muchacha. Y Bronwyn se puso furiosa por ello. Todo la ponía furiosa desde que había vuelto de Londres y se había enterado de que ya habían fijado la fecha de la boda.

—Dijiste que no querías casarte tan pronto —la acusó—. Dijiste que no querías casarte con Adam. Y te casas mañana.

—Estás enfadada porque le amas y no puede ser tuyo —gritó Olivia.

—Una razón insignificante y estúpida, lo sé.

—¿Lo reconoces entonces? —Olivia saltó sobre ella como un gato sobre un jugoso ratón—. ¿Amas a lord Rawson?

Enrabietada y viéndose acorralada, Bronwyn respondió:

—Sí. Supongo que sí.

—¡Ya te lo dije! Te dije que le amabas. —Olivia se aporreó la palma de una mano con el puño cerrado de la otra—. Pues si tengo que casarme con él es por tu culpa.

—¿Por mi culpa? —preguntó Bronwyn, forzando un tono de incredulidad y sin conseguir sonar muy convincente.

Sabía perfectamente qué diría Olivia a continuación.

—Sí, por tu culpa. Huiste y me metiste en esta situación. Sabías de antemano que mamá y papá sugerirían que yo ocupase tu lugar.

—No lo sabía. —Ante el escepticismo de Olivia, Bronwyn se vio obligada a reconocerlo—. Lo sospechaba.

—Por lo tanto, de ti depende evitar este desastre y detener la boda.

Olivia trató de mostrarse autoritaria y solo logró que su voz sonase dubitativa.

—¿Y cómo propones que lo haga?

—Diciéndole a lord Rawson que le quieres. —Olivia empezó a sentirse reforzada en su autoridad—. Él se encargará de dar los pasos adecuados.

Retirando con estudiada despreocupación una hoja que le había caído en el regazo, Bronwyn preguntó:

—¿Y qué te hace pensar que yo le importo?

Olivia se echó a reír, una risa alegre que sonó como las campanas de la capilla.

—Creo que no solo haría cualquier cosa por no tener que casarse conmigo, sino que además pienso que haría todo lo posible para casarse contigo.

Después de meditar las palabras de su hermana, Bronwyn replicó:

—Piensa en el escándalo. Primero yo, después tú, luego otra vez yo.

—Eso es lo que dice mamá. —Olivia tomó asiento junto a Bronwyn y cogió las manos de su hermana entre las suyas—. Siempre has sido la valiente. En Irlanda saltabas a la arena desde lo alto de los acantilados, ¿te acuerdas?

Bronwyn sonrió.

—Y tú me esperabas en la playa cargada de vendajes.

—Fuiste tú la que metiste la nariz en aquella tumba antigua tan oscura.

—Y tú la que corriste a buscar ayuda cuando no podía salir.

—Fuiste tú la que insististe en rescatar a Henriette.

Bronwyn se serenó.

—Y tú la que hiciste que sus últimos instantes fueran un consuelo para ella.

—Tú querías vivir como una intelectual y huir a ese salón. —Olivia resplandecía de emoción—. Si amas a lord Rawson, podrías detener el matrimonio.

—Olivia, la boda es mañana.

—Más razón si cabe para hacerlo ahora.

—¿Por qué me suplicas que monte este escándalo? ¿Acaso Adam se comporta cruelmente contigo?

—Oh, no. —Olivia se estremeció y enlazó las manos—. Si tuviera que casarme con alguien, él sería mejor que la mayoría. Pero no me quiere.

—Entonces, ¿por qué…?

—No quiero casarme nunca.

—No seas tonta —dijo Bronwyn—. Toda mujer tiene que casarse.

Erguida y terca, Olivia replicó:

—No, no es cierto.

—¿Quieres convertirte en una solterona?

—No. —Olivia respiró hondo una vez, luego otra—. Quiero hacerme monja.

—¿Monja? —gritó Bronwyn, aunque sonó como un torturado susurro—. ¿Monja *católica*?

Olivia asintió, sus enormes ojos suplicando compresión.

—Olivia —Bronwyn tragó saliva—, Olivia. Olivia, escúchame…

—Sé lo que vas a decirme.

—Me alegro de ello —murmuró Bronwyn.

—Vas a decirme que no somos católicos.

Bronwyn intentó no sonar sarcástica, se esforzó en lograrlo.

—Eso es.

—Pero recuerdo tan bien el convento —le explicó con paciencia Olivia—. Recuerdo sus enseñanzas. Adoraba la capilla, y los cantos, y ejercer de enfermera. Amaba Irlanda y la sensación de que Dios moraba entre peñascos y neblinas.

Afónica por la angustia, Bronwyn le ofreció:

—Te llevaremos a visitar Irlanda.

—No es solo Irlanda. Da lo mismo donde esté la iglesia, allí me siento en mi casa. Es algo que llevo pensando toda la vida, pero estos últimos meses… —Olivia apoyó la cabeza en el hombro de Bronwyn y sonrió—. Es todo por tu culpa, lo sabes bien.

Bronwyn saltó.

—Eso sí que no. No vas a echarme a mí la culpa de esto. No soy yo la que pretende saltar a la playa con la marea alta. Eres *tú*.

—Cuando te fuiste, pensé que habías huido a un convento.

Bronwyn se giró de pronto hacia su hermana.

—¿A un convento? ¿Qué te llevó a pensar eso?

—Recuerda que hablaste sobre ir a un lugar donde pudieras hacer lo que quisieras, hablar como quisieras, no tener que casarte.

Olivia titubeó bajo la mirada de incredulidad de Bronwyn.

Bronwyn lo comprendió de repente.

—Pensaste que estaba en un convento porque allí es donde te gustaría ir.

—Sí. —Olivia suspiró aliviada—. Sabía que lo entenderías.

—¿Entenderlo? No lo entiendo. En absoluto —dijo Bronwyn horrorizada—. Y aun entendiéndolo, ¿te imaginas lo que supondría para todos que te convirtieses en papista? Ni siquiera haría falta que te hicieses monja, bastaría con que te hicieses católica. La familia entera caería en desgracia. Los pastores rugirían contra nosotros desde el púlpito. Papá tendría toda la razón del mundo si decidiese dejarte a pan y agua.

—Podrías interceder por mí —dijo con ansia Olivia.

—¿Interceder por ti? ¡Si mañana te casas con Adam!

—Pero si lo hicieses tuyo, no tendría que casarme con él, y más adelante podríamos comunicarles lo mío a papá y a mamá, con diplomacia, claro.

—Espera un momento. —Bronwyn se giró hacia su hermana—. ¿Pretendes que yo monte el mayor escándalo que haya conmocionado Inglaterra a modo de distracción para lograr tus intenciones? ¿No piensas impedir la boda tú misma? ¿No quieres tomar la decisión de contárselo a mamá y a papá? ¿Qué yo te ayude?

—¿Lo harás, verdad, Bronwyn?

Olivia nunca le había parecido tan preciosa. El sol iluminaba su piel de porcelana, sus labios rojos doblados en un gesto de súplica, sus ojos azules brillantes por las lágrimas.

—Si no impido la boda mañana —dilucidó Bronwyn—, no podrás hacerte monja porque te habrás casado con Adam.

Olivia asintió.

—Lo que ahorraría dos escándalos a la familia, mi indecible humillación y el error de tu vida.

—¡No!

Bronwyn se levantó.

—Gracias, Olivia. Me has ayudado a tomar la decisión correcta.

Olivia se puso de rodillas delante de Bronwyn y le cogió de la mano.

—Por favor, Bronwyn. Ayúdame, por favor.

—Te estoy ayudando. —Bronwyn se soltó y echó a andar hacia la casa—. Si tanto miedo te da negarte a celebrar la boda, es que no estás tan desesperada por hacerte monja.

—Lo estoy.

El sonido de los sollozos de Olivia siguió los pasos de Bronwyn, que se giró.

—Eres una Edana, igual que yo. Si quieres alguna cosa, te basta con estirar el brazo y cogerla. Así de fácil —sacudió los brazos—, cogerla.

Capítulo 21

*Y*dónde está la diferencia? —Adam se secó el sudor de las manos en el bordado de su silla de despacho—. Celebrada la boda, Olivia ya no estará sujeta al desprecio de la sociedad. Yo recibiré todos los beneficios de un Edana y Olivia será todo lo que siempre ha deseado.

Northrup no dijo nada. Se limitó a mirar fijamente a Adam, su boca formando un mohín, su mirada acusadora.

Adam prosiguió:

—Mab también me mira así, Northrup, pero me gustaría recordarte que ella es mi madre, que su valoración me resulta aceptable, pero la tuya no.

—Por supuesto, señor. —Northrup bajó la vista hacia las sumas que le ocupaban—. Aunque no soy yo el que ha sacado a relucir el asunto de sus nupcias.

Y era cierto. Adam no podía mantener la boca cerrada con respecto a aquel matrimonio. Volvía siempre al tema, para darle vueltas, para justificarlo, para asegurarse de que estaba haciendo lo correcto cuando sabía perfectamente bien que no era así.

—Bellísima, no excesivamente brillante, buena criadora, buena gestora, cómoda en el pedestal en que la pondré. Es todo lo que pido. Es todo lo que siempre he pedido.

—¿Lo es, señor? —cuestionó Northrup sin dejar de escribir.

Era todo lo que Adam había buscado siempre en una esposa. Aunque era una lástima que ya no fuera así. Ahora quería conversación, amor y risas con una mujer buena. Con Bronwyn. Con Bronwyn, que se escondía por los rincones y fingía dolores de cabezas para evitarlo.

No estaba encinta, pues. Confiaba, rezaba para que acudiese a él, llevándose una mano a su incipiente vientre y le chillara: «Estoy esperando. ¿Qué piensas hacer al respecto?».

En su solitaria cama había pasado largas horas consolando a Bronwyn, aplacando la ira de los Edana, reacomodando la boda. Se había imaginado a Bronwyn a su lado pronunciando los votos matrimoniales y haciéndole cabriolas a un pequeño en sus rodillas. Aunque ella era tan obstinada, que seguramente sería una niña.

Incluso le dolía la cabeza de tanto pensar en Bronwyn.

—Es una lástima que nadie venga a la boda.

Northrup no había seguido el hilo del tema, puesto que dijo:

—¿Disculpe, señor?

Inquieto, Adam se levantó y cruzó renqueante el despacho para acercarse a la ventana.

—Por lo que todos piensan de mí.

—Creo que está usted sacándole excesiva punta a todo esto, señor. Me gustaría destacar que esta noche la casa está llena de invitados esperando asistir mañana a sus nupcias.

—Esperando que me ponga en ridículo.

—Diría que eso ya lo está haciendo, señor.

Adam se giró en redondo hacia Northrup, pero este seguía con la mirada fija en sus papeles. Adam suspiró. Readmitir a Northrup había sido una mala idea. El joven le había perdido el respeto. Aunque, de hecho, Northrup le respetaba, pero ya no le tenía miedo. Era como si pensara que la herida de bala que había recibido le otorgaba libertad para hacer comentarios sobre la boda, sobre la cobardía de Adam, sobre la congoja de Bronwyn. Y todo ello en un tono tan deferente que hacía difícil reprenderle.

—¿Le duele la herida, señor?

Adam se estaba rascando la herida reciente de forma totalmente inconsciente. Apartó enseguida la mano.

—Será mejor que pidas que enciendan las velas. Te dañarás la vista si sigues trabajando con tan poca luz.

Northrup no dijo nada, una muestra de nuevo elocuente.

Adam volvió a tocarse la pierna y reconoció:

—Pica como un demonio. Y tiene un aspecto infernal. ¿Y la tuya?

—Cuando me retiren estos vendajes pienso quemarlos —refunfuñó Northrup.

Desde el umbral de la puerta, Bronwyn dijo de repente:

—Pero Daphne hizo un maravilloso trabajo, ¿verdad?

Adam se volvió de inmediato. Bronwyn, con un sencillo vestido de color zafiro, estaba maravillosa. Su melena plateada le caía por encima de los hombros y acariciaba su pecho, que dejaba al descubierto el escote y que no cubría con pañuelo alguno. Sus ojos reflejaban el terciopelo azul. Tenía la piel dorada, un delicado rubor iluminaba sus mejillas y los labios muy rojos. El color, tanto de labios como de mejillas, le pareció sospechoso a Adam. Imaginó que debía de haber estando mordiéndose los labios sin darse ni cuenta, seguro, y que habría estado pellizcándose intencionadamente las mejillas. La había visto hacerlo cuando quería impresionar.

Y lo había logrado. Adam estaba impresionado.

Deseaba correr hacia ella, cogerle las manos, abrazarla, llevarla a su alcoba…

Northrup se levantó, enderezándose lentamente, haciendo gala de su costado herido como el héroe de guerra que pretende impresionar a una doncella con su coraje.

—Lady Bronwyn, qué bella está usted, como una rosa en primavera.

Perversamente, la admiración de Northrup puso furioso a Adam. Tal vez, también, fueran sus emociones contenidas lo que le encolerizara. Pero no pensaba permitir que Northrup supiera cómo se sentía.

—Northrup, ¿no tienes nada que hacer en otro lado?

Pero se dirigió a un vacío, puesto que su secretario ya se había marchado y acababa de cerrar la puerta a sus espaldas.

Adam se acercó al aparador donde guardaba las bebidas y se sirvió un poco de coñac. Copa en mano, la levantó a modo de saludo.

—Daphne hizo un trabajo maravilloso… para ser mujer.

El virginal rubor de Bronwyn se esfumó al instante. Echaba chispas por los ojos, respiraba con agitación. Con los puños cerrados a ambos lados de su cuerpo, entró finalmente en la estancia.

—Ningún hombre podría haberlo hecho mejor. Ningún hombre se dedicó jamás a buscar esas astillas de madera que tanto malestar te causaban.

Adam levantó la copa y bebió. El brandy le calentó la garganta, le revitalizó como nunca lo había hecho ningún licor. Seguro que era el licor. Seguro que no era la proximidad de una mujer indignada.

—¿Sabes cuál es tu problema? —preguntó Bronwyn.

—No —respondió él—, pero estoy seguro de que tú me lo dirás.

Bronwyn se acercó al aparador de las bebidas, cogió una copa limpia de la bandeja y la dejó sobre la mesa con tanta fuerza que casi rompe su delicado pie.

—Eres descortés y desagradecido.

El aroma a naranja le acarició la nariz, cosquilleó sus papilas gustativas, le provocó hambre... de ella. La tenía muy cerca. ¿Cómo mantenerse distante teniéndola tan cerca?

—Es un fallo de la familia —replicó.

Bronwyn se sirvió también un brandy.

—Un poco fuerte para una dama, ¿no crees?

Verificó el nivel del licor en la copa y se sirvió más.

—Qué infantil.

El líquido dorado giró en el interior de la copa cuando ella la levantó.

—Crees tener excusas para todo, ¿verdad?

Sorprendido, Adam dijo:

—¿Qué?

—Tu padre murió en la horca por falsificador, por lo que piensas que hagas lo que hagas... la sociedad jamás te dará su aprobación. Piensas que podrías comprar una esposa y luego, cuando ves que es demasiado fea para tu gusto, decides que puedes cambiarla por una de sus hermanas.

Por mucho que la intención de Adam fuera mostrarse digno y paciente, su respuesta fue un alarido.

—Espera un momento. Yo no te cambié, ni mucho menos. Fuiste tú la que huiste.

Bronwyn levantó la barbilla, abrió mucho los ojos y dijo:

—Tonterías.

Bronwyn le ponía furioso. La agarró por los hombros con la intención de zarandearla y sus manos se inundaron del calor de ella. Era un atizador caliente y la soltó, sabiendo que habría podido quemarse.

Ella también lo sabía y agitó la copa entre sus dedos con indiferencia.

—¿Por qué debería huir de un hombre que está tan obsesionado por corregir el pasado que es incapaz de reconocer la calidad del presente y el potencial del futuro?

—Una hermosa manera de decirme que por fin te has dado cuenta de que las repercusiones del crimen cometido por mi padre reverberarán eternamente.

Bronwyn apuró el brandy de un trago.

—¿Por qué debería importarme lo que fuera tu padre?

La cogió por la mano para rellenarle la copa, y luego llenó también de nuevo la suya.

—Supuestamente tenías que casarte conmigo. ¿Estarías dispuesta a que nuestros hijos se vieran mancillados por esa falta de honestidad?

—Tengo un bisabuelo irlandés que murió en la horca por asesino. La familia de mi madre se remonta a tiempos de Guillermo el Conquistador, y por allí hubo un buen puñado de caballeros ladrones. ¿Estarías dispuesto a que nuestros hijos se vieran mancillados por esa falta de honestidad?

¿Estaría burlándose de él? ¿Por qué se negaba a ver hasta qué punto lo que había hecho su padre le había estigmatizado?

—Eso es distinto —gritó.

—¿En qué sentido? —gritó también ella.

Adam apretó la mandíbula con tanta fuerza que apenas podía hablar.

—Ya hemos hablado antes del tema. Mi vida ha estado marcada por los crímenes de mi padre.

Bronwyn se atragantó con el brandy y con toda la intención dijo:

—Me cuesta tragármelo.

—¿Y aún eres capaz de bromear? —preguntó él con incredulidad.

Agitando las manos y sin soltar la copa, Bronwyn ignoró el licor que se derramó sobre la alfombra.

—¿Bromear sobre qué?

—Casi me matan por falsificar títulos de la Compañía de los Mares del Sur.

—Judson elaboró un plan muy habilidoso para que te llevaras toda la culpa.

Como un ratón en una rueda, se lo explicó todo una vez más, cambiando las palabras, confiando en que esta vez lo comprendiera.

—Judson me eligió a mí porque mi padre falsificó dinero inglés. Si alguien, *cualquiera*, necesita un primo, un inocentón, ¿a quién elegirá? A mí, por supuesto.

—Cierto —concedió ella—, y no puedes hacer nada al respecto. Pero ¿por qué pasarte la vida intentando convencer al mundo de tu honestidad?

Adam respondió con un matiz de amargura.

—Una situación como la que planeó Judson siempre sembrará dudas sobre mí.

Bronwyn le preguntó, armándose de paciencia:

—¿Falsificaste títulos de la Compañía de los Mares del Sur?

—No.

—¿Harías alguna vez algo tan trapacero?

—No.

Bronwyn levantó la copa para brindar.

—Muy bien —dijo—, te apoyo. Tu palabra me basta.

Rabioso, Adam arrojó la copa a la chimenea, donde se rompió en mil pedazos, el brandy salpicando el mármol. El olor fuerte que desprendió le chocó, y cuadraba con su siguiente declaración:

—Eres una estúpida. Jamás deberías confiar en alguien porque simplemente te lo diga.

Ella arrojó la copa a continuación. Y el estallido fue también satisfactorio.

—No confío en todo el mundo, pero confío en ti. ¿Sabes por qué no eres un hombre popular? Por tu total honestidad, por tu rígida negativa a aceptar sobornos o a practicar juegos sociales. Cuando te esfuerzas, puedes ser educado, charlar frívolamente, fingir ser como los demás diletantes. Pero eres incapaz de realizar un esfuerzo continuado en ese sentido. Es demasiado para ti. Y vuelves a ser Adam Keane, antiguo marinero, mercader, agente. Eres sólido como una piedra, y si dices que no has falsificado, te creo. Y aunque nunca lo hubieses dicho, seguiría creyendo *en ti*. Jamás me has mentido.

Su violencia le había sorprendido. El vigor de sus palabras, convencido. La miró con la intensidad del temperamento que Bronwyn acababa de describir.

—¿No crees que sea un falsificador?

—¿Tan tonta te crees que soy?

—Si te dijera que todo Londres lo cree, ¿qué me dirías?

—Que son imbéciles. —Suspiró—. Como todo el mundo que pensara así. Pero no todo Londres te tiene por un falsificador. Los que no te conocen podrían creerlo. Los que te conocen, tal vez finjan creerlo, por su propio interés. Pero tus amigos no lo creen. Robert Walpole no lo cree. Tampoco lo cree Northrup, ni Rachelle.

—Eso no lo sabes —replicó él en un acto reflejo.

—Por supuesto que lo sé. Pregúntaselo a cualquiera de ellos.

Adam se tambaleó bajo el impacto de aquellas nuevas ideas. Llevaba toda la vida intentando demostrar su valía, demostrar su fiabilidad, y sabiendo siempre que no servía de nada porque era hijo de un corrupto. Ahora, aquella mujer menuda que tenía ante él seguía insistiendo...

—Northrup cree en mí, naturalmente.

—Naturalmente.

—Y si dices que también madame Rachelle... Bueno, me siento elogiado.

—Bien.

—Robert está en la casa. —Se rascó la barbilla—. Podría preguntárselo.

—Hazlo.

—¿Tú me crees?

—Creo *en* ti —respondió Bronwyn con firmeza.

—¿Y nunca has dudado de mí? —preguntó él, tanteándola.

—Jamás.

Adam se presionó la cara con las manos. Estaba experimentando un sutil cambio interior. Si Robert le creía, y si le creían también Rachelle y Northrup, ¿por qué no había sido capaz de aceptarlo? Ni siquiera el apoyo que le había brindado su madre le había convencido de que los demás podían apreciar su valía. Poco a poco, despegó las manos de la cara y miró a Bronwyn. Bronwyn, impaciente, irascible, impetuosa en sus muestras de afecto, pero lo bastante inteligente como para atraer la admiración de las mejores cabezas de Londres. Lo que necesitaba era la garantía de Bronwyn, la lógica de Bronwyn era lo que necesitaba para convencerse.

—Entonces, lo que hizo mi padre carece de importancia.

Ella asintió con rapidez.

—Así es.

La cogió por las manos y se las apretó.

—No, me refiero... a que no puedo prescindir de él. Todo el daño, los abandonos, el afecto despreocupado que mostró hacia nosotros mientras nos destruía.

Algo en su semblante debió de alertarla del cambio que estaba experimentando. Sin soltarle las manos, Bronwyn lo guió hacia las sillas que había junto a la mesa y le obligó a sentarse. Tomó también asiento y le preguntó:

—¿Le querías?

Él respondió instintivamente:

—¡No!

—Oh. A lo mejor sí. Yo sé que quiero a mi padre a pesar de sus debilidades. —Hizo una mueca alegre—. O por sus debilidades.

Relajándose en la silla, Adam pensó en su padre por primera vez en muchos años.

—¿Le quería? No lo sé. Tal vez. Sí, supongo que sí. A veces me pregunto si sabía que ya era demasiado tarde para él. Me compró mi puesto de oficial de la Marina con dinero falso y me embarcó sin darme tiempo siquiera a despedirme de mi madre. Años después me enteré que en menos de una semana había sido arrestado, y ahorcado menos de un mes después.

—¿Te permitieron conservar el puesto?

—Cuando la noticia llegó a oídos de mi capitán, ya habíamos dado la vuelta al globo dos veces y me había convertido en su mano derecha. —Sonrió ásperamente—. Los navíos británicos evitan volver a puerto lo máximo posible. Los reclutas se lanzan por la borda si llegan a casa.

Siguió presionándolo para que le dijera más cosas.

—¿Sabía tu padre que pasarían años antes de que sus crímenes llegaran a ti?

—Sin duda.

Con un delicado sentido común, Bronwyn observó:

—Entonces, es posible que te quisiera.

¿Por qué no reconocerlo? La curación que Bronwyn estaba proporcionándole abarcaba incluso a su padre.

—Teniendo en cuenta la capacidad de amar de un hombre tan superficial como él, supongo que sí. —Abarcándole la cara con las manos, le confesó—: He buscado por todo el mundo alguien como tú.

Luminosa y punzante con un relámpago, ella dijo entonces:

—No te preocupes. No tienes por qué quedarte atrapado conmigo. Tal vez berree un poco, pero puedes casarte con Olivia. Seré incluso su dama de honor. ¿Por qué no? He sido dama de honor de todas mis hermanas.

Olivia.

—Dios mío, me había olvidado por completo de Olivia.

—Todos se han olvidado de ella —dijo Bronwyn, retirando la mano y esquivando sus caricias—. Por eso he venido a verte. Es muy desdichada. ¿Podrías dedicarle un tiempo a reconfortarla con relación a lo del matrimonio?

—Olivia —repitió él.

—Sí, Olivia. Ya sabes, mi guapísima hermana. La mujer con la que vas a casarte.

Parecía alegre. Pensaba que él no la quería... porque no era tan bella como sus hermanas. ¿Cómo se atrevía a burlarse de él, siendo tan testaruda? Con la astucia de un cazador, dijo:

—Has dicho que no te he mentido nunca.

—Jamás.

—Eres guapa.

Bronwyn emitió un sonido de asco.

—También he dicho que sabías frivolizar si querías.

La ignoró.

—Eres la única mujer que quiero. Lo sabe todo Londres.

Sin volver la cabeza, Bronwyn removió los papeles que había sobre la mesa. No respondió en voz alta, sino en un leve murmullo.

—Y entonces, ¿por qué me abandonaste?

Saboreando su incipiente victoria, él respondió:

—Te comportas de manera extraña.

—¿Extraña? —dijo, subiendo la voz—. Mira quién habla. Vas a casarte con mi *hermana*.

—No creía que pudiera volver a tenerte. Olivia no posee tu inteligencia, y pensé que mi honestidad nunca sería un problema para ella. —Utilizó el dedo índice para presionarle la mejilla hasta obligarla a girarse hacia él—. Ya te lo he dicho, creía que estabas comparándome con mi padre.

—Eso es ridículo.

Se recostó en el asiento, cruzó las piernas a la altura de los tobillos y sonrió.

—Casi tan ridículo como compararte con tus hermanas.

Bronwyn cogió el pisapapeles como si fuera a arrojárselo.

—Es distinto.

—¿En qué sentido?

—Tu padre está muerto. La gente es cruel y mantiene vivo su mito porque sabe que con ello te hace daño —insistió—. Mis hermanas están vivas, son seductoras…

—Son vanidosas, simples y aburridas —dijo él, acabando la frase por ella—. Pero son estupendas mariposas sociales, ¿y qué ganan con ello? Jamás crecerán. No ambicionan ser más de lo que son —la estrechó entre sus brazos—, y siempre serán menos que tú.

Sus palabras parecían tan genuinas, tan honestas. Apelaba al apoyo de su indignación y, desaparecido su enojo, la desdicha se apoderó de ella. Dolida, le susurró:

—¿Por qué eres tan amable conmigo?

Dándole unos suaves golpecitos con los nudillos en la frente, como si con ello fuera a conseguir hacerle entender la verdad, le dijo lentamente y con énfasis:

—Porque te quiero.

La declaración de Adam resonó en la noche, pero Bronwyn no dijo nada. Impaciente ante su reticencia, la aguijoneó:

—He dicho que te quiero. ¿No tienes nada que decir a cambio?

Empezó a hablar, se calló. Pronunció el nombre de él, pero no dijo más. La amada de Adam, la mujer que vivía para traducir documentos, para utilizar el lenguaje con precisión, era incapaz de expresarse. Sonrió él, mas encantado por su falta de palabras que por cualquier declaración elocuente, y se inclinó para alentar sus palabras con besos.

El imprevisto sonido de una llamada a la puerta los separó al instante.

—Adelante —dijo Adam en tono brusco.

Se abrió la puerta y apareció una criada con dos candelabros encendidos.

—Le traigo velas, señor.

—Ya veo.

La vivaracha criada se quedó a la espera de instrucciones.

—Oh, deje uno en el escritorio y el otro en cualquier otra parte.

Movió la mano en un gesto vago.

—Sí, señor. Cada vez oscurece más pronto, ¿verdad?

—Así es. —Con la nueva iluminación, vio el rubor en la tez de Bronwyn. Por imposible que pudiera parecer, la calidez de aquel tono la hacía más atractiva que nunca. Sin separar los ojos de ella, hurgó en el interior de un cajón hasta encontrar una moneda. Se la lanzó a la criada—. Cierre la puerta al salir.

La chica se quedó observándolos, completamente rígida, y reprimió una risilla.

—Sí, señor.

En cuanto se cerró la puerta, Adam y Bronwyn corrieron a abrazarse. Cuando ella enlazó las manos por detrás del cuello de él y levantó el rostro para que lo besara, supo que volvía a estar en casa. Sus bocas se fundieron como hierro en una forja. Nada podría separarlos jamás.

—¿Bronwyn?

Era una voz femenina al otro lado de la puerta, pero nada podía romper en aquel momento el fuego sensual que los envolvía.

—¿Bronwyn?

Bronwyn empezó a debatirse entre los brazos de él.

—No —gimió Adam.

—Es mi madre. —Al oír que llamaban de nuevo, le tiró a Adam del pelo para apartarlo de ella—. Suéltame. Es mi *madre*.

Su frenética exigencia acabó haciéndole mella. La soltó a regañadientes y se dejó caer en una silla. Bronwyn se dirigió a la puerta y, de repente, Adam cobró conciencia de su situación. Estaba a solas con Bronwyn, estaba excitado, y estaba clarísimo que no quería que la madre de ella lo viera en esas condiciones. Empujó la silla debajo de la mesa, unió las manos delante de él e intentó adoptar un aspecto pragmático y calmado.

Bronwyn abrió la puerta.

—¡Mamá! ¡Qué sorpresa verte!

Lady Nora puso mala cara.

—Me refiero a qué sorpresa verte aquí. —Bronwyn sonrió de oreja a oreja—. En el despacho de Adam.

—Sí, entiendo que lo sea. —Lady Nora se fijó en que Bronwyn se pasaba la lengua por los labios—. He pensado que tendríamos que tener una última prueba para el vestido de mañana. Hay que asegurarse de que luzcas de lo mejor. Asistirán a la boda hombres muy deseables.

A Adam le crujieron los nudillos del esfuerzo de cerrar las manos en puños.

—La modista ya me ha hecho la última prueba —observó ella.

—Quiero asegurarme personalmente de que todo está bien. Ya sabes que la primera vez tomó mal las medidas de la cintura y...

—Oh, mamá, tienes toda la razón —la interrumpió Bronwyn—. Subiré a mi habitación en cuanto Adam y yo finalicemos nuestra discusión sobre la actual situación de los títulos y sus consecuencias para el Tesoro de Inglaterra.

Mordiendo el anzuelo, Adam lanzó una invitación:

—¿Le gustaría quedarse para debatir el tema?

—No. —Lady Nora dio un involuntario paso hacia atrás—. Bronwyn, esperó verte en tu habitación en menos de una hora.

—Sí, mamá.

Bronwyn esperó a que lady Nora se hubiese alejado lo suficiente y volvió a cerrar la puerta.

—Ven aquí.

Adam se separó de la mesa y señaló su regazo.

Con paso ligero, Bronwyn hizo lo que le ordenaba y, antes, acercó la mano a la entrepierna del pantalón.

—¿Y esto qué es? —dijo bromeando—. ¿Una terrible inflamación? A lo mejor puedo curártela.

El calor de la mano de Bronwyn penetró la tela y lo calentó una vez más.

—Sospecho que podrías, y me encantaría sugerir que...

Un fuerte golpe en la puerta los hizo saltar. Otro golpe, luego uno más.

—¡Maldita sea! —exclamó Adam.

Se oyeron entonces los gritos de Walpole.

—Adam, sé que estás ahí dentro. Vamos, hombre, te he preparado una agradable despedida.

—¿Una despedida? —murmuró Bronwyn, perpleja.

—Quiere...

—¡Vamos, Adam! Antes de sumarte a las filas de los hombres con grilletes, debes tener una despedida como Dios manda. Todos tus amigos están reunidos en la habitación azul y hay preparado un refrigerio. —La voz de Walpole bajó de volumen y adoptó un tono confidencial—. Y hay mujeres que piensan en entretenimientos de lo más novedosos.

La mirada de Adam se cruzó con la de Bronwyn y se comprendieron sin necesidad de palabras. Adam se levantó en silencio y se echó la chaqueta por los hombros. Le ofreció la mano a Bronwyn; esta se la tomó y se acercaron de puntillas a las ventanas.

—Adam, si no sales de manera pacífica, vendré con todos los hombres para que te saquen de aquí.

Adam desató los *panniers* de Bronwyn, la ayudó a encaramarse a la ventana y la bajó al suelo. Él la siguió con toda la rapidez que la pierna le permitía. Señaló el establo; Bronwyn asintió. Corrieron juntos el espacio que los separaba del otro edificio y entraron en el oscuro cobertizo.

Desde la ventana del despacho de Adam, Walpole presenció la escapada, miró los *panniers* que habían quedado en el suelo y murmuró:

—Qué me aspen.

Rachelle descendió sonriente la escalera que conducía a la cocina, haciendo sonar las llaves.

Era un sonido molesto, pero una delicia para los oídos.

Jamás en su vida había experimentado tanto placer. Judson seguía en sus manos y era un desdichado. Había aprendido muchas cosas sobre él desde que lo tenía prisionero en la despensa. Conocía sus miedos, sus odios, su historia. Él lo había contado todo a ella, confiando inspirar su misericordia. Pero no lo había logrado. No había hecho más que labrarse el futuro que le esperaba.

¿Qué el trabajo físico le ponía enfermo? Pues dónde quiera que decidiera enviarlo, trabajaría duro. ¿Qué temía mostrarse sin maquillaje y sin peluca? Pues antes de que se fuera revelaría a todo Londres sus deformidades. ¿Qué odiaba a Adam Keane y su forma de ser? Pues Judson descubriría muy pronto las realidades de la vida de Adam.

Oyó un movimiento de cadenas a través de las tablillas de ventilación de la despensa. Bien. Estaba nervioso, esperando su visita de la noche. Introdujo la llave en la cerradura. Despacio, muy despacio, abrió la puerta, ofreciéndole luz y cierto alivio en aquel encierro.

—Monsieur Judson, vengo a retirarle los platos de la cena.

La oscuridad no respondió.

—¿No le ha gustado la cena?

Seguía sin haber respuesta y Rachelle decidió cruzar el umbral.

—Tengo planes para usted. Mañana por la mañana va a venir un caballero a por usted. ¿Sabe de quién se trata?

Por vez primera, el silencio empezó a ponerla nerviosa. Judson estaba sentado tan inmóvil, inmerso en tanto silencio, que se inclinó para comprobar si seguía encerrado en su cárcel.

Y allí estaba. Sus ojos brillaban en la oscuridad, clavados en ella con malevolente interés. Rachelle experimentó un escalofrío al recordar la brutalidad del asesinato de su hija y cogió la cadena que lo inmovilizaba por el pie. La levantó, y el pie se levantó a su vez. Estaba encadenado, como debía ser, y ella recuperó la previa sensación de satisfacción.

—No esté enfurruñado —dijo—. Su largo confinamiento toca casi a su fin. El caballero en cuestión es un capitán de barco. Vendrá con unos cuantos hombres y se lo llevará con ellos. Le enseñarán a trabajar con decencia. ¿No le parece delicioso?

La cadena traqueteó en la oscuridad y Rachelle la dejó caer con un ruido sordo.

Con una voz gutural, consecuencia del horror que le embargaba, Judson preguntó:

—¿Trabajos forzados a bordo?

—Ah, veo que lo ha entendido. —Sonrió y acarició las llaves—. Imaginarme al elegante Carroll Judson a bordo de uno de los mejores navíos de Gran Bretaña, trabajando como un humilde grumete, me produce una sensación de plenitud que no había experimentado desde la muerte de mi hija.

—Mala puta —dijo, su voz temblando por la intensidad—. Después de todo lo que le he contado…

—Una conversación soberbia —concedió Rachelle.

Se abalanzó sobre ella, pero Rachelle estaba preparada. Dio un paso atrás y la cadena tiró de él. Cayó a sus pies, cerca, pero no lo suficiente.

—Pero no se preocupe. Solo será para el resto de su vida.

Oyó algo que se movía a sus espaldas, pero cuando se giró para ver qué era, un palo cayó sobre su cabeza.

—¡Toma! ¡Tome eso, madame sabelotodo! —se regodeó Gianni ante el inmóvil cuerpo de Rachelle.

—Coge las llaves, coge las llaves —dijo con ansiedad Judson—. Libérame.

Gianni palpó la cintura de Rachelle y tiró de las llaves.

—Y ahora, señor, voy a salvarle.

Se arrodilló a los pies de Judson, abrió el candado que cerraba los grilletes y cayó hacia el lado después de que Judson le arreara un puntapié.

Judson se incorporó y estiró las piernas.

—Por fin. Has tardado una eternidad, estúpido.

—He tenido que esperar a que la mayoría de las damas se ausentaran —replicó Gianni, tambaleándose al incorporarse—. También querían eliminarme.

—Sí —dijo Judson—. Imagino. ¿Tienes el dinero que he salvado de esta debacle?

Gianni se dio unos golpecitos en la barriga y se escuchó un tintineo de monedas.

—Lo llevo escondido encima. Será suficiente para mantenernos unos cuantos meses, ¿verdad?

—Sí. —Judson le dio un puntapié a Rachelle. Cuando el golpe conectó con las costillas, esta gimoteó y él rió por lo bajo—. ¿No la has matado?

—Ya sabe que no tengo estómago para esas cosas. —Gianni levantó una bolsa del suelo y la balanceó ante los ojos de su señor—. Pero mire qué le he traído. —Meloso e impaciente, hurgó en el interior de la bolsa y fue extrayendo uno a uno los componentes de su contenido—. Cosméticos. Polvos. Y lo que es más importante: una peluca. —No pudo ocultar su satisfacción al oír las exclamaciones de placer de Judson—. Permítame que obre mi magia.

Dejándose caer sobre el camastro, Judson comentó:

—Gianni, eres una maravilla.

—Seré rápido —le garantizó este—. Lo suficiente para que las damas se vuelvan para admirarlo cuando salga a la calle.

—Sí —dijo Judson entre dientes—. Qué las damas se arrepientan de no haberme suplicado nunca que les dé placer en el asiento de mi carruaje.

—Eso no será ningún problema, señor. —Gianni empezó a aplicar los cosméticos en la cara de Judson, rellenando las marcas de la viruela, dibujando rápidamente unas cejas. Después de acomodar la peluca sobre la reluciente calva, dio un paso atrás y forzó la vista en la oscuridad—. Todas las mujeres envidiarán su belleza.

Judson levantó la mano y le estampó a Gianni un bofetón.

—Eres imbécil.

—¿Señor? —Gianni observó ansioso a Judson, que se levantó y empezó a deambular de un lado a otro de la despensa con pasos rápidos y convulsos.

Maldijo al tropezar con el brazo de Rachelle. Pero luego sonrió, una sonrisa que auguraba lo peor para su carcelera.

—Había olvidado que estaba aquí tirada en el suelo.

Levantó el pie y dejó caer el tacón con fuerza sobre la zona lumbar de la espalda de Rachelle. Aunque estaba inconsciente, el dolor provocó un audible corte de respiración.

Gianni apartó la vista.

—¿Iremos al continente? ¿Volveremos a Italia?

—Tal vez. —Judson miró a Rachelle y asintió después de tomar una decisión—. Dame un cuchillo.

—Oh, señor. —Gianni extrajo del cinturón el cuchillo largo que tanto había aterrado a Bronwyn—. No tenemos tiempo.

Judson cogió el cuchillo.

—Ha llegado la hora de disfrutar de un poco de diversión.

—Siempre dijo que no había diversión si no estaban conscientes. —Gianni tiró del brazo de Judson—. No sé cuándo van a volver las demás mujeres. Tenemos que irnos.

—Vete a Dover. Coge el dinero. Busca pasaje en un barco que parta enseguida hacia Francia. Y espérame allí.

Judson se agachó e, incluso en la penumbra, pudo verse la sangre brotar como un surtidor de la mejilla de Rachelle.

Gianni sofocó un grito en una exagerada muestra de malestar.

—No iré sin usted.

Judson examinó con detalle la cara y el cuello de Rachelle.

—Sí, sí que irás. No te quedes en costas inglesas, pase lo que pase. El dinero tiene que estar seguro. Tengo algo que hacer antes de marchar.

—Mátela, pero hágalo rápido.

Gianni se frotó las manos con nerviosismo.

—¿Matarla? ¿Cómo lo has sabido…? —Judson bajó la vista hacia Rachelle—. Oh, a *ell*a. Sí, por supuesto que la mataré, pero yo me refería a otra. Hay otra mujer, y el sabor de su sangre será dulce como el néctar.

Gianni agarró a su amo por el brazo y dijo:

—Tenemos que irnos. No quería decírselo, pero Robert Walpole le ha acusado de la falsificación de los títulos. La chusma de Londres reclama a gritos su cadáver, y si se supiera que está aquí…

—Sí, sí, eso me lo dijo Rachelle. Lo utilizó como excusa para retenerme. Decía que me protegía de una muerte segura. —Con una delicada caricia, recorrió la frente de Rachelle con la punta del cuchillo—. Saldrá a borbotones. Quién quiera que la encuentre, se morirá de asco.

Gianni se llevó la mano al vientre y se tambaleó cuando el líquido rojo le humedeció los zapatos.

—Por favor, señor —musitó—. Vámonos.

Judson se encogió de hombros después de mirar de reojo la cara blanca de Gianni.

—Oh, muy bien.

Como un enorme murciélago, se cernió sobre Rachelle.

—Señor —susurró Gianni.

—Cierra el pico —le ordenó Judson. Levantó el cuchillo una vez y lo clavó. El metal chocó contra el hueso. Lo levantó de nuevo, pero Gianni lo agarró por la muñeca.

—He oído algo, señor.

Judson se detuvo a escuchar.

—Vamos, señor, han llegado las mujeres. —Gianni tiró de Judson—. Tenemos que irnos. Ahora.

Lanzando una prolongada mirada de deseo hacia Rachelle, Judson siguió a su ayuda de cámara hacia la puerta de su cárcel en busca de otra venganza, más placentera si cabe.

Capítulo 22

*E*l establo olía a caballos y heno, a cera y cuero. Una linterna iluminaba el rincón donde un anciano caballerizo cepillaba un semental.

Adam se giró hacia Bronwyn llevándose un dedo a los labios y le indicó la escalera que subía al altillo. Antes de trepar, se descalzó. Contenta de haberse desprendido de antemano de los *paniers*, se recogió la falda y puso el pie en el primer escalón. Adam la ayudó a superar los primeros peldaños sujetándola por el codo, y la siguió escalera arriba. Resplandeciente de deseo, aliviada y con la confianza recuperada, Bronwyn se subió un poco más la falda. Y fue subiéndolas a cada peldaño, hasta que Adam dijo, refunfuñando en voz baja:

—Ten piedad, Bronwyn.

Le lanzó ella una picante mirada por encima del hombro, pero enseguida se serenó. La expresión de los ojos de Adam revelaba toda una historia de pasión contenida y clamaban liberarla. Pisó mal el peldaño y él la cogió por el muslo para evitar la caída.

La caricia fue como un bálsamo, una curación para su solitaria alma, y quería más. Llegó al nivel del altillo, y cuando se disponía a enderezarse, descubrió la mano de Adam en su trasero desnudo. Chilló cuando le dio un empujón, lo que provocó que el caballerizo gritara:

—¿Hay alguien ahí?

Bronwyn se dejó caer sobre la paja y corrió a acurrucarse en un rincón. Adam continuó en la escalera, silencioso e inmóvil.

El caballerizo no dijo nada más y se escuchó entonces el sonido de una horca reiniciando su rítmica tarea. Adam corrió en la penumbra para sentarse a su lado y Bronwyn exhaló un suspiro de alivio. Le buscó él la mano a tientas y, después de localizarla, se la apretó.

Bronwyn se acurrucó contra él y apoyó la cabeza en su hombro, preguntándose si la idea que habían tenido era realmente tan maravillosa. Cierto, habían logrado escapar del constante zumbido de los invitados la boda, pero ¿a qué placer podían aspirar con un anciano caballerizo salvaguardado debajo de ellos?

La respuesta llegó enseguida. El caballerizo alzó la voz para hablarle al caballo:

—Bien, muchacho, ya es hora de acostarme. Hasta mañana. —Se abrió la puerta—. Buenas noches.

Bronwyn esperó a que la puerta volviera a cerrarse y con un ataque de risa se montó sobre Adam.

—Es un excéntrico —dijo.

Articulando un elogio que solo un hombre era capaz de apreciar, Adam replicó:

—Kenny se entiende mejor con los caballos que veinte hombres juntos.

—¿Qué se entiende con los caballos? —Bronwyn volvió a reír—. ¿Es por eso que le dejas que se ocupe de tu caballo?

—No es mi caballo —dijo Adam con juguetona resignación—. Mi caballo desapareció en Londres, robado por un pequeño, aunque experto, ladronzuelo.

—¿Robado? —cuestionó ella con incredulidad.

No dio más explicaciones, y tampoco ella preguntó más. Con el silencio, se hicieron más perceptibles las risas y la música de la fiesta que se estaba celebrando en la casa. El frescor del otoño colgaba en el ambiente, pero el calor de Adam la calentaba. Bronwyn le levantó la barbilla para cubrirla de besos.

—Habla con tu ayuda de cámara. Necesitas un buen afeitado.

—Me afeitaré mañana, antes de…

Se interrumpió. «Antes de la boda.» Eso era lo que iba a decir.

La última vez. Esta era la última vez. La idea vagó por su cabeza, pero se apresuró en alejarla. Podía darse el caso de que el mundo tocara a su fin aquella noche. Que mañana no llegara nunca. Tenía que ignorarlo todo y distraer a Adam antes de que él recordara también que aquella era su última vez.

—Mmm… —suspiró Bronwyn, frotando la mejilla contra la de él—. Eres un perezoso. Nunca te pones peluca. Nunca vas a ningún lado sin tu bastón. Nunca sonríes. —Tiró de los labios de él con la mano para forzar una sonrisa ficticia—. Ya está. Tienes que practicar.

—Estoy de acuerdo en que tengo que practicar. —La sonrisa se volvió sincera—. Quítate toda esta ropa y practicaré.

—¿Qué me quite la ropa? ¿Por qué? —preguntó con burlona inocencia—. Aquí está muy oscuro.

—Tengo una visión nocturna excelente.

Bronwyn dio un respingo cuando Adam demostró sus palabras situando una mano en su pecho con total precisión.

—Yo también tengo buena visión nocturna —fanfarroneó ella, aunque no veía nada de nada.

Palpó a tientas el cuerpo de él y frunció el entrecejo.

—Eso es el cuchillo —dijo Adam—. Afilado como una cuchilla y fabricado con acero templado. Dudo que se endurezca más, ni siquiera bajo tu fuego—. Ve con cuidado —la avisó—. Estamos en un henar y sin duda debe de haber ratones.

Ratones. Los ratones no le daban miedo, pero si Adam tenía ganas de jugar, ella conocía muy bien las reglas.

—¿Ratones?

Como a un niño travieso, el temblor que percibió en la voz de Bronwyn le animó a continuar en el juego.

—Y ratas.

—Oooh. ¿Y gatos?

—A lo mejor. —Se quedó pensando—. Sí, si hay ratas y ratones, tiene que haber gatos.

—¿Y gatitos?

Era evidente que Adam no quería atenuar la amenaza. Pero, a regañadientes, concedió:

—Y gatitos.

—Habrá también cachorritos recién nacidos.

Adam se enderezó.

—Y serpientes.

—Eso es. —Bronwyn saltó sobre él, lo derribó en el suelo y empezó a pelear para impedir que las manos alcanzaran su objetivo—. Ahora te has metido en un buen problema.

—Sí, pero podría haber serpientes. —Sus dedos escurridizos treparon por debajo de las enaguas y le cosquillearon la parte posterior de la rodilla—. Serpientes espeluznantes que se arrastran por tu pierna.

—¿Y qué piensas hacer si encontramos serpientes?

Ni siquiera pensó la respuesta.

—Lo que haría cualquier hombre normal: echar a correr.

Bronwyn lo agarró por el cuello e intentó zarandearlo, pero fue incapaz de mover al musculoso hombre que yacía bajo ella.

—Cobarde.

—Sagaz —le corrigió él.

Poco convencida, Bronwyn rió entre dientes.

Y como si acabara de darse cuenta de ello, Adam declaró:

—Nos estamos comportando como niños.

—Somos niños. —Lo hizo rodar sobre la paja—. Lo somos, lo somos, lo somos. —A cada repetición lo hizo rodar de nuevo, hasta que acabaron chocando contra un montón de paja—. Somos niños —repitió, aunque con un hilillo de voz.

Los niños creen que ignorar un dilema lo hace desaparecer. Los niños ignoran el mañana. Los niños retozan cuando se enfrentan al desastre. Oh, sí, eran niños, sin lugar a dudas.

Adam la cogió por la cintura y le hizo dar la vuelta. Cayó ella de espaldas y él la siguió. Colocado sobre ella, su caja torácica empezó a seguir el movimiento rítmico de la respiración de Bronwyn. La paja crujió, liberando el olor almacenado durante las largas jornadas de verano. Se le clavaba en las partes que el tejido del vestido no protegía, pero aquello formaba parte de la dicha que estaba experimentando allí, a oscuras, con Adam.

Murmuró él:

—Es el mejor momento de mi vida.

Su tributo sonó tan a regañadientes, tímido casi, que Bronwyn no pudo resistirse a insistir:

—¿Qué has dicho?

—He dicho que...

Ella empezó a partirse de risa. Él lo notó y se apoyó sobre los codos.

—Eres una brujilla. Me estás tomando el pelo.

—No, qué va. Solo que no lo he...

La acarició por las costillas.

—De verdad, no te he oído. —Chilló en el instante en que él localizó la zona donde tenía más cosquillas, los lugares que había descubierto en sus noches en casa de Rachelle. Luchando inútilmente, dijo—: Te tengo en gran respeto. No te tomaría el pelo jamás.

—Tú eres la única que se atreve.

Le calentó el cuello con su aliento y empezó a succionarle el lóbulo de la oreja.

—No te tengo miedo —dijo ella.

—Pues deberías tenérmelo. Te retendré aquí, te poseeré hasta que grites implorándome piedad.

Se estremeció ella al recordar a Judson, prometiéndole un destino similar aunque en condiciones muy distintas.

—¿Mi amor? —La voz de Adam, cálida y profunda, la alejó de los recuerdos—. ¿Bronwyn? ¿Qué sucede?

—Nada. —Se acurrucó contra él—. Solo un fantasma.

—Maldito sea Judson.

Una sola frase fue suficiente para dejar en evidencia su empatía.

—No lo maldigas. —Inspiró hondo—. Ya está en el infierno.

—Confío sinceramente en que así sea. Solo que me habría gustado ser yo quien lo metiera allí.

—Rachelle se había pedido la vez antes —replicó ella en voz baja.

—Intentó asesinarte.

—Y lo habría hecho, pero su orgullo lo condenó. Quiso esperar a matar no solo a Walpole, sino también a ti, para luego contármelo. —Adam tiró de la cabeza de ella para acurrucarla contra su pecho. Escuchando el latido del corazón de Adam, con aquel ritmo regular tan reconfortante, dijo—: De modo que tengo yo incluso más derecho que tú o Rachelle.

—Dejemos que Rachelle se ocupe del tema.

Las palabras de Adam resonaron en el oído de ella y aceptó:

—Sí, que Rachelle se ocupe del tema.

Qué bien se entendían. Y con los años, el entendimiento crecería hasta, como algunas parejas de ancianos que había visto, acabar hablándose sin necesidad de palabras.

Pero no sucedería, porque aquella era su última vez.

Por encima de su cabeza, Bronwyn veía un cuadrado de noche a través de una ventana. Las estrellas, pequeños fragmentos de luz, asomaban al otro lado de un ondeante dosel, compadeciéndose de ella hasta que los hombros de Adam las ocultaron.

Con suma ternura, le desató la ropa. Tal vez, pensó Adam, ella siguiera temiéndole, aunque se agarraba a él con una fuerza similar a la desesperación. Tal vez se sintiera responsable de sus temores. O tal vez deseaba comunicarle alguna cosa. Pero Adam deseaba que su amor la mimara, la invitara, la calentara. Más que una invitación, aquello era un paseo por un callejón de recuerdos pendientes aún de ser creados. Recuerdos que potencialmente podían crear, aunque no tenían tiempo para ello.

Deseaba ser cuidadoso con ella, pero era una tarea complicada. Cuando le quitó la ropa y su cuerpo quedó al descubierto, la pasión de ella se desplegó como una flor perfectamente enraizada que de repente dispone de todo lo necesario para florecer. La ropa de él siguió velozmente, prendas que se desprendieron bajo la presión de la urgencia de las manos de él o de las de ella, dependiendo de quién demostrara mayor necesidad. Camisa, pantalones, medias y zapatos, cuchillo y pañuelo, acabaron formando una pila bajo sus cuerpos. Los amantes acabaron reposando sobre un amasijo de brocado y lino, sin pensar en el después, una protección contra los molestos pinchazos de la paja.

Exploró el vendaje de la pierna al descubrirlo.

—¿Te duele aún?

La ternura de su voz alivió el dolor de la herida.

—Apenas.

Encontró él sus pechos, y los acarició.

—¿Tienes miedo?

—No, pero tengo el pecho muy sensible.

Se quedó preocupado viéndola respirar con dificultad. Pero él no era más que un hombre. ¿Cómo saber la cicatriz que podía dejarle a una mujer el haber sufrido tanto violencia física como un ataque mental? La tocó con cuidado, la acarició, volando por el vello que le cubría el vientre, y más abajo.

—Dime lo que te gusta —la animó.

—Esto me gusta.

Los temblores resultaban preocupantes. Los suspiros resultaban preocupantes. Bajo la débil luz de las estrellas, los ojos de ella brillaban de forma especial cuando le miraba; también esto resultaba preocupante. La abrazó, la acunó con todo su cuerpo, la tocó con todos y cada uno de los centímetros de su piel. Le dio consuelo, cuando lo que deseaba, lo que anhelaba, era su pasión.

Ella se restregó contra él como un gato cariñoso y ronroneó su nombre.

La besó, recorriendo con la boca y con suma delicadeza cada fragmento de su cara, su cuello, sus clavículas.

Le clavó ella las uñas en el hombro y luego lo arañó, trazando una sutil línea espalda abajo. Sus terminaciones nerviosas aullaron y dijo jadeando:

—Tal vez *sí* serías capaz de endurecer el acero.

Rindo, extendió su quehacer hasta convertirla en una prolongada tortura que abarcó de proa a popa. Estremeciéndose bajo aquella tremenda punzada erótica, se regañó a sí mismo. Era imposible que ella supiera hasta qué punto estaba provocando el caos de todos sus sentidos.

—Siempre pensaré en ti... —Se interrumpió, y volvió a intentarlo—. Pienso en ti cuando oigo hablar francés. Háblame en francés.

Su ronca exigencia le entristeció, le enloqueció, le puso al límite. Casi al límite. Tan cerca... Encajó sus cuerpos, preparándolos.

—*Tu es magnifique.*

—Y tú también.

La penetró.

—Hacer el amor así es como un primer beso. —Se veía prácticamente incapaz de terminar su frase en su lengua materna, y pensó que mucho menos podría acabarla en francés—. *Un baiser.* Un beso.

—¿Esto?

Recorrió con la lengua el perfil de su boca.

—*Mon Dieu.* —Sin querer, la penetró más a fondo. Inspiró con fuerza y susurró—: Este amor es experimental, como el emparejamiento de nuestras lenguas, *les langues.*

—Demasiado experimental.

Con pequeños movimientos de caderas, le instó a seguir.

Conteniéndose a su pesar, clavó los codos en el heno.

—Tiene un sabor dulce, como caramelos. Ah... *bonbons.*

Ella le acarició las caderas y él perdió toda coherencia. La lengua de ella le recorrió entonces el labio, y perdió finalmente el control. Se hundió en ella, abandonándose al placer que le proporcionaba aquel cuerpo, dejando su mente a merced de gemidos y suspiros. Las caderas de ella acogieron su frenesí. Lo envolvió con las piernas. Los gritos de ella, incoherentes y ensalzados, dejaban en evidencia su placer.

El pecho de Adam se agitaba con extenuación. La fricción de los cuerpos fundió su hielo con la misma seguridad que la corriente caliente del océano era capaz de fundir un iceberg. Su fuego alcanzó novedosas alturas, conduciéndole triunfante y sudoroso hacia un clímax que lo asoló como un huracán asola un barco.

Pero ella no había acabado, y alimentó él su paroxismo con la boca, con las manos, con su cuerpo entero. Continuó, aceptando sus gritos a modo de homenaje, percibiendo el agarre de sus brazos y el deslizar del sudor que lo cubría. Sintiendo los músculos del interior de ella sujetándolo con fuerza y liberándose con la realidad de su placer.

Ralentizó el ritmo por fin, reacio a liberarla de su cielo pero motivado por el agotamiento, tanto de ella como de él. Mantuvo por un momento el equilibrio sobre Bronwyn, escuchando sus temblorosos suspiros, percibiendo sus temblores y oyéndola murmurar:

—Oh, Adam.

Tenía ante sí una mujer satisfecha. Era evidente: incapaz de hablar, de respirar, de moverse. Y se felicitó con incontrolada arrogancia. Había derrotado al espectro de miedo que estaba obsesionándola.

Cuando le rozó la cara con su propia mejilla, se sorprendió.

—¿Te he asustado? —le preguntó. Bronwyn no respondió de inmediato, y Adam levantó la cabeza, alarmado.

—No —respondió ella por fin—. Solo recordaba...

La última vez. La frase se transmitió de su cabeza a la de él. Era la última vez.

—Solo recordaba que eras un amante maravilloso —acabó precipitadamente, y él adivinó que mentía. Que eso no era lo que la empujaba a abrazarlo con renovada agitación.

Con delicadeza, Adam le preguntó:

—¿He conseguido exorcizar de tu cabeza el recuerdo de Judson?

—¿Qué? ¿Judson? —Le acarició la espalda trazando círculos concéntricos cada vez más grandes—. No te preocupes por Judson. En ningún momento se me ha pasado por la cabeza equipararte a él.

Llevándose una mano al corazón, Adam asimiló sus palabras. Se había preocupado por nada. Se había controlado por nada. Ahora era él quien necesitaba consuelo, no Bronwyn, porque aquella era su última vez. Acercándose de nuevo a ella, le susurró al oído:

—Demuéstramelo.

—De pequeña soñaba con la mujer en que acabaría convirtiéndome. Sería una mujer segura de sí misma y encantadora. El bronceado de mi piel iría desapareciendo, mi pelo cambiaría de color y siempre diría la cosa adecuada, en el momento adecuado, a la gente adecuada. Los hombres caerían rendidos a mis pies. Pero entonces, un día, debía de tener unos trece años, me di cuenta de que la vida no iba a depararme ningún cuento de hadas. Que yo sería tal como era entonces, que me quedaría eternamente limitada por un cuerpo excesivamente bajito, un pelo demasiado claro y un tono de piel demasiado oscuro. Las únicas mejoras podrían venir dadas a partir de un lento y doloroso proceso llamado maduración, y comprendí que las mejoras tampoco serían gran cosa. De modo que abandoné para siempre aquel juego infantil de seguridad y encanto para convertirme en lo que sabía que podía convertirme: un cerebro tremendamente mejorado en el interior de un cuerpo que era mejor ignorar.

Bronwyn y Adam descansaban cómodamente después de su pasión, tendidos bocarriba con solo sus dedos rozándose. La luna, casi llena, iluminaba el altillo, dejando un escaso residuo de oscuridad. ella estaba sorprendida oyéndose definir con tanta elocuencia pensamientos a medio elaborar, pero no hizo ningún esfuerzo por callarse.

—Un día me desperté y allí estaba yo: segura de mí misma, madura, dinámica, guapa… y todo porque me veía con tus ojos. Tal vez tu visión sea defectuosa, pero estoy intentando corregirla. Si cuando me miras ves una dama bella y elegante, cuando me mire en el espejo veré ese mismo espejismo.

La mano de Adam se arrastró hacia la de Bronwyn y la apretó. Se la llevó a los labios, y riendo le preguntó:

—¿Qué te hace pensar, querida mía, que tengo mal la vista?

El cascabeleo de los arreos de un caballo despertó a Bronwyn.

—¿Un invitado tempranero?

Adam refunfuñó. Apenas había salido el sol, pero la magia de la noche ya se había esfumado. Había llegado «mañana» e iba a casarse con otra mujer. Iba a casarse con la hermana de Bronwyn. La última vez había tocado a su fin. Habían dejado de ser un par de niños.

—No puedo romper el compromiso —dijo de repente—. Sería una desgracia tremenda para Olivia.

Casi a la defensiva, incluso antes de hablar, Bronwyn le soltó:

—Yo no te lo he pedido.

—No. —Retiró el brazo con cuidado y el abrigo que los cubría—. No lo has hecho, ¿verdad?

La cruda realidad azotó de golpe a Bronwyn, como el frío del aire.

—Pedirte que provocaras la desgracia de mi hermana por motivos egoístas sería… egoísta.

Levantándose de su nido de paja como si fuese insensible al frío, Adam se desperezó y se sacudió la paja que tenía adherida al pecho. El sol empezaba a asomar por encima de los árboles y la paja apilada detrás de él adoptó un resplandor dorado. Tembló ella al verlo enmarcado tan espléndidamente, exhibido solo para ella con todo su color y textura. Flexionó la larga columna vertebral para sacudirse las piernas; era un alarde de musculatura y tendones estupendamente desarrollados.

Solo el vendaje blanco estropeaba su perfección. Pero ¿cómo podía preguntarle al respecto? ¿Qué diplomático método utilizar para preguntarle si sentía dolor? Evidentemente, la pasión de la última vez se había desvanecido y era mejor olvidarla.

—¿Te ha dolido la pierna esta noche? —dijo.

La mirada irónica valió por sí misma como respuesta.

—No me he dado ni cuenta.

Tiró de sus prendas para sacarlas de debajo de ella, dejándola tendida directamente sobre la paja. La paja rascaba, y él la irritaba.

Sacudió primero la ropa de él, luego la de ella.

—¿Qué dice Olivia de mí?

Un recordatorio deliberado, imaginó Bronwyn. Si era capaz de mostrarse impasible, también podía hacerlo ella. Se sentó y se peinó el pelo con los dedos para liberarlo de los restos de paja.

—Se muestra valiente y callada.

Mientras se ponía la camisa, dijo:

—Suena a mal presagio.

Cogió ella su camisola y se la pasó por la cabeza. Entonces oyó algo, un susurro en el exterior.

—¿Qué ha sido eso?

Adam ladeó la cabeza y también lo escuchó.

—No lo sé.

—¿Lo has oído? ¿Como unos crujidos?

—Supongo que habrá algún caballerizo trabajando abajo. —Se puso los pantalones y se calzó—. De modo que mejor que hablemos bajito.

—Es aún muy temprano.

—Tenemos muchos invitados, con muchos caballos. —Poniéndose el chaleco, le instó—: Te sugiero que te des prisa antes de que cualquiera de esos invitados se levante y nos vea entrando en casa.

Se levantó de un brinco mientras se ponía las enaguas, un estallido de encaje.

—Sé mejor que tú que debo mantenerme en silencio, que hay que guardar el secreto. *Tú* vas a casarte. *Yo* a buscarme la ruina.

Frío como el viento invernal, Adam dijo:

—Es tu elección.

Se quedó boquiabierta. Vaya cosa que decir. ¡Vaya cosa que pensar! Como si estuviera en sus manos poder impedir la boda. ¿Y qué pretendía que hiciese? ¿Aporrear a Olivia en la cabeza, robarle el vestido de novia y ocupar su lugar en la iglesia? Abrochándose el vestido y subiéndose por las paredes, no deseaba otra cosa que vengarse de aquel hombre estúpido con aires de superioridad.

—Olivia pasa mucho tiempo rezando.

—¿Rezando? —preguntó él, indignado—. ¿Tan atroz soy?

Reprimió ella una sonrisa.

—Es muy religiosa.

—Una forma inteligente de evadirse. Tú te fugaste. Olivia reza. El novio más temido espera consumir su... —Se interrumpió, olisqueando el ambiente—. El humo de las chimeneas debe de soplar hacia aquí.

También ella olisqueó. El aire fresco transportaba cierto olor a humo.

—O los campesinos, que queman basuras.

—Debe de ser eso. —Adam se puso a rebuscar entre el heno—. ¿Has visto mi cinta del pelo? ¿Mi pañuelo?

—Acaso no puedes ir a ninguna parte sin tu cinta, ¿eh?

La miró, furioso.

—Dejé el cuchillo junto a la cinta, y no, no puedo ir a ningún lado sn ella.

—Te ayudaré a encontrarla. —Se puso también a remover la paja, refunfuñando—. Los hombres nunca encuentran nada. Son inútiles como bebés. Míralo, perfectamente dispuesto a que busque yo por él... —Fastidiada, miró a Adam, que estaba inmóvil y en silencio—. Al menos, podrías hacer ver que buscas.

—Silencio.

Bronwyn se enderezó y se llevó las manos a las caderas.

—¿Qué pasa?

—Escucha.

Escuchó. El crujido era más fuerte, más próximo. El humo penetró en su nariz y miró a su alrededor, al henar lleno a rebosar en previsión del invierno que se acercaba.

—Fuego —susurró. Y acto seguido exclamó—: ¡Fuego!

Como respondiendo a su grito de alarma, un caballo relinchó abajo. Y al instante, empezaron todos a relinchar y aporrear los pesebres con los cascos.

—Quédate aquí —le ordenó Adam, y viendo que iba a ponerle objeciones, insistió—: Quédate aquí. Tengo que abrir las puertas. Hay caballos que solo están amarrados, podrían aplastarte. —Señaló la ventana—. Mira si consigues abrir esa puerta para salir por ahí.

Desapareció por la escalera antes de que le diera tiempo a ella de decir:

—¿Qué?

¿Abrir esa puerta? Si era una ventana. Pero Adam jamás había mostrado indicios de estupidez, de modo que fue rápidamente a inspeccionar la ventana. Formaba, efectivamente, parte de una puerta. Una puerta doble que debía de utilizarse para abastecer el henar. Parecía parte de la pared, con la excepción del tablón de madera atravesado sobre unos ganchos de hierro que servía para mantenerla cerrada. Cogió aire, levantó el tablón, lo retiró y lo dejó caer al suelo.

Empujó la puerta doble y el aire fresco que arremolinó la paja la hizo retroceder. Su olor se mezclaba con el humo que la había llevado a chillar de manera tan estridente. Fuego. Dios, fuego en los establos. La paja, la madera seca, los caballos: ¿podía haber algo peor?

Inclinándose hacia el exterior, buscó una vía de escape, pero junto a la pared no había más que montañas de heno en llamas. A medida que el fuego las consumía con audible voracidad, los relinchos de los caballos subieron de volumen. Alguien subía por la escalera. Se giró, esperando ver un criado, pero era de nuevo Adam.

—El establo está cerrado con llave —dijo muy tenso—. El fuego se ha iniciado en el exterior.

Se acercó a la doble puerta y miró hacia fuera.

Bronwyn lo agarró por el brazo y lo zarandeó.

—¿Estás diciéndome que alguien ha prendido intencionadamente el fuego? Pero ¿por qué?

Apesadumbrado, Adam señaló hacia el otro lado del césped, donde se alzaba la mansión. No había luz, ni movimiento alguno.

—¿Para despertarnos? ¿Para vengarse de la devastación provocada por la burbuja de la Compañía de los Mares del Sur? ¿O...?

Las chispas flotaban hacia arriba, espoleadas por la brisa, extinguiéndose solas. Pero no seguirían haciéndolo por mucho más tiempo. Pronto, alguna de ellas se alejaría de sus compañeras y, como un portador de la peste, acabaría contagiando el fuego al altillo.

—Esto son especulaciones inútiles —murmuró Adam. Y dijo a continuación—: No hay escalera. No hay forma de bajar. Saltaré al almiar. Si lo consigo...

—¿*Si* lo consigues?

—Si lo consigo, buscaré una escalera. —Se preparó y miró a lo lejos—. Si no lo consigo, tendrás que saltar también.

—¿Si no lo consigues tú, como quieres que lo consiga yo?

Adam sonrió.

—Tú tienes dos piernas sanas.

—Entonces, ¿por qué no...?

Pero sus palabras se las llevó el viento. Adam saltó y aterrizó sano y salvo, agarrándose al almiar que se movió bajo su peso. Se deslizó por él y aterrizó en el suelo. Sumando su voz a un tumulto que empezaba a resultar ya abrumador, Bronwyn lanzó un grito triunfante.

Entonces, como un perro rabioso, un hombre se abalanzó sobre Adam, cuchillo en mano. Aun pillado desprevenido, Adam se giró hacia él; el hombre erró en el blanco y cayó rodando al suelo. Con el golpe, se le desprendió la peluca y su cabeza brilló bajo el sol naciente.

Judson. Bronwyn se estremeció presa de un ataque de odio, un odio tan caliente como el fuego que los rodeaba. Esta vez no se quedaría mirando cómo Judson intentaba matar a Adam. Esta vez acabaría personalmente con aquel sucio y ridículo navajero. Se giró para entrar de nuevo en el altillo. Los tablones del suelo le calentaban los pies. El fuego empezaba a extenderse y se habían iniciado pequeños incendios que consumían la paja. El famoso cuchillo tenía que estar por algún lado y Bronwyn Edana estaba dispuesta a utilizarlo.

Capítulo 23

*T*enía que estar por allí. Tenía que estar. Bronwyn removió el montón de heno sobre el que habían dormido. Removió con los dedos la paja amarilla, buscó con la vista por todas partes, se sirvió incluso de los pies para localizar la fina funda oscura que proporcionaría la salvación de Adam.

No estaba.

Pero tenía que estar.

Paró un instante, respiró hondo, tosió. El humo le abrasaba la garganta y castigaba su esfuerzo. Ese cuchillo estaba allí. Lo encontraría antes de que el fuego consumiera el establo. Lo encontraría antes que Judson...

Con determinación, levantó un montón de paja, lo sacudió, lo dejó correr. Levantó otro montón, lo sacudió, lo dejó correr. Otro.

Un pañuelo blanco, bordado con las iniciales «A. K», se agitó a sus pies y se echó a reír como una histérica. El éxito estaba muy cerca.

Levantó otro montón, y antes incluso de sacudirlo, el cuchillo cayó sobre las tarimas del suelo. Lo cogió y canturreó:

—Gracias... oh, gracias.

Abrió la funda de cuero que protegía el cuchillo y corrió hacia la puerta. Enseguida divisó a Adam y Judson. Estaban enzarzados en una pelea, en el barro del patio del establo, debajo de ella. Larga y brillante, la hoja del cuchillo de Judson se agitaba en su mano. Adams retenía de momento a Judson y sus intenciones asesinas.

No podía quitarles los ojos de encima. Extrajo el cuchillo de la funda y la atacaron por primera vez las dudas. Adam le había enseñado a lanzar el cuchillo, pero sabía que dar en el blanco exigía mucha práctica. Equilibró la punta entre los dedos. ¿Cómo darle a Judson teniendo a Adam tan cerca? Le temblaba la mano. Pero ¿qué otra alternativa tenía? Pese a la valentía de Adam, sabía que no estaba totalmente recuperado de la herida de bala. Sabía que la noche anterior se había forzado en exceso y solo Dios sabía el daño que podía haberse hecho al saltar desde allá arriba.

Los caballos, presas del pánico, relinchaban y se agitaban en sus compartimentos. Vio entonces varios criados corriendo hacia el establo, gritando, agitando los brazos. Ninguno de ellos se percató de la presencia de su señor. El fuego consumía sus ideas del mismo modo que estaba consumiendo el edificio.

La responsabilidad recaía por completo en ella.

A Judson le brillaban los ojos, su sed de venganza le había vuelto loco.

—Esta vez acabaré con todo. Esta vez acabaré contigo.

Adam oyó el juramento de Judson, pero no desperdició ni una pizca de aire en replicarle. Con la sensación de tener la pierna atada, necesitaba concentrarse por completo en la pelea. De vez en cuando, el pie se le descontrolaba, y de vez en cuando, también, las malévolas patadas de Judson daban en el blanco. Pero, por encima de todo, no se atrevía a soltarle la muñeca.

Alguien tenía que ayudarle, y ese alguien tenía que ser Bronwyn. Una fe ciega le mantenía con fuerzas cuando ya debería haberse rendido. Bronwyn, de un modo u otro, acudiría en su ayuda.

Un destello de luz lo llevó a levantar la vista. Allí estaba, enmarcada por el umbral de la puerta. El fuego resplandecía a sus espaldas, alimentándose con ansia de la paja, pero ella no parecía ser consciente del peligro que corría. Tenía el cuchillo en la mano. Una sola mirada le bastó para intuir su inseguridad. Temía lanzar el cuchillo, y temía asimismo no hacerlo. Se maldijo para sus adentros por no haberle proporcionado más experiencia, pero se halagó también por haberle enseñado a arrojar el arma.

Y con una oleada de desesperación, le comunicó su petición a Bronwyn.

Lánzalo. Bastaba con que lo lanzara bien, él ya se encargaría del resto.

Bronwyn adoptó una postura de determinación, estabilizó la mano y arrojó el cuchillo con toda la fuerza de su brazo.

Directo hacia Adam.

Quiso taparse los ojos, pero no podía. Él lo vio venir, vio el desastre apuntando directamente hacia él y movió el cuerpo con brusquedad, empujando a Judson hacia la trayectoria del cuchillo. Se clavó entre los omoplatos de este y Adam no esperó a ver si el lanzamiento había tenido éxito. Soltó a Judson y corrió hacia ella, aterrado por el incendio que estaba destrozando el establo donde Bronwyn seguía.

—¡Salta! —gritó—. ¡Salta!

Saltó. Adam la cogió en brazos y ambos cayeron rodando al suelo.

—¿Está muerto? —balbuceó ella, uniendo las manos por detrás del cuello de él.

—¿Y a quién le importa eso ahora?

Tiró de ella para levantarla y la arrastró corriendo hacia la casa. Cuando hubieron puesto una buena distancia de por medio, Adam se detuvo y la derribó de nuevo al suelo pese a los gritos de ella.

Cuando la soltó, le dijo:

—¿Y eso a qué ha venido?

Haciendo caso omiso a su indignación, la examinó de arriba abajo. Estudió con detalle cabello y ropa y al final, suspiró.

—Lo hemos apagado.

—¿Apagar el qué?

Le puso él un mechón de pelo ante los ojos.

—Estabas ardiendo.

Se calló de repente al ver las puntas chamuscadas.

—Oh.

—Ha sido un milagro que no ardieses en llamas.

Señaló el edificio, que estaba consumiéndose.

Respirar aquel humo era quedarse sin aire. Kenneth estaba dirigiendo una línea de cubos de agua desde el pozo hasta los establos, pero el intento tenía pocas probabilidades de éxito. El único deseo de los criados era liberar a los animales enloquecidos que seguían todavía dentro. Estaban sacando a los caballos tapándoles los ojos con paños húmedos, para después darles a beber agua y vertérsela a cubos sobre su humeante pelaje. Las paredes filtraban penachos de humo. El tejado de paja acabó prendiendo y la gente empezó a correr y a gritar por todos lados.

El incendio incontrolado había acabado llamando la atención de los invitados. Mujeres en salto de cama y hombres en camisón llenaban los balcones y los porches de Boudasea. Caballeros, a medio vestir y preocupados por sus caballerías, corrían hacia el establo. Los guiaba Northrup, pidiendo a todos los criados que encontraba por el camino que echaran una mano.

Un caballo liberado pasó corriendo por su lado, su galope tan violento que los cascos hicieron temblar el suelo. Adam se incorporó y le ofreció una mano a Bronwyn.

—Levántate antes de que te atropellen. —Cuando ella se hubo puesto en pie, le ordenó—: Vuelve corriendo a la casa.

Pasmada, Bronwyn lo observó regresar cojeando hacia el establo. Corrió tras él, gritándole:

—Ese edificio está a punto de derrumbarse.

La apartó y aceleró el paso, diciendo:

—Los caballos…

Pero ella se abalanzó sobre él para golpearle en las rodillas desde atrás y derribalo.

Adam cayó al suelo de bruces y ella sobre él.

—Los caballos no valen ni mucho menos tu vida.

Él permaneció quieto, y Bronwyn no comprendió muy bien si era porque lo había convencido o porque se había quedado sin aire. Tampoco le importaba el motivo. Esforzándose para que su voz sonase firme, dijo:

—Kenneth sabrá mejor que tú lo que hay que hacer. Nos quedaremos aquí y dejaremos que los caballerizos hagan lo que se les ha enseñado a hacer.

Adam intentó sacársela de encima.

—Nadie le ha enseñado a nadie cómo lidiar con esto.

Se giró con fuerza y se libró de ella.

Bronwyn se incorporó y se cernió sobre él, agitando un dedo.

—Te lo advierto, Adam, no intentes levantarte de aquí.

Adam se incorporó esbozando una sonrisa ladeada.

—¿O qué?

—O te tumbaré de nuevo. —Lo agarró por los brazos y lo miró ansiosa a los ojos—. No permitiré que vayas al establo.

Adam abarcó la cara de Bronwyn entre ambas manos y se quedó

mirándola. Los gritos le agredían los oídos, el hollín le obstruía la nariz, el miedo daba un sabor plomizo a su boca, pero cuando sonrió y le susurró «Dios, cómo te adoro», el amor, caliente y dulce, recorrió todo su cuerpo. Cerró los ojos y levantó el rostro hacia él para recibir su beso.

Pero no llegó. El contacto la abandonó, y cuando abrió los ojos ya estaba a su lado. Lo vio corriendo hacia el incendio. Como una cabra montesa, Bronwyn correteó por la hierba, sumando su grito a la cacofonía.

Una enorme cantidad de criaturas —trabajadores, caballos, criados, Adam— corría en dirección contraria a ella.

—¡Al suelo! ¡Fuego! ¡Corred! —gritaban los caballerizos.

Derrapando para detenerse, suspiró por fin aliviada.

Adam la agarró por el brazo para sacarla de allí, gritando:

—Eres tonta, los caballos ya están todos fuera. ¡Corre a casa!

El establo se desintegró con un rugido. Los muros cayeron, los tablones de madera convertidos en banderolas escarlata. Las llamas ascendieron hacia el cielo, el calor alcanzando sus máximos. Los almiares próximos a los establos prendieron fuego a la vez de manera espontánea.

Y un almiar en concreto llamó la atención de Bronwyn. Una antorcha distinta, veloz, y entonces recordó.

El horror marcó el rostro de Kenneth.

—¿Qué es eso?

Mirando a Adam a la cara, Bronwyn gritó:

—¿Judson?

—Maldita sea —renegó Adam—. ¿No podría morir como todo el mundo? ¿Tiene que…?

Echó a andar de nuevo hacia el establo y Bronwyn se giró desesperada hacia Kenneth.

—Es el hombre que ha prendido fuego a los establos.

Como una potente marejada, los caballerizos se lanzaron sobre Adam y le obligaron a dar media vuelta. Tirándose de los pelos ante su temeridad, realizando reverencias, mostrándole su respeto de todas las maneras posibles, consiguieron someterlo.

Uno de ellos dijo:

—No puede ir allí, señor.

Y Kenneth añadió:

—Está todo tan caliente que el fuego prendería en usted con solo acercarse. Mejor dejarlo tranquilo. Si no ha muerto aún, no tardará mucho en hacerlo.

Bronwyn oyó una voz entonar:

—Humpty Dumpty estaba sentado en lo alto del muro, Humpty Dumpty del alto muro cayó...

Northrup estaba a su lado y Bronwyn se quedó mirando, boquiabierta, cómo terminaba la canción.

—Ni todos los caballos del rey, ni todos los caballeros del rey, lograron recomponer a Humpty. —Northrup se llevó la mano al lugar donde había impactado la bala de Judson—. Judson ha acabado por fin hecho un huevo frito. Que arda en el infierno tanto como ha ardido en la Tierra.

Gianni, apoyado en la barandilla y con los ojos llenos de lágrimas, vio alejarse para siempre la costa de Inglaterra. ¿Dónde estaría su señor? ¿Por qué no se había presentado para embarcarse hacia Calais tal y como le había prometido? Su señor siempre había salido airoso en sus huidas, aunque jamás había permitido que el espíritu de venganza se apoderara de él. Gianni albergaba en su corazón un negro presentimiento. Llevándose la mano al afligido órgano, languideció.

La mujer que había apuñalado su señor seguía con vida. Aquella muchacha que se tenía por médico había logrado salvarla mientras él y su amo libraban una auténtica batalla con las demás. Le deprimía recordar el modo en que su señor había maldecido. Unos instantes más, y la mujer habría muerto. A lo mejor, elucubró, acababa falleciendo de una infección.

Gianni había dejado las bolsas que contenían todas sus pertenencias, y las de su señor, en el minúsculo camarote que tenían asignado bajo cubierta. Pero conservaba sujeto al cinturón el saquito con monedas que su amo se había ganado a base de mucho esfuerzo y astucia. Era un saquito que siempre llevaba encima su amo y cuyo contenido él nunca había estado autorizado a ver, ni siquiera a portar encima. El señor solía darle dinero para los gastos de la casa y para sus rápidas huidas.

Ahora —Gianni sonrió y sopesó el saquito—, ahora por fin su señor había demostrado la confianza que tenía depositada en su fiel sirviente. Y ahora miraría, solo por una vez, y durante poquísimo rato, su tesoro. No debía de haber mucho, lo sabía, puesto que los reveses de la fortuna los habían asolado últimamente. Pero con aquellas piezas de plata prepararía la llegada de su señor a Calais. En Calais, él, Gianni, pediría un plato caliente, un buen vino, tal vez una mujer, como le gustaba a su señor. Sí, Gianni asintió. Lo haría todo pensando en el bienestar de su señor.

Con una veloz mirada por encima del hombro, se aseguró de que no hubiese nadie muy cerca. Abrió la chaqueta, levantó la camisa y palpó el cinturón que retenía la bolsita pegada a su cuerpo. Tiró con cuidado de los cordones de cuero y miró el contenido.

Las monedas de oro brillaron con la luz del sol. Muchas monedas de oro, gruesas monedas de oro, monedas de oro como aquellas que llenaban a menudo los sueños de Gianni. Se quedó mirándolas, removió con los dedos el dorado metal, miró una vez más la costa de Inglaterra.

—Adiós, señor —gritó, levantando la mano en señal de despedida—. Adiós.

—Robert. —Adam posó la mano en el brazo de Walpole—. Necesito que hagas algo por mí.

Walpole sonrió de oreja a oreja.

—Hoy es el día de tu boda, chico. Te he ayudado a vestirte. —Ajustó correctamente la chorrera de la camisa de seda blanca de Adam y le sujetó el chaleco para que se lo pusiera—. Te he subido los ánimos con buenos chistes y buena cerveza. Demasiado tarde para escapar de esto.

—Pues eso es justo lo que quiero hacer.

La sonrisa de Walpole se esfumó y se apartó de Adam.

—Maldita sea, hablarás en broma.

—No, no hablo en broma. No puedo casarme con Olivia. Es una muchacha muy bella, pero...

—Tampoco puedes casarte con su hermana.

Adam dio un salto y miró a su alrededor.

—Dios mío, ¿acaso lo sabe todo el mundo?

—Lo sabe cualquiera que tenga ojos. Anoche os vi entrar en el establo. Todo el mundo os ha visto volver a casa esta mañana. —Walpole hizo un gesto que pretendía abarcar el césped que separaba la casa del chamuscado establo—. Un incendio es un suceso ideal para atraer curiosos, y Adam... he oído decir que estaba sentada encima de ti.

Adam refunfuñó.

—No quería que pusiese mi vida en peligro.

—Muy conmovedor, pero no es necesario ser un prodigio para observar que la muchacha tenía el pelo lleno de paja.

—El nombre de la muchacha es Bronwyn —dijo Adam con austeridad.

—Bronwyn, Olivia, ¿dónde está la diferencia? De noche, todos los gatos son pardos. Basta con rascarla donde toca, y cualquiera de ellas te ronroneará.

Adam se negó a dar réplica a la cautivadora sonrisa de Walpole.

—Por mucho que entiendas de finanzas, no sabes nada de mujeres.

Walpole se quedó mudo, pero volvió a cobrar vida mientras Adam se abrochaba la chaqueta de raso blanco.

—Me tengo por un experto.

—Pues ya que tanto sabes, ¿qué me pongo, los anillos de marfil o los de ámbar?

—Los de marfil —decidió Walpole con indiferencia—. Subrayan el blanco del pantalón de raso. ¡El incendio, esa atrevida pelea en la que mataste al hombre que ha destruido tu reputación! Todo el mundo chismorrea sobre lo arrojado que llegas a ser.

—Yo no lo maté.

—Y todo el mundo chismorrea sobre... ¿qué has dicho?

—Que yo no lo maté. —Adam se puso los anillos y sonrió a su pasmado amigo—. Lo mató Bronwyn. ¿Cómo piensas que podría haberle apuñalado la espalda mientras peleábamos?

—¿Pretendes decirme que esa mujercita menuda de simple semblante arrojó el cuchillo?

—Exactamente.

—Recuérdame que me muestre cortés con lady Bronwyn —dijo intranquilo Walpole mientras Adam no podía parar de reír—. Maldita sea, hombre, eso no cambia nada. Si cambiaras una hermana por la otra... ¡una vez más! ¡Imagínate el escándalo! —Walpole se llevó la mano a la frente y dijo, quejándose—: Mira lo que has conseguido, estoy sudando como un cerdo.

—Eres un cerdo, Robert, pero también eres mi amigo. Y te lo repito: quiero que detengas esta boda.

Walpole extrajo un pañuelo del generoso bolsillo de su chaqueta de tejido brocado y se secó la frente a golpecitos.

—Bronwyn y yo te salvamos la vida —le recordó Adam.

—Mira que estar en deuda con una mujer —gimoteó Walpole.

—Yo te hice el trabajo sucio en Change Alley.

—Te pagaré por ello —replicó de inmediato Walpole.

—Sí, deteniendo este enlace.

—Pero ¿qué te ha hecho esa muchacha?

Adam enarcó una ceja.

—Me interesaría escuchar tu teoría.

—Antes no te apasionaba nada que no fueran las finanzas, el honor de tu familia e Inglaterra.

En absoluto ofendido, Adam replicó:

—Era tremendamente aburrido.

—Exactamente. Y ahora es como si te hubieses convertido —Walpole agitó las manos, en busca de inspiración— en una persona normal.

—¡Terrible!

—Mantienes conversaciones reales sobre cosas reales, como caballos y amantes. Las jóvenes ya no se desvanecen cuando las miras. Naturalmente, jadean un poco cuando miras a Bronwyn. —Walpole cayó en la cuenta, demasiado tarde, de que había devuelto la conversación al tema de la boda—. Pero eso no significa que vaya a ayudarte a casarte con ella.

Robert Walpole recorrió los pasillos de Boudasea Manor murmurando para sus adentros. ¿Qué le había hecho esa muchacha a su amigo Adam? Aquel hombre, hecho de fuego y hielo, había cambiado, se había serenado. Su fuego era dirigido, controlado, calentaba más que abrasaba. El hielo no se había derretido, sino que se había transformado en algo más fuerte, menos crispado, más duradero.

De noche, todos los gatos eran pardos, le había dicho a Adam. Bastaba con rascarlos un poco y ronroneaban. Se rascó distraídamente la barriga. Todo aquello le inducía a preguntarse si se habría perdido alguna cosa por el camino.

Adam quería que detuviese la boda. Que arriesgase su reputación de hombre cuerdo para detener la boda. Pero ¿merecía su carrera hacia el gobierno exponerse a un riesgo como aquel? Se había inmerso en la devastación dejada por la burbuja de la Compañía de los Mares del Sur e iba a crear un nuevo gobierno, un gobierno estable, un gobierno en el que apoyaría al rey siendo su ministro más valioso. ¿Acaso pensaba Adam que su amor no tenía un precio?

No. Walpole movió la cabeza en sentido negativo. No, maldita sea. No pensaba ponerse en ridículo. Adam tenía que salir por sí solo de aquel embrollo.

—Robert.

Le llamaba una voz suave, femenina y seductora. Se abrochó el chaleco, se acercó el pañuelo de encaje a la boca, se giró... y se enderezó con tanta rapidez que incluso le crujió la espalda.

—Robert. —Mab, su némesis personal, le indicaba que se acercara a través de la puerta entreabierta de su estudio—. Venga, por favor.

Se acercó sigilosamente a Mab, esperando una bronca por cualquier falta leve que hubiera cometido. Pero la madre de Adam le sonrió con tanto encanto y tanta calidez, que enseguida comprendió que tenía algún problema.

En cuanto hubo entrado, Mab cerró la puerta, atrapándolo sin esperanza alguna de indulto. Y sin dejar de sonreír, le dijo:

—Detenga usted esta boda.

Capítulo 24

La última vez. La última vez. La frase resonaba en la cabeza de Bronwyn como el cántico de un apóstata enloquecido.

Aquella noche, con sus risas, sus lágrimas, con sus sueños compartidos y sus mareantes revelaciones, había sido la última vez. Jamás volvería a buscar los brazos de Adam. Jamás volvería a acunarlo para celebrar un placer tan completo que nunca más compartirían. Y nunca más volvería a sonreír cuando cayeran en la cuenta de que no existía placer completo.

Estaba sentada en la cama de la habitación de Olivia, mordiéndose el puño mientras escuchaba a lady Nora alternar órdenes y lisonjas.

—Olivia, querida mía, ya es la hora de la ceremonia. Deja de temblar y levántate para que podamos vestirte.

La mujer que aquella noche compartiría cama con Adam sería Olivia. Olivia… nerviosa, llorosa, gimoteando. Olivia.

Olivia. Bronwyn movió la cabeza con preocupación. Olivia no sabría apreciar las habilidades de Adam. Sentiría repugnancia y utilizaría el tiempo dedicado al amor para rezar con el fervor con que estaba rezando ahora. Olivia, su bella y extraordinaria hermana, nunca llegaría a adorarlo, nunca lo desearía, jamás le daría el amor que él se merecía.

El sol sonreía a la jornada. Húmedos aún por el rocío, los crisantemos decoraban todos los rincones y jarrones de la casa. Emocionados y felices, los invitados empezaban a salir de la mansión para dirigirse a la capilla. Todo, todo era perfecto para la celebración de una boda. Pero no era *su* boda. ¿Qué hacer? No podía impedir el enlace de su hermana. ¿Verdad?

Pensarlo era ridículo. Todo el mundo —su madre, su padre, Olivia, Adam, ella misma—, todo el mundo acabaría convirtiéndose en el hazmerreír de la gente. La sociedad de Londres se moriría eternamente de la risa.

Pero, maldita sea, Olivia seguía sin moverse. Continuaba con los ojos clavados en la ventana, las rodillas plantadas firmemente en el cojín.

—No son horas de rezar —le espetó lady Nora—. Esta noche será la hora de hacerlo.

Volviendo un rostro puro y sereno hacia su madre, Olivia la reprendió:

—Cualquier momento es bueno para rezar.

—No este. No... —Lady Nora se interrumpió al ver que estaba subiendo la voz—. Todos los invitados lucen su escarapela, un lazo que es símbolo del amor verdadero, trenzado con verde bosque y plata. Tus hermanas están ya todas vestidas y esperándote. Están bellísimas, con sus vestidos de color verde claro, adornados con perlas y rosas naturales.

Bronwyn a punto estuvo de morderse una uña, pero apartó la mano justo a tiempo. Adam la había acusado de obligarlo a casarse con Olivia, y tal vez tuviera razón. Adam no podía cancelar la boda. Hacerlo supondría un zafio insulto para Olivia. Solo Olivia podía negarse al enlace, lo que supondría un insulto igualmente ofensivo para Adam. Adam y Olivia estaban atrapados por un matrimonio destinado a hacerlos desdichados a ambos, y solo una mujer podía salvarlos. Solo una mujer era lo bastante buena para Adam, y el nombre de esa mujer era Bronwyn Edana, traductora, amante y lanzadora de cuchillos.

—Incluso Bronwyn está preciosa —dijo lady Nora, tratando de animar a Olivia—. Está aquí toda la sociedad. La cortejan hombres de toda condición. Lord Sawbridge —¡un duque!— afirma conocerla y babea literalmente por ella.

Olivia tensó sus facciones en un gesto de desdén y su delicada voz explotó.

—Es un viejo y babea, simplemente.

Lady Nora agitó las manos.

—Si no es Sawbridge, cualquier otro caballero. Mírala, Olivia. ¿No irás a privar a Bronwyn de la oportunidad de establecer un buen enlace?

Bronwyn también sería desdichada. Lo sabía. ¿Tres vidas sacrificadas en el altar por salvaguardar la moral de la sociedad? Ella misma había aconsejado a Olivia diciéndole que cuando se deseaba con locura una cosa, había que alargar el brazo para hacerse con ella. ¿No era eso lo que decía también Adam? Tomada la decisión, Bronwyn se levantó y dijo:

—Sí, mírame, Olivia.

Olivia levantó la vista hacia su hermana. Y lo que vio en los ojos de Bronwyn la empujó a ponerse de pie de inmediato. Se estableció entre ellas una comunicación y Olivia irguió la espalda. Con las manos entrelazadas, su rostro resplandecía de felicidad interior.

—Esa es mi chica —canturreó lady Nora, corriendo a su lado—. Deja que llame a las criadas y te vestiremos de inmediato.

—Olivia solo va a permitir que sea yo quien la vista —dijo Bronwyn, entrometiéndose—. ¿No es así, Olivia?

Olivia dudó un momento y dijo rápidamente:

—Así es, mamá. —Miró a lady Nora con ojos serenos, rostro tranquilo—. Hoy solo quiero a Bronwyn.

—Pero yo soy tu madre —se quejó lady Nora.

—Por eso me quiere a mí. —Con una sonrisa enigmática, Bronwyn corrió hacia lady Nora y la enlazó por la cintura—. Tú eres la madre de la novia, y Olivia sabe que la comitiva de la boda requiere tu presencia. —Empujó a lady Nora hacia la puerta—. ¿No piensas aprovechar la oportunidad para gestionar esta boda con ese estilo tan embriagador que solo tú sabes crear?

—Bueno, supongo que es lo que debería hacer. —Lady Nora se animó bajo la influencia de una adulación tan descarada—. Es cierto, yo soy la verdadera anfitriona de todo el asunto. Lady Mab no me ha ayudado en nada.

—Lo sé, mamá.

—Soy yo la que ofrezco las mejores fiestas para la mejor sociedad.

—Cierto, mamá.

—Pero… querida mía. —Lady Nora miró de nuevo a Olivia con sincero cariño… y Bronwyn pensó que había perdido definitivamente su apuesta—. ¿Cómo quieres que abandone a mi pequeña en un momento como este?

En voz baja, Olivia dijo:

—Insisto, mamá.

—¿Estás segura de que no te importa?

—En absoluto.

La voz de lady Nora dejó entender que estaba dolida cuando repitió:

—¿En *absoluto*?

—Lo que quiere decir es que no se confiaría a otras manos que no fuesen las mías. —Bronwyn sonrió mientras le abría la puerta—. No te demores.

Algo tendría la sonrisa de Bronwyn que llevó a lady Nora a observarla con detenimiento, y con los ojos entrecerrados, dijo:

—Bronwyn...

—Voy a ponerle a la futura desposada de Adam el vestido de novia que aprobaste para ella, y bajarla puntual a la capilla —le garantizó Bronwyn.

Poco convencida, lady Nora apoyó la mano en la puerta, que estaba ya cerrándose.

—No se te habrá ocurrido alguna travesura, ¿no?

—¿Qué travesura podría habérseme ocurrido? —Bronwyn señaló a Olivia, quieta y en paz enmarcada por la luz que entraba por la ventana—. Para hacer una travesura necesitaría la cooperación de mi hermana, y sabes que mi hermana jamás coopera en travesuras.

La expresión de lady Nora se apaciguó, pero sus sospechas seguían presentes.

—Solo coopera con tus travesuras.

—Me parece que me resultaría complicado dejarla noqueada y atarla, ¿verdad?

Bronwyn rió entre dientes, indicando su diferencia de altura.

Aplacado su escepticismo, lady Nora asintió por fin.

—Muy bien. Espero verte caminando por el pasillo de la iglesia, *delante* de tu hermana.

Con un gesto de despedida, Bronwyn cerró apresuradamente la puerta.

—Y ahora veamos —dijo, acercándose a su hermana—. ¿Va a ser necesario dejarte noqueada y atarte?

Los ojos de Olivia se llenaron de lágrimas y, suplicando en silencio, negó con la cabeza.

—Entonces, ¿me dejarás ocupar tu lugar?

—Sí —musitó Olivia—. Es la respuesta a mis oraciones.

Bronwyn le dio la espalda a Olivia y le ordenó:

—Desátame esto.

—Eres muy valiente, Bronwyn. —Olivia envolvió a su menuda hermana en un tierno abrazo—. Y me haces ser valiente a mí. No puedo hacerlo sin ti, lo sabes bien. No puedo enfrentarme a papá y a mamá y a los pastores que llamen para que hablen conmigo si tú no me ayudas.

Bronwyn le devolvió el abrazo.

—Oh, claro que te ayudaré. El tema es que incluso yo empiezo a pensar que estás destinada a hacerte monja.

—Sí. —Olivia le sonrió—. Lo estoy. Igual que tú estás destinada a ser la esposa de lord Rawson.

Arrugado por el peso del broche de bodas, el corpiño de encaje plateado parecía mustio. Confeccionada para la cabeza de Olivia, más grande que la de Bronwyn, la tradicional guirnalda de mirto, hojas de olivo, romero y flores blancas y moradas, se tambaleaba de lado a lado. Bronwyn tropezaba constantemente con la falda de color verde bosque, hasta que decidió recogérsela con la mano y seguir adelante. Sus prisas tampoco contribuían mucho al aspecto desgarbado del atuendo, pero se atrevió a no detenerse en ningún momento para recomponerse. No quería que nadie se percatara de un posible retraso, que nadie se hiciera preguntas.

Pero no lo consiguió. Su madre esperaba junto a la escalera de la capilla, oteando el horizonte al ver aparecer a Bronwyn, y su tardía reacción impresionó más a Bronwyn que cualquier comentario. Entonces titubeó; lady Nora se enderezó, movió con nerviosismo el pie y señaló directamente el espacio delante de ella.

—Mis peores presagios se han cumplido. Ven aquí, jovencita.

Lady Nora rara vez hablaba de aquella manera, y Bronwyn obedeció con una sumisión poco típica de ella.

—¿Qué te crees tú que estás haciendo con el vestido de novia de Olivia el día de la boda de Olivia?

—Casarme —una sola mirada al rostro intransigente de su madre la obligó a tragar saliva—, milady.

—No puedes hacerlo —dijo lady Nora, furiosa—. ¿Qué pensará la sociedad?

—Me da igual lo que piense —declaró desafiante Bronwyn—. Esto es mucho más importante.

—¿Más importante que nuestra posición social? —Lady Nora hablaba y estaba exasperada—. Bromeas, hija. ¿Qué podría ser más importante que nuestra...?

—Le amo, mamá. —Bronwyn extendió una mano, con la palma hacia arriba, suplicando comprensión, y el profuso tejido de la falda se escurrió de su agarre para derramarse por el suelo.

—¿Qué *tú le* amas? ¿Qué *tú* le amas? —Lady Nora intentó pronunciar la frase con distintas entonaciones, como si jamás hubiera escuchado aquella frase en su propio idioma—. ¿Qué tú le *amas*?

—Sí.

—¿Te he entendido bien? ¿Qué tú amas a lord Rawson?

Bronwyn asintió, y su madre movió la cabeza en un gesto de tristeza.

—Querida mía...

—Le amo igual que tú amas a papá.

Lady Nora se quedó helada. Entrecerró los ojos, examinando con minucia el rostro de Bronwyn.

—Qué Dios te ayude de ser eso cierto.

Bronwyn confiaba en que su expresión hablara por ella. Y al parecer sí, puesto que lady Nora sacó su pañuelo para secarse las lágrimas que amenazaban en superar las comisuras de sus gloriosos ojos.

—Qué desastre. Sabes lo angustioso que ha sido esto para mí y para Holly. ¿No podrías aprender de nuestros errores?

—No he tenido otra elección, y a veces da la sensación de que Holly y tú sois mujeres más plenas gracias a vuestro amor que mis demás hermanas, con sus emociones secas y polvorientas.

—Oh, eso no lo sé —dijo muy preocupada lady Nora.

Bronwyn le cogió la mano a lady Nora y le imploró:

—Dime que no todo ha sido un error entre papá y tú.

—No, no ha sido tan penoso. —Lady Nora miró el rostro suplicante de Bronwyn y, a través de él, vio su propio pasado. Recordando, suspiró—. Ha habido momentos magníficos.

—¿Si pudieras volver atrás? —le instó Bronwyn.

—Si pudiera volver atrás, haría exactamente lo mismo —reconoció lady Nora. Con un carraspeo destinado a disimular su turbación, levantó la falda y entrecerró los ojos mirando la confección—. Me habría gustado que me lo hubieras dicho antes. Podría haber hecho algo con este vestido. Pero tal y como están las cosas, tendrás que cargar con ello. —Tiró del tejido de la cintura, toqueteándolo—. De no saber que es imposible, diría que llevas demasiado altos los cordones del delantalito.

Bronwyn no pudo disimular su orgullo.

Lady Nora se acarició la frente con una mano de manicura perfecta.

—Es cierto, ¿no? Estás esperando un bebé.

—Sí, mamá.

—Oh, deja ya de sonreír como una boba. Vas a hacerme abuela. —Lady Nora gimoteó con delicadeza—. Vas a ser la protagonista del mayor escándalo del año y además con un hijo prematuro. ¿Hasta qué punto prematuro?

—No sé mucho de esas cosas, pero… creo que tres meses, al menos.

Por primera vez desde que Bronwyn tenía memoria, veía a su madre con la verdadera edad que tenía: cincuenta y tres años. Lady Nora acercó la mano a su futuro nieto. Y a continuación, dándole un empujoncito para que entrara en la capilla, le ordenó:

—Anda, corre y entra. Con el tiempo que estás perdiendo aquí, me da la impresión de que pretendes que llegue con cuatro meses de adelanto.

Lord Gaynor asomó la cabeza por la puerta de la capilla.

—Nora, por el amor de Dios, las sirenas irlandesas están preparadas en la parte posterior de la capilla, esperando a la novia, y su sonrisa empieza ya a parecer falsa. ¿Es que aún no está preparada la niña? —Su mirada cayó sobre Bronwyn—. Saludos, muchachita. Luces unas plumas preciosas. Estoy seguro de que embelesarás a tu hombre con ese… —Cuando se dio cuenta de quién era la portadora del vestido, frunció gravemente el entrecejo—. ¿Qué haces con el vestido de novia de tu hermana?

Bronwyn sonrió con indecisión.

—Bueno, papá…

—¡No me vengas ahora con buenos, maldita sea! —Su acento irlandés aumentaba a cada sílaba que pronunciaba—. No engatusarás de nuevo a tu viejo papá. ¿Qué has hecho con Olivia?

—Oh, papá.

Empezó a deambular de un lado a otro de los peldaños de acceso a la capilla.

—No sé de dónde has sacado este carácter tan temerario.

—¿De ti? —sugirió Bronwyn.

—¡Deja ya de decir eso! —Lord Gaynor se acercó a ella—. ¿Por qué siempre dices eso? Yo no soy temerario.

—No, papá.

—Borra esa sonrisa de tu cara y dime —se armó de valor, esperándose lo peor—, ¿la has noqueado y las has atado luego con una cuerda?

—Olivia está bien —le aseguró Bronwyn.

—¡Jamás lograrás convencerme de que tu hermana está de acuerdo con esto!

No sabía qué decir. Imaginó que era mejor dejar el dilema de Olivia para otro momento.

—De hecho...

Tal vez su padre sospechaba algo, puesto que levantó una mano para acallarla.

—No me lo digas. Limítate a responderme una pregunta. ¿Qué haces con el vestido de novia de tu hermana?

Lady Nora colocó bien la guirnalda de flores, que se había deslizado hacia un lado de la cabeza de Bronwyn.

—Está esperando a que su padre la entre en la iglesia del brazo.

Lord Gaynor miró boquiabierto a su esposa.

—¿Pretendes decirme que apruebas este tejemaneje?

Con un tono de gran trascendencia, dijo lady Nora:

—Sí, abuelo, lo apruebo.

Moviendo la boca sin poder hablar, lord Gaynor asimiló la información y acabó lanzando un grito de alegría. Abrazó a Bronwyn para hacerla girar en volandas.

—¿Un bebé?

Bronwyn asintió, mientras lady Nora empezaba a angustiarse.

—Suéltala, Rafferty, por favor, suéltala. Estás destrozándole el peinado.

—Un bebé. —Las vueltas se ralentizaron. Dejó a Bronwyn en el suelo y se dirigió a la puerta—. Sabía que tendría que haber matado a ese cabrón.

Lady Nora lo agarró por el hombro y tiró de él.

—Si le matas, no podrá casarse con Bronwyn.

—Tienes razón. —Respiró hondo—. Primero que se case con ella. Y luego lo mataré.

—Papá, no tienes motivos para matarlo —observó Bronwyn—. Él no sabe nada sobre el bebé.

Pasmado, dijo lord Gaynor:

—¿Qué no lo sabe?

Lady Nora repitió como un eco:

—¿Qué no lo sabe?

Bronwyn se mordió el labio.

—¿Creéis que se enfadará?

Sus padres intercambiaron prolongadas miradas cargadas de intención.

—No por lo del bebé, pero a buen seguro sí lo hará por no haberle dicho nada. Creo que lo de hoy nos ha salvado de un escándalo mucho mayor, de celebrar un matrimonio para luego correr a anularlo. Si Adam se hubiese casado con Olivia y hubiese descubierto posteriormente que esperabas un hijo suyo...

Lord Gaynor suspiró con tristeza.

—Supongo que podríamos haber escondido a Bronwyn —sugirió lady Nora, arreglando los desmedidos mechones de su hija y tratando de esconder las puntas chamuscadas.

Reflexionaron sobre aquello y lord Gaynor negó con la cabeza, un gesto que repitió lady Nora.

—No —decidió lord Gaynor—. La verdad habría acabado saliendo a la luz. Y yo no soy un cobarde, querida mía, aunque palidezco solo de pensar en enfrentarme a Adam en esta coyuntura.

Lady Nora se estremeció.

—Cierto.

—¿Cómo se lo digo, entonces? —preguntó Bronwyn.

—En la cama, esta noche —le ordenó lady Nora—. Los hombres siempre se muestran de lo más indulgentes en su noche de bodas.

—Sí —dijo Bronwyn, pensando, y a continuación preguntó—: ¿Cómo se dice embarazada en francés?

—*Enceinte* —dijo lady Nora, mirándola—. ¿Por qué?

Bronwyn oyó que decían, desde la puerta de la capilla:

—¡En marcha!

—¡En marcha!

—Yo delante, que soy la mayor.

Se giró y vio a Holly y Linnet, sus hermanas gemelas, luciendo idénticos vestidos de color verde claro y peleándose por salir de la iglesia. Ninguna de las dos quería ceder el primer puesto y cuando por fin salieron al porche, tenían los *panniers* casi aplastados.

—Papá, la gente empieza a ponerse nerviosa —empezó a decir Linnet—. ¿Dónde...? ¡Oh, Dios mío, si es Bronwyn!

—Ya te dije que Bronwyn era el motivo del retraso —le dijo con suficiencia Holly a su hermana—. Adam parece enfermo, papá. Y ahora que está aquí la novia, ¿no deberíamos empezar de una vez?

—Sí, empecemos enseguida —ordenó lady Nora—. ¡Oh, esperad! Esperad a que me haya sentado. —Le lanzó una mirada furiosa a Bronwyn como si su hija fuera responsable de su desatención—. Llevo seis bodas en el cuerpo, Bronwyn, y jamás me había encontrado con tantos obstáculos.

Bronwyn replicó con completa seguridad.

—Y no volverá a pasarte, mamá, te lo prometo.

Lady Nora entró en la capilla sorbiendo por la nariz. Linnet y Holly iniciaron de nuevo su pelea para ver quién de las dos encabezaba el desfile, y Bronwyn oyó un par de gritos cuando su padre decidió poner orden.

—Ya está —dijo lord Gaynor, retocándose el cuello—. ¿Qué te parece tu viejo padre?

Poniéndose de puntillas, Bronwyn le estampó un beso en la mejilla.

—Estás deslumbrante, como siempre. En cuanto hagas tu entrada, nadie volverá a mirar a Adam.

—Tonterías. —Le ofreció el brazo y la condujo hacia el vestíbulo de la capilla—. Tienes el don de saber dar coba. Supongo que también me lo achacarás a mí.

—No, papá.

Enfrentada a la perspectiva de los cientos de caras que detrás de aquellos arcos empezarían a mirarla y a chismorrear, Bronwyn se quedó agarrotada.

Insensible al miedo escénico de su hija, lord Gaynor le preguntó:

—¿Por qué no se lo dices?

Sus hermanas empezaron a recorrer el pasillo. Intentando las unas superar a las otras, esparcieron pétalos de flores a su paso con exagerados gestos de sus manos cubiertas con guantes de color lila.

—¿Decirle a quién qué?

—Porque no le dices a Adam lo del bebé.

Esperó a que sus hijas hubieran despejado el pasillo y se hubieran congregado junto al altar. Entonces, radiante como el padre orgulloso que era, guió a Bronwyn hacia el interior de la capilla.

Las especulaciones inundaron la iglesia al verla aparecer con el vestido de novia y el miedo de Bronwyn se transformó en terror. Repetido en susurros, su nombre la asaltó por todos lados durante su difícil avance.

Sin interrumpir su paso majestuoso, su padre repitió:

—¿Por qué no se lo dices?

Acumuló la cantidad suficiente de compostura para ofrecerle a su padre una respuesta que confiaba resultara satisfactoria.

—Pensaba que era fea.

La ensayada sonrisa de lord Gaynor se torció.

—¿Adam? ¿Qué Adam dijo que eras fea?

Cuando vio las sonrisas de dientes afilados de las matronas, le castañetearon a ella los suyos.

—No, no lo ha dicho nunca. Solo que yo pensaba que…

—Mírale y dime si piensa que eres fea.

Bronwyn miró por primera vez hacia el altar, donde esperaba Adam. El suave y blanco raso no podía ni compararse con la magnificencia de su cara, dura y bronceada, y sus fuertes manos. Su pelo oscuro, peinado y suelto sobre sus hombros, no podía compararse con el fuego de sus ojos al verla. Y la miraba, con tanto orgullo y pasión, que la tensión que sentía desapareció de repente. Vio que Adam se llevaba la mano al corazón. Su sonrisa transmitía, a partes iguales, incredulidad, alivio y alegría.

Pensaba que era bella. ¿Cómo podía haberlo olvidado?

La vio avanzar a tropezones con una falda excesivamente larga para su altura, un corpiño tan escotado y tan grande que corría el peligro de acabar revelando sus intimidades, pero miraba solo su cara. Estimulante, expresiva, adorándole como si él fuera especial. Lo consideraba un hombre maravilloso. ¿Cómo podía haber dudado de ella?

—Adam.

Su boca pronunció la palabra y él dio un paso al frente. Y pese a que escuchó el suspiro colectivo y romántico del público, no podía apartar los ojos de Bronwyn para mirar a los invitados. No podía hacer otra cosa que extender la mano, y ella le entregó la suya.

El pastor anglicano, que tenía que agradecer su puesto a la bondad de lord Rawson, comprendió que era mejor no cuestionar aquel poco ortodoxo cambio de novia. Con elegancia, incorporó el nombre de Bronwyn a la ceremonia. Ella repitió sus votos en un susurro. Adam repitió los suyos con excesiva fuerza. El pastor preguntó si alguien tenía alguna objeción y aguardó con una sonrisa en los labios, que se desvaneció en cuanto alguien tosió para aclararse la garganta y tomar la palabra.

Un sentimiento de desazón se apoderó de inmediato de Adam. No, ahora no. El destino no podía ser tan cruel como para impedir aquello. Poco a poco, se volvió de cara a los reunidos y descubrió a su amigo Robert Walpole de pie, agitando un dedo en el aire y esbozando una desvergonzada sonrisa.

—Oh, no —susurró Adam. Y entonces dijo en voz alta—: Robert.

Adam no dijo más, pero incluso el nombre de Walpole sonó como una amenaza.

Robert ignoró, tanto el tono de amenaza como a Adam.

—Tengo derecho a hablar, creo.

El pastor asintió, completamente desvaído.

—Es una lástima que una dama tan encantadora vaya a casarse con este cascarrabias. ¿Se ha dado cuenta, lady Bronwyn, de lo que va a obtener con este hombre? —Bronwyn asintió en respuesta a la pregunta, pero Walpole le hizo caso omiso—. Conozco desde hace años a Adam Keane, vizconde de Rawson, y les diré que es un tipo terco y socialmente aburrido. Ha rechazado todos los sobornos que le he ofrecido. Insiste en mantener la más completa honestidad en todas sus transacciones. Y les pregunto, ¿qué tipo de hombre ofrecería ayuda a la gente engañada por la venta de títulos falsos de la Compañía de los Mares del Sur? —Señaló a Adam con un dedo acusador—. Solo lord Rawson.

Insatisfecho con las revelaciones de Robert, Adam le ordenó:

—Siéntate, Robert.

Walpole señaló entonces a Bronwyn.

—Lady Bronwyn tendrá que aguantar este implacable bienhechor durante todos los años que dure su vida marital. Es una mujer joven, bella y... ¿me atrevo a decirlo?

Envalentonado por el licor que ya llevaba encima, uno de los caballeros sentados cerca de Walpole, dijo:

—Dígalo. ¡Dígalo!

—Inteligente —dijo Walpole, acompañando la palabra con una floritura—. Sí, es inteligente, y en vez de pasarse la noche bailando con un dandi de pies ligeros y manos fuertes, se verá obligada a escuchar los planes de lord Rawson para seguir ganando más y más dinero hasta que la familia acabe convirtiéndose en la más adinerada de Inglaterra.

Otro caballero sofocó un grito de fingido asombro.

—La más adinerada de Inglaterra —repitió Walpole—. Imagínense, si pueden, la vida de lady Bronwyn, rodeada de lujos, abrumada por riquezas, venerada por su esposo. Se verá obligada a dedicar su tiempo a rechazar las ofertas de casamiento para sus hijos que recibirá por parte de las mejores familias de las islas británicas.

—Siéntese, señor Walpole —dijo Bronwyn.

—Y mírenlos. —Walpole movió su rechoncha mano hacia la pareja casi casada—. Se adoran manifiestamente. ¿Podemos nosotros, la aristocracia inglesa, permitir que tenga lugar un matrimonio de esta índole? ¿Cuáles serían, en el seno de nuestra clase, los resultados de una fidelidad como esta?

—Siéntese, Robert —dijo Mab.

Robert se sentó con tanta fuerza, que el banco de la iglesia se estremeció. Encorvando la espalda, dirigió la mirada al cielo y silbó tímidamente.

El pastor miró por encima de sus gafas a la congregación, que reía por lo bajo.

—¿Alguien más tiene deseos de exponer sus objeciones a este matrimonio por algún motivo *justificable*?

Unos cuantos caballeros tosieron para aclararse la garganta, pero ninguno se vio capaz de enfrentarse a la amenaza de Adam, más poderosa si cabe por lo tácito de su carácter.

Rápidamente, dijo el pastor:

—Que vuestras vidas se conviertan en una. Que Dios os bendiga por todos los años que disfrutéis como marido y mujer. —Respiró hondo—. Lord Rawson, puede besar a la novia.

Adam atrajo a Bronwyn hacia él hasta que pudo ver el interior de su escote. Deseaba mirarla allí, mirar sus piernas, su cintura, su espalda, pero lo que más deseaba era poder tocarla por todas partes. Con voz baja y profunda, dijo:

—Me siento honrado por el hecho de que una dama tan inteligente y encantadora haya consentido en casarse con un cascarrabias como yo. Ha habido momentos en que he dudado que llegara a hacerlo.

—No eres ningún cascarrabias. —Le acarició las mejillas con la delicadeza con que cogería un nido de pájaro—. Eres tan bondadoso, generoso, inteligente y honorable como ha descrito Walpole.

Adam le cogió una mano para besarle la muñeca y aspiró el aroma a naranjas. Entonces dijo:

—Me importa un comino lo que piense la sociedad. Lo único que me importa es lo que piense mi desposada.

Bronwyn se ruborizó.

—Piensa que tienes suerte de que haya entrado en razón, puesto que de lo contrario se habría visto obligada a presentar sus objeciones en mitad de la ceremonia.

—Nunca habría tenido que llegar a esos extremos. —Adam levantó la cabeza y miró de reojo a Walpole—. Soy tan tonto, que le ordené a Robert interrumpir la ceremonia llegado el momento. Pero no se me ocurrió darle instrucciones alternativas, y no hay nada que le guste más a Robert que gastar bromas.

Bronwyn esbozó una sonrisa.

—Ha sido divertido.

—Tienes un curioso sentido del humor, Cherie. *Mais je t'adore.*

—Oh, yo también te adoro. —La olorosa guirnalda se ladeó hasta quedar apoyada en una oreja—. ¿Me enseñarás francés?

La abrazó con más fuerza.

—Y español, italiano, árabe.

Impaciente, Walpole vociferó:

—¡Bésala!

Enlazando las manos por detrás de la nuca de Adam, Bronwyn le prometió:

—Y yo te enseñaré gaélico.

Adam le sonrió. Cuando ella le devolvió la sonrisa, él vio reflejada su pasión.

—Walpole tiene razón. ¡Bésala! —gritó Mab.

Desde la parte posterior de la iglesia, se oyó también la voz de Olivia.

—¡Bésela!

—¡Bésela! ¡Bésela!

La petición resonó por todas partes.

—¿Serás mía? —susurró Adam.

—Toda la vida —le juró ella.

—Con todo mi amor —replicó Adam, acercando los labios a los de ella.

Cuando sus bocas se unieron en su primer beso de casados, Walpole pronunció, como siempre, la última palabra:

—¡*Ah, vive l'amour!*

www.titania.org

Visite nuestro sitio web y descubra cómo ganar
premios leyendo fabulosas historias.

Además, sin salir de su casa, podrá conocer
las últimas novedades de
Susan King, Jo Beverley o Mary Jo Putney,
entre otras excelentes escritoras.

Escoja, sin compromiso y con tranquilidad,
la historia que más le seduzca
leyendo el primer capítulo de cualquier libro
de Titania.

Vote por su libro preferido y envíe su opinión
para informar a otros lectores.

Y mucho más...